A Gaia,

miss London
di tutti noi
forever !
:)

con un abbraccio

Enrico

London, 14-11-2019

Enrico Franceschini

Bassa marea

Rizzoli

Pubblicato per

Rizzoli

da Mondadori Libri S.p.A.
Proprietà letteraria riservata
© 2019 Mondadori Libri S.p.A., Milano
Published by agreement with MalaTesta Literary Agency Milano

ISBN 978-88-17-10997-0

Prima edizione: settembre 2019

Bassa marea

ai tre moschettieri

Let's climb through the tide
Surrender to the waiting worlds
That lap against our side.

Jim Morrison, *Moonlight drive*

Personaggi principali

Andrea Muratori detto Mura, giornalista in pensione
Danilo Baroncini detto il Barone, medico primario
Pietro Gabrielli detto il Professore, bibliotecario
Sergio Baldazzi detto l'Ingegnere, docente di... tutto
Caterina Ruggeri, detta Cate, corrispondente di guerra, scopa-
    mica di Mura
Rafaela Gutierrez detta Raffa, brasiliana ruggente, *girlfriend*
    del Barone
Pelè, figlio di Raffa, talento naturale (nello sport)
Carla Rovati, letterata, eterna fidanzata del Professore
Bianca Maria Bellombra detta Mari, interior designer, morosa
    dell'Ingegnere
Aleksandra detta Sasha, escort russa
Sveta, figlia sedicenne di Sasha
Giancarlo Amadori, maresciallo dei carabinieri
Eugenio Macrì, colonnello dei ROS
Marco Tassinari, ex calciatore, gigolò
Silvia Ricci, moglie di Tassinari
Alberto Ricci, padre di Silvia, albergatore
Santo e *Salvatore Caputo*, ufficialmente pizzaioli
Angela, sorella dei pizzaioli
Carlo Zaghini, bagnino di lungo corso

Ermete Calzolari, notaio che vive in barca
Tina Fabbri, ex maestra di scuola
Renato Senni, cuoco di una trattoria sul molo
Settecappotti, senzatetto in bicicletta

1. Sono gli slip

(Colonna sonora: *Tequila Sunrise*, Eagles)

Un mare liscio come l'olio.

È un luogo comune, ma rende l'idea. Alle cinque del mattino, l'Adriatico è un liquido immobile disteso lungo il litorale. Non un'increspatura agita l'orizzonte. Tutto è fermo: acqua, cielo, spiaggia. L'unico movimento è rappresentato dalle scarpette, un passo dopo l'altro, un pelo più su del bagnasciuga, nel corridoio dove la sabbia è ancora dura, resa compatta dal ritiro della marea. Più tardi ci penserà il sole ad ammorbidirla, ma a quest'ora è il terreno perfetto per cinque chilometri di corsetta quotidiana. Sull'aria tersa aleggia un vago odore di alghe e di pesce. Il silenzio è assoluto. Gli abitanti di Borgomarina dormono. Non sanno cosa perdono.

Il mattino ha l'oro in bocca.

Un modo di dire anche questo. Da giovane Andrea Muratori non lo capiva. Come stile di vita preferiva il biassanot, alla lettera "mastica notte": così nel dialetto della sua Bologna si chiama chi tira tardi. Insomma, il nottambulo. Di notte scriveva, leggeva, mangiava e beveva, talvolta godeva, al limite perdeva tempo: tutto, pur di non chiudere gli occhi. «Dormirò da vecchio» sosteneva in tono sbruffone. La fase di sonno profondo era di primo mattino, quando non si sarebbe alzato neanche se glielo avesse ordinato il dottore, cosa che non succedeva prima di mezzogiorno.

L'età e il ritmo circadiano gli hanno imposto nuove regole. Alle undici di sera sbadiglia come se dovesse slogarsi la mandibola. Segue qualche ora di sonno leggero, in cui basta un fruscìo a destarlo. Alle tre giace con gli occhi spalancati. Si rigira di qua e di là per un po' nella vana speranza di riaddormentarsi. Va a pisciare. La prostata? Beve un sorso d'acqua. Accende l'iPhone. Scorre le notizie internazionali sul sito della BBC. Si distrae seguendo il flusso ininterrotto dei social. Poi rinuncia, prepara il caffè, indossa maglietta, calzoncini, le Nike e via. In neanche un minuto raggiunge la spiaggia. Corre.

Da vecchi si dorme male. Ma Andrea non si sente vecchio. Per niente. A sessant'anni gli sembrava vecchio suo padre, ma erano altri tempi, un'altra generazione. "Sessanta sono i nuovi quaranta" affermano ora gli slogan pubblicitari. Oggi un uomo di sessant'anni può fare tutto, con il vantaggio di un po' d'esperienza, niente da dover dimostrare e una pillolina azzurra per sentirsi giovane anche a letto. A dargli una botta di vecchiaia precoce ha provveduto il suo datore di lavoro, mandandolo in pensione in anticipo: prepensionamento, lo definisce un'apposita legge. In sostanza, un sistema con cui disfarsi dei dipendenti che pesano di più, per ragioni di età, sul bilancio di un'azienda in crisi. Come il suo giornale. E i giornali in genere, nell'era della rivoluzione tecnologica, in cui sempre meno gente acquista quotidiani in edicola e non ci sono abbastanza abbonati a pagamento all'edizione digitale. Se si aggiunge il calo della pubblicità, anche quello prodotto dal boom del web, i cui grandi cavalieri, da Google a Facebook, se la pappano tutta, non c'è da prendersela con gli amministratori delegati perché cercano di prepensionare più dipendenti possibile. Incluso Mura, diminutivo di Muratori, soprannome ricevuto e mantenuto fin dai banchi di scuola, che a sessant'anni si è ritrovato anticipatamente in pensione.

Una buona pensione. Ma non rimane molto, tolti gli alimenti da pagare a due ex mogli, un'americana e una russa, entrambe frutto delle sue esperienze internazionali di cronista, più la "paghetta" che continua a versare a suo figlio Paolo, naturalizzato inglese, in procinto di finire gli studi da avvocato a Londra. Fatti i conti, economici e filosofici, dopo tre decenni trascorsi a raccontare guerre, rivoluzioni, terremoti e altri sommovimenti in giro per il pianeta, Mura ha deciso di tornare al punto di partenza. O quasi.

Rispetto a Bologna, dove è nato, Borgomarina giace un centinaio di chilometri più a est. Il posto delle villeggiature estive quando era bambino, quindi delle vacanze estive con suo figlio in un nostalgico déjà-vu: la teoria dell'eterno ritorno passa anche da paletta e secchiello.

Si stabiliva lì ogni estate per cinque o sei settimane di fila, quando rientrava in Italia per ferie dalle sue sedi di corrispondente estero. Ormai ci è più affezionato che alla città natale. I ricordi dell'infanzia sono sempre i più belli e Mura li ha doppi: i propri e quelli del suo erede. È l'unico luogo dove aveva comprato casa. Senonché da qualche anno l'ha venduta per acquistare un monolocale a Londra per suo figlio: gli è sembrato giusto, dopo averlo fatto crescere nella metropoli più costosa della terra. Sentiva la responsabilità di assicurargli un tetto sopra la testa. Ma una volta prepensionato, in sostanza disoccupato, con in tasca il poco che gli resta dagli alimenti del duplice divorzio, a rimanere senza un tetto sopra la testa è stato lui. Zero risparmi, zero proprietà, zero possibilità di ottenere un mutuo alla sua età: non male come bilancio di una lunga e onorata carriera. D'altronde, raccogli quel che hai seminato. Altro luogo comune veritiero.

Gli era sempre piaciuto il motto di George Best, campione del pallone e viveur sfegatato: «Ho speso una fortuna in donne, macchine e cavalli, il resto l'ho sperperato». In macchine e cavalli, Mura non ha sperperato granché, ma è bastata la prima voce a lasciarlo in mutande. Serve poco più di quelle per vestirsi, fortunatamente, in riva al mare. E nella cittadina della Riviera romagnola un amico gli ha dato una mano a trovare casa in affitto per quattro soldi. Un buco, più che una casa, in verità. Ma basta e avanza. Mura ha passato gli ultimi anni ad alleggerirsi di tutto quello che gli ingombrava l'esistenza: mobilio, abiti, libri, oggetti. E pure persone. *Downsizing*, lo definiscono nelle *business schools*. «*Travel light*» teorizza lui, e in effetti è arrivato a Borgomarina molto *light*. Più o meno lo stesso bagaglio con cui era partito da Bologna per l'America, quarant'anni prima: borsa, zainetto, il PC dentro lo zainetto, invece dell'Olivetti portatile che aveva nel 1980. E rigorosamente solo.

Viaggiare leggeri rende tutto più semplice. Il trasloco, per cominciare: non serve una ditta di facchini. Senza bagagli affettivi, mogli, figli, compagni o compagne di viaggio, non serve nemmeno molto spazio dove sistemarsi. È sufficiente una tana. Un trappolo, come si diceva una volta a Bologna delle stanze per andare a scopare. Anche il suo ex compagno di banco Dan, del resto, ha scelto di vivere così e non si lamenta. L'attrazione irresistibile del buco, la definisce. Non tanto fuor di metafora.

Il suo, per di più, ha una vista che sembra di stare in mezzo al mare: più o meno come sul trampolino da cui a sedici anni disputava le gare di tuffi con gli amici. A un minuto di distanza dalla spiaggia dove alle cinque del mattino, ogni volta che può, va a correre. È la sua medicina. Corre per combattere l'insonnia. Per tenere basso il colesterolo. Per stancarsi. Per fare qualcosa, accidenti! Certi suoi colleghi pensionati, pur di non sentirsi finiti, mendicano collaborazioni a destra e a manca. Muratori no. Professionalmente, aspira a essere dimenticato. Preferisce correre.

Era consapevole che la sua figura di inviato speciale fosse una specie in via di estinzione. Ha vissuto lo stesso la pensione come un fallimento personale: se si fosse reso più necessario, forse non lo avrebbero lasciato andare tanto facilmente. Ma se il giornalismo non ha più bisogno di lui, lui non ha più bisogno del giornalismo. Conclusione un po' stizzita, certo. La professione non è più quella di una volta, prova a consolarsi, come chi rimpiange il fascino dell'Orient Express nell'era dei treni ad alta velocità. Ciononostante, non indulge nella malinconia. Ha sempre detestato chi proclama: «Si stava meglio quando si stava peggio». Semplicemente, sente che è venuto il momento di voltare pagina.

«Basta con i luoghi comuni, questo te lo taglio!»: gli fischia ancora nelle orecchie il classico rimprovero del redattore capo. Stamattina gli avrebbe bocciato anche "il mare liscio come l'olio", "il mattino ha l'oro in bocca" e "raccogli quello che hai seminato". Ma i suoi pensieri non diventano più articoli: si limita a pensarli da sé. Mentalmente, può scrivere come gli pare. Sì, voltare pagina: chi se ne importa se è uno stereotipo. Il pensionamento è l'occasione per ricominciare da capo. O almeno per cambiare, iniziare una nuova vita, perbacco! La quinta, dopo New York, Mosca, Gerusalemme e Londra. Di nuovo in Italia, stavolta. In Romagna. Nella Borgomarina dell'infanzia. Con i vecchi amici ritrovati, il rumore del mare sullo sfondo e qualche passatempo per ingannare la noia. La corsetta quotidiana nell'incanto dell'aurora. Le partitelle a basket del sabato con gli ex compagni di classe. Le cene di pesce appena tirato su con la rete a bilancino. Chi dorme non piglia pesci.

Sorry, redattore capo, non puoi più censurarmi. Adesso Mura dorme poco e conta di pescarne tanti.

Corre, Andrea Muratori. Corre dentro lo spettacolo del nuovo giorno che comincia. Corre lungo il percorso che da Borgomarina conduce fino a Pinarella e ritorno. A nord intravede il grattacielo di Milano Marittima. A sud quello di Rimini e subito dietro il monte di Gabicce. Li hanno costruiti nei primi anni Sessanta, quei grattacieli sulla spiaggia, in uno spasmo di modernità che ora appare fuori posto, surreale, un po' patetico.

Ma dopotutto questa è l'America d'Italia, che scimmiotta Los Angeles e Las Vegas: appena cento chilometri di costa che racchiudono il venti per cento degli alberghi nazionali, milleseicento stabilimenti balneari, migliaia di ristoranti, bar, disco-pub, discoteche, balere, supermercati, pizzerie, birrerie, paninerie, sale giochi, parchi divertimento, shopping-center, minigolf, night-club... In fondo stanno meglio qui che a Milano, i grattacieli: sono al posto giusto. Avrebbero potuto costruirne trenta o quaranta, non tre o quattro, su questo tratto di litorale.

L'orizzonte è così limpido che, allungando il braccio, gli pare di poter toccare la cima delle torri di cemento. Respira a pieni polmoni l'aria della primavera. Sente il benessere delle endorfine diffondersi nell'organismo. Arriva fino alla pineta di Pinarella e dietrofront, pregustando quello che lo aspetta. La colazione al caffè Dolce & Salato della rotonda sul mare, cappuccino e cornetto, lettura gratuita dei giornali, a cui il barista è abbonato: Mura non li scrive più, ma non ha perso il vizio di leggerli, di carta finché esisteranno. Nel pomeriggio la partitella con i suoi tre amici, la sfida a basket che ripetono ogni weekend al campetto affacciato sul mare, di fianco alle colonie: Vecchia borghesia contro Piccola borghesia, come hanno ribattezzato la contessa. La sera, cena con quello che hanno pescato nella rete gettata dal capanno. Dipende dalla fortuna e dal caso, la cena: canocchie, sogliole, mazzancolle, mazzole, rombetti, triglie, paganelli, spadine, oratine, scampi, zanchetti, sardoni, sgombri…

Ma quello là spiaggiato sulla riva, che pesce è? Così grosso spaccherebbe reti ben più robuste della sua. Non se ne pescano da queste parti di dimensioni simili: a meno che non sia un delfino o una verdesca, un pescecane dell'Adriatico, che ha perso la strada e si è insabbiato. Ogni tanto succede.

Mura aguzza lo sguardo, ormai non ci vede più tanto bene, né da vicino, e rimedia con gli occhiali da lettura, né da lontano, e non rimedia, fingendo di vederci benissimo: può aguzzare quanto vuole, l'immagine non si mette a fuoco. Ciò burdél, come dicono i romagnoli: i sessanta saranno i nuovi quaranta, però si vedeva meglio a quaranta! Accelera il ritmo della corsetta, fino a lì assai blanda per risparmiare giunture di ginocchia e caviglie. Sì, sembra proprio un grosso pesce sospinto sulla spiaggia dalla bassa marea: una massa biancastra tagliata a metà da un filo rosso, forse la rete di un peschereccio in cui è rimasto impigliato e che ne ha provocato la morte.

Solo quando gli arriva vicino, capisce che non è un pesce.

È un corpo.

Di donna.

La striscia rossa non appartiene a una rete: sono gli slip, modello tanga, filo vermiglio fra le chiappe, unico indumento che le è rimasto addosso.

E non sembra morta: respira ancora. La pelle è gelata. Bluastra, segnata da lividi e piccole abrasioni, come se l'avessero raschiata con la grattugia. Deve avere una trentina d'anni. Cerca di trascinarla sulla sabbia asciutta, ma il corpo emette un gemito di dolore. La donna apre un occhio. Lo vede. Si ritrae spaventata.

«Signora...» dice Mura. «Signorina... Vado a chiamare qualcuno...»

Ha un conato di vomito, sputa saliva e sangue, tenta di tirarsi su, crolla di nuovo sull'arenile.

«Per favore...» Le esce di bocca un lamento.

Mura toglie la maglietta, resta a torso nudo, cerca di asciugarla o tamponarla con quella. Serve a poco.

«Per favore...» esala di nuovo la voce.

Riconosce al volo l'accento: parole immerse nel miele. All'inizio affascina. Dopo un po' risulta quasi comico. Sette anni a Mosca gli hanno insegnato a distinguere un russo, quando parla italiano. Ma non è il momento di disquisizioni lessicali. «Ha bisogno di un medico» insiste. «Chiamo un'ambulanza.»

Lei scuote selvaggiamente la testa, si rannicchia in posizione fetale, come per proteggersi.

Ma come la chiamerebbe, l'ambulanza? Non ha con sé il telefonino. E a quest'ora caffè e negozi sono ancora chiusi.

«Mi aiuti» lo prega la donna. «Per favore, mi aiuti.» E ricasca giù, all'apparenza svenuta.

Soltanto allora Mura si accorge di un tatuaggio su una gamba: quattro lettere in caratteri cirillici. Gli ricordano qualcosa. La conferma, comunque, che non si è sbagliato sulla nazionalità della naufraga. «Come ha fatto a ridursi così?» mormora. Anche in quello stato, però, mica male. Che show di donna.

Si guarda intorno, incerto, come se si accingesse a un furto: ma non c'è nessuno che possa vederlo mentre se la ruba. Con uno sforzo carica il corpo fradicio in spalla, a mo' di sacco: accidenti, quanto pesa! Lo rimette giù e riprova, tenendola fra le braccia. Il porto canale di Borgomarina non è lontano. Ma sarà una faticaccia.

Sotto il naso si ritrova due tette enormi, chiaramente rifatte da come puntano verso l'alto, dritte, immobili, insensibili alle leggi di gravità. Okay, la porterà a casa. Se ci arriva, con quel carico da trasportare. E se si può chiamare casa, la sua casa.

2. Uno per tutti, tutti per uno

(Colonna sonora: *I Heard It Through the Grapevine*, Marvin Gaye)

«Passa!»

«Passa!»

«E passa 'sta palla!»

Ma il Barone non passa. Il Barone palleggia, palleggia, palleggia, come se non avesse nient'altro per la testa, come se non ci fosse Mura che lo marca provando a prenderla, come se gli sforzi dell'Ingegnere per liberarsi del Professore non servissero a niente. Perché il Barone non passa: tira. È il suo karma. Ha sempre giocato così, da quando aveva quattordici anni: non cambierà adesso che ha superato i sessanta. Se trova uno spiraglio, vira verso canestro o si arresta e tira in sospensione. Altrimenti aspetta, paziente, testardo, indifferente, continuando a palleggiare. Non passerebbe la palla all'Ingegnere neanche se il Professore fosse uscito dal campo e il suo compagno di squadra rimanesse solo davanti al canestro. Perché il Barone non passa. Il Barone tira.

Non facile giocare con uno così. L'Ingegnere potrebbe stufarsi, mandarlo al diavolo, andarsene dichiarando, con una di quelle frasi che usavano da ragazzi: «Con te non gioco più!».

Ma come il Barone non passa, l'Ingegnere non si arrende: a ciascuno il suo karma. L'Ingegnere continua a interpretare disciplinatamente la parte, spostandosi avanti e indietro per il campo nel tentativo di liberarsi del difensore: obiettivo non troppo difficile, visto che il Professore non si muove mai più di tanto, considerata la sua mole. Quando infine si stanca di gridare «Passa!» al Barone, l'Ingegnere piazza un blocco per liberarlo dalla marcatura di Mura. Oppure parcheggia sotto canestro, nella speranza di acchiappare il rimbalzo dopo il tiro e, chissà, poterla finalmente toccare, quella benedetta palla.

Due contro due a un canestro: la sfida è sempre quella. Di andare su e giù per l'intera lunghezza del campo non se ne parla: mica ci riuscirebbero. Respingono le occasionali proposte di partite cinque contro cinque con la debole scusa: «Siamo in quattro». Se un estraneo si offre come quinto giocatore, ribattono che è una questione di principio: non accettano di giocare con uno "straniero".

Due contro due o niente. Sempre le stesse coppie, stabilite per scherzo tanti anni prima e rimaste immutate per una vita: il Barone e l'Ingegnere contro Mura e il Professore. Piccola borghesia *vs* Vecchia borghesia, l'ha ribattezzata il Professore, affermando che lui e Mura, entrambi figli di medici, appartengono alla vera borghesia, la vecchia borghesia, mentre il Barone e l'Ingegnere, figli di impiegati, fanno parte di una borghesia più fragile, insicura, la piccola.

Definizione ridicola, oltre che politicamente scorretta, ma proprio per questo gli altri vi hanno aderito subito con entusiasmo. Stupidaggini recitate come cose serie. Si divertono così: a tornare bambini. O perlomeno ragazzi.

Si conoscono da quando lo erano davvero, loro quattro. Dal primo giorno di scuola al liceo scientifico Fermi di Bologna, prima C, unica sezione maschile dell'istituto: trentacinque adolescenti brufolosi in piena eruzione ormonale, squassati dalle pugnette. Ancora da prima, nel caso di Mura e del Professore:

a scuola insieme già alle medie inferiori. Mura nella sezione A, il Professore nella B, si affrontavano in epiche partite a calcio a Lavino di Mezzo, sul campetto della chiesa di don Zaccanti, l'insegnante di religione. Le due squadre ci andavano in autobus da Bologna dopo le lezioni. Al ritorno dal campetto parrocchiale, trascinando la cartella, si mescolavano lungo la strada di campagna che portava alla fermata del bus. Stanchi, accaldati, assetati, il bomber della B, il Professore, e il tenace terzino della A, Mura, diventarono amici così.

Più tardi, il basket ha soppiantato il calcio nelle loro passioni di teenager. Da allora non hanno più smesso di giocarci. Neanche adesso che hanno passato i sessanta e fanno ridere quando tentano lo *sky-hook*, come dice Mura che sa le lingue: il gancio-cielo alla Kareem Abdul-Jabbar.

Baldazzi, Baroncini, Gabrielli, Muratori: in ordine alfabetico, come quando l'insegnante di turno faceva l'appello appena entrato in classe. Anche loro, all'inizio, si chiamavano l'un l'altro sempre e solo per cognome. I nomi di battesimo non li hanno mai usati. Con il tempo, sono passati direttamente al soprannome.

Sergio Baldazzi è diventato l'Ingegnere, perché in Ingegneria si è laureato, di Ingegneria è docente, ma soprattutto ne applica il metodo in ogni sua azione. Studia un problema, ci costruisce sopra un teorema perfetto e lo risolve, o almeno così si convince: gli altri tre non ne sono tanto sicuri, infierendo sulla serietà del suo approccio davanti a ogni ostacolo dell'esistenza. Del resto, lo afferma la parola stessa: qual è il mestiere dell'ingegnere? Ingegnarsi.

Prendiamo lo sport: calcio, motocross, tennis, sci, vela, i suoi prediletti. In qualunque campo, Baldazzi si impegna con profitto ed eccelle. È stato l'ultimo dei quattro a imparare sul serio il basket. Serviva un quarto uomo per le partitelle due contro due. Sergio prediligeva il calcio: tanto per non smentirsi, giocava nei pulcini del Bologna. Ma quando ha deciso di applicarsi è diventato il più bravo dei quattro anche a basket. Per forza, è il più atletico e il meglio allenato, vista la quantità di sport che pratica. Ed è l'unico che ce la mette sempre tutta.

«Il segreto» spiega mostrando alla combriccola sul telefonino la Master Class di Stephen Curry, asso dei Golden State Warriors, miglior tiratore da tre punti della NBA, «è mantenere il corpo perpendicolare durante l'elevazione, lasciar partire la spinta delle braccia dal petto, dare un'ultima frustata con le dita prima che lascino la pal...»

«Mo va là, patacca» lo zittiscono in dialetto romagnolo, per adeguarsi al posto, anche se romagnoli non sono.

Poi però, nella partitella, l'Ingegnere esegue alla lettera i precetti di Curry ed è l'unico a centrare un canestro da tre. Almeno ogni tanto.

Si ingegna e riesce in quasi tutto con discreta abilità, tranne che nella vita sociale, dove lo ha sempre fregato la timidezza: ma quella, da qualche anno, gliela organizza la "duchessa", Bianca Maria Bellombra, detta Mari, sua morosa, di professione interior designer.

«Non si potrebbe dire disegnatrice di interni?» lo scherniscono i tre amici, quando la Mari non è nei paraggi.

«Ditelo come volete» replica lui, «la Mari ci sa fare. E a me va bene così. Socialmente parlando sono un pigrone.»

Gli rispondono a pernacchie.

La Mari a vent'anni era la ragazza più bella di Bologna. Ora che ha passato i cinquanta, Mura, il Prof e il Barone l'hanno ribattezzata "l'ex donna più bella della città". Quando l'Ingegnere non sente. Qualche volta anche quando sente, per farlo arrabbiare. Di teste ne fa ancora girare. Come tutti gli arredatori, dopo un po' si annoia, vuole rifare salotto, cucina e camera da letto: o almeno cambiare accompagnatore. Forse per questo non si è mai sposata. Ma con l'Ingegnere si sono incontrati al momento giusto. La Mari non sente più l'urgenza di cambiare design. Si combinano come lo yin e lo yang.

È lei a organizzare serate, weekend e ferie da VIP, portando l'Ingegnere al Comunale per la lirica, a Cortina a sciare, in barca in Grecia, in vacanza alle Maldive. «Non fosse per me, saresti rimasto un dannato provinciale» lo tormenta in pubblico. Baldazzi accetta la critica: si è abbandonato fra le sue mani come un calco a uno scultore. Aveva sempre desiderato una vita da favola ma non sapeva come realizzarla. Adesso lo sa. Sembrano fatti l'uno per l'altra: la Mari, "duchessa" fra virgolette, in virtù di un antico casato di cui si sono perse le tracce, non più sostenuto da terre, palazzi e cospicuo conto in banca; l'Ingegnere, self-made man di successo, cattedratico e consulente di prestigio, nato in un casermone popolare a San Lazzaro di Savena, estrema periferia bolognese, nome e cognome da metalmeccanico, ma inspiegabilmente cresciuto con aspirazioni elitarie. A quattordici anni giocava a tennis da Siro, l'unico tennis club di Bologna dove è obbligatoria la divisa bianca: come a Wimbledon. A diciotto guidava, con i guanti di pelle sul volante, una Triumph Spitfire decapottabile gialla: comprata con i risparmi dell'impiego part time di bookmaker all'Ippodromo Arcoveggio, dove indossava un impeccabile trench alla Humphrey Bogart. E ha sempre avuto l'erre moscia, fonte di prese per il culo da parte di quei simpaticoni dei suoi amici, ma prova inconfutabile di qualche lontano retaggio nobiliare tra i suoi antenati. Era destino che s'incontrassero.

Vista la professione di medico, primario all'ospedale San Salvatore di Pesaro, specializzato in gastroenterologia, «guardo dentro i buchi della gente» sintetizza lui, il soprannome di Danilo Baroncini avrebbe potuto essere il Dottore. Ma molto prima di laurearsi in medicina ne ha ricevuto un altro di cui non si è più disfatto, riferimento sarcastico al cognome: Barone, talvolta storpiato in Baroncio o la Baroncia. Di baronale, beninteso, non ha nulla, tantomeno l'erre moscia. Dal naso leggermente adunco che gli è valso in gioventù un secondo nomignolo, Gherio, da Aligherio, da Alighieri, per una vaga rassomiglianza con l'autore della *Divina Commedia*, fino alla punta dei piedi, c'è in lui qualcosa di ossuto, come se al suo corpo mancasse la ciccia e fosse costruito di un'unica sostanza solida, dura, compatta. Compresa l'appendice che ha in mezzo alle gambe, sempre pronta a mettersi sull'attenti e stranamente di un colore più scuro rispetto al resto del corpo.

«Come mai sei venuto tutto bianco ma con il cazzo nero?» è il tormentone con cui gli altri tre lo hanno stuzzicato per una vita sotto la doccia degli spogliatoi dopo le gare di basket, tennis, calcio.

«Perché ce l'ho più lungo del vostro» risponde il Barone in classico stile politicamente scorretto: ma così lo si definirebbe soltanto oggi, perché il concetto di politicamente scorretto, quando erano giovani loro, non era stato ancora inventato.

«Tira fuori il millimetro e misuriamo» lo sfotte l'Ingegnere, con il suo humour tipicamente inglese.

Questione di dimensioni, di priapismo o di carattere, il Barone è fra i quattro quello che ha sempre avuto più successo con le donne. «Anche tu, con due mogli e varie fidanzate, non sei rimasto con l'uccello in mano» replica ai complimenti di Mura sull'argomento. «La differenza è che a me le donne vogliono sposarmi» puntualizza Muratori, quasi fosse l'ammissione di un difetto, «con te invece vogliono solo andare a letto.» Che nel loro linguaggio è l'omaggio supremo.

L'attuale *girlfriend* del Barone, Rafaela Gutierrez detta Raffa, spettacolare brasiliana trentaseienne, sbarcata a Pesaro da Rio con figlio a carico, probabilmente vorrebbe anche sposarselo. Non è detto che non ci riesca: lui si è perfino messo a recitare i doveri di padre, qualche volta, portandole il bimbo allo stadio a vedere il Bologna e seguendolo sui campetti della squadra della scuola, dove è stato ribattezzato Pelè, senza molta fantasia, perché nello sport è il primo della classe.

Ma il Barone non ha smesso l'attività di seduttore. Perciò è sempre in ritardo alle partitelle di basket: troppo occupato a incontrare clandestinamente lo stuolo di infermiere, dottoresse, vecchie e nuove amiche, maritate o meno, del suo folto harem. Il suo sport è quello.

E poi c'è Pietro Gabrielli detto il Professore, non perché abbia mai insegnato, ma perché ne sa più degli altri: vanta una sterminata cultura umanistica e scientifica. Una sapienza enciclopedica che si notava già in prima liceo, quando era il solo a citare ogni gruppo e ogni brano della galassia del rock mondiale, e che si è via via allargata alle altre branche del sapere umano. Mura riassumeva i gruppi rock con Pim, Pum, Paf. Il Professore era un ragazzo che amava i Beatles e i Rolling Stones, gli Who e i Pink Floyd, e sapeva tutto anche di Emerson, Lake & Palmer.

Il soprannome, talvolta abbreviato in Prof, gli è stato assegnato anche perché Pietro, del professore, proprio non ha l'aspetto: grande e grosso, assomiglia piuttosto a un pugile, non per niente ha sempre vinto le disfide a braccio di ferro con gli amici. Quando da ragazzi qualche volta se la sono vista brutta, alle manifestazioni se c'era uno sciopero o intorno al tavolo da biliardo, dove spesso finivano invece di andare a marciare con i manifestanti, è stata la sua castagna a trarli d'impaccio: un cazzotto pesante come una montagna. Gli occhiali da miope che porta sul naso gli conferiscono un aspetto mite, ma ingannano: il Professore è un armadio, lo sa bene Mura che lo usa da blocco nei due contro due a basket in modo che il Barone o l'Ingegnere ci sbattano contro, liberandosi per il tiro.

Eppure, a parte gli occasionali cazzotti in gioventù, dati più per proteggere gli amici che per offendere il prossimo, il Prof è un animo delicato e gentile: l'uomo più buono che gli altri tre abbiano mai incontrato. Fosse stato un po' cattivo, ritengono, avrebbe fatto una maggiore carriera, ma si è sempre astenuto dal tramare per un posto, leccare il culo ai potenti, cercare raccomandazioni. Non è il tipo. Così ha un lavoro da oscuro bibliotecario al museo dell'Università: anche se poi, quando c'è da negoziare con Buckingham Palace per ottenere in prestito i disegni di Leonardo da Vinci per una mostra, l'Alma Mater manda lui a Londra, non qualche super cattedratico.

Deve essere stato proprio il misto d'intelligenza, quieta forza e onestà intellettuale che ha fatto innamorare l'insegnante di lettere Carla Rovati. Ha conosciuto il Prof quando stava per sposarsi con un altro: per seguire lui, pare sia fuggita dall'altare come nella famosa scena finale del *Laureato*. Da allora sono coppia fissa, ciascuno nel proprio appartamento, sui lati opposti della stessa strada. Come Woody Allen e Mia Farrow a New York, perlomeno prima che divorziassero, per restare in ambito cinematografico. Nel loro caso, a differenza di Woody e Mia, non ci sono figlie adottive di mezzo a fornire possibili tentazioni: le gatte di Carla, da questo punto di vista, non rappresentano una minaccia.

Su quattro amici, soltanto uno si è sposato e ha messo su prole, per la precisione due mogli e un erede: Andrea Muratori. Scherzandoci su, loro passatempo preferito, lo attribuiscono a un episodio di quando avevano vent'anni: durante una settimana bianca in montagna, la sera di Capodanno, Mura fu l'unico a rimanere a San Martino di Castrozza perché si era invaghito di una siciliana conosciuta in albergo. Gli altri tre organizzarono una zingarata, un viaggio non stop fino a Venezia: consisteva nell'arrivare a piazza San Marco, bere un caffè, e tornare indietro. Un vero spasso. Si divertì di più Mura, in albergo, con la siciliana.

«Sarà, ma quella notte, restando in montagna, ti sei beccato il virus del matrimonio» lo accusa il Professore quando affrontano la questione. Malattia incurabile, per cui predicono che ci cascherà ancora: in modo da collezionare alla fine un totale di quattro mogli, quante ne servirebbero per darne una a testa.

"Uno per tutti, tutti per uno" è il loro motto, ispirato dai tre moschettieri di Dumas: che poi, com'è noto, erano quattro. Vale anche per lo stato civile.

«Perché la fatica di sposarmi devo farla tutta io?» protesta Mura.

«La vera ragione» concede magnanimo il Barone, «è che te ne sei andato in giro per il mondo restando troppo tempo lontano da noi. Se ci fossi rimasto vicino, ti avremmo impedito di compiere questa sciocchezza.» Andare all'altare. O come minimo in municipio, quando ha fatto il bis. In un caso e nell'altro, la massima ignominia, dal punto di vista del Barone.

Che neanche questa volta ha passato la palla. Ha palleggiato fino a quando gli altri, annoiati, hanno smesso di difendere, poi con le spalle al canestro ha fintato a destra per tirare invece a sinistra e ciuff, l'ha messa dentro. Gioca spalle a canestro da quando, a tredici anni, era già alto un metro e settantacinque e gli diedero il ruolo del pivot, pensando che continuasse a crescere: invece si è fermato a un metro e settantacinque. Ma ha continuato a giocare così, come un pivot, anche perché lo trova meno faticoso. In effetti ha finito la partita senza spargere una goccia di sudore.

«Le ossa non sudano» sentenzia il Professore.

«Il Barone non corre» osserva Mura.

«E soprattutto 'sto stronzo non passa» si arrabbia l'Ingegnere, che quando perde le staffe cede a espressioni poco consone alle sue pretese aristocratiche. Ma tanto non c'è Mari nelle vicinanze a redarguirlo. La partita è finita, ha vinto la Piccola borghesia, 30 a 26. Canestro finale dell'Ingegnere con tiro da tre punti, fallo e tiro libero realizzato. Da giovane Mura si vantava di essere il più forte dei quattro, perché aveva giocato in Prima Divisione, il campionato italiano di più infimo livello: inferiore alla Prima Divisione Eccellenza, alla Promozione, alla serie D, alla C, alla B, alla A2, alla A1, e non giocava nemmeno in quintetto base. Una volta, con il suo fido compagno di squadra Brancaleoni, era sceso in campo insieme a Mario Martini, uno dei dieci titolari della Virtus Bologna che vinse il mitico scudetto del 1976, per una sfida a un torneo estivo al mare: era in campo Mura, sì, ma senza toccar palla, limitandosi ad andare su e giù per quaranta minuti, perché i canestri li faceva Marione. La verità è che il più forte, fra loro quattro, sarebbe il Barone, ma ha il difetto di non impegnarsi mai troppo: vince, in coppia con l'Ing, solo perché è quest'ultimo a sgobbare per due. Lo sport in cui si impegna, del resto, è un altro: e si gioca senza palloni.

«Rivincita?» propone il Professore.

«Basta, dai. Vi abbiamo distrutto tre partite a due, è ora di andare» obietta il Barone.

«Andare dove? Non mi dire che è tornato di nuovo tuo padre incazzato da Bergamo?» s'informa l'Ingegnere.

Una vecchia storiella che va avanti dal giorno del presunto ritorno del padre del Barone da una visita ai parenti bergamaschi. Era una scusa per disdire la bevuta collettiva del sabato sera in osteria con gli amici, naturalmente: il Barone voleva uscire con una ragazza, ma non se la sentiva di confessarlo agli altri.

Suo babbo, uomo dolcissimo, non era il sergente di ferro da lui descritto. E nella sua natia Bergamo, comunque, non c'era andato. Dovevano avere sedici anni. Da allora, ogni volta che il Barone disdice un appuntamento o ha fretta di svignarsela, lo tormentano con lo stesso ritornello: «È tornato tuo padre da Bergamo?».

Lo ripetono anche adesso, che Baroncini senior è scomparso da un pezzo: nessun rispetto nemmeno per la morte. Cinici? Spietati? Sciocchi, più che altro. Ma sono quarant'anni che ridono così. E non hanno intenzione di smettere.

L'Ingegnere si terge il sudore, lui sì che si è spremuto. Il Barone pettina il ciuffo. Il Professore ripulisce gli occhiali. Mura osserva i tre amici. La cosa migliore della sua vita, l'unica davvero riuscita, la sola che può essere citata ad esempio. Quasi quasi si commuove.

Nel lavoro, il bilancio è così così: se l'è cavata, ma più grazie alla quantità che alla qualità, alla determinazione che agli acuti. Una vita da mediano, la definiva una canzone: fosse stato un centravanti, non l'avrebbero mica prepensionato. Quanto all'amore, dopo due matrimoni, due divorzi e un buon numero di relazioni cominciate bene e finite male, pensa che dovrebbe presentarsi a ogni nuova candidata con una data di scadenza, come il prosciutto: "Da consumare preferibilmente entro il giorno tale". Ben che vada, tre anni. Non c'è da meravigliarsi che alla fine sia rimasto solo. Come padre, bisognerebbe chiedere a suo figlio, ma è consapevole di essere stato un genitore egoista. Ha sempre messo il lavoro davanti a tutto: soltanto così, ripeteva, puoi essere un buon giornalista.

Con quei tre amici, tuttavia, non aveva fallito. C'era tra loro un legame raro e speciale, non solo perché durato così a lungo, ma per una miscela di indissolubilità e tolleranza in virtù della quale sono sempre pronti ad aiutarsi a vicenda senza rinfacciarsi nulla. Formalmente danno la precedenza "alla figa", come continuano a ripetere facendo il verso a se stessi, in realtà si consultano preoccupati al più piccolo problema sorto a uno del quartetto. Si vogliono bene come fratelli, evitando rigorosamente di confessarselo.

"Uno per tutti, tutti per uno."

E questo non è un modo di dire.

Quante discussioni per decidere chi è chi, fra i tre moschettieri, che poi come nel libro sono quattro. In quanto viaggiatore di professione e quindi più intraprendente del gruppo, Mura ha sempre rivendicato per sé il ruolo di D'Artagnan: egoista anche in questo, vuole la parte del protagonista.

Il Barone è inevitabilmente Aramis, perché è il più elegante grazie a una zia sarta che da ragazzo gli portava i vestiti a misura: a scuola sembrava un damerino, i pantaloni attillati versione seconda pelle. Continua ad adattarglieli anche ora: lui compra un paio di jeans, la zia stringe, allunga, accorcia, fasciandolo come neanche a Savile Row, la via dei sarti per gentiluomo a Londra. Forse il suo successo con le donne dipende anche dai vestiti ritagliati ad arte dalla zietta.

La parte di Athos se la contendono il Professore e l'Ingegnere, ma finisce per toccare a quest'ultimo per una questione di stazza: soltanto il Prof, grande e grosso, può interpretare il ruolo di Porthos. «In verità sono un po' troppo intelligente per fare Porthos» si lamenta lui. «E tu sei un po' troppo scemo per essere Athos» aggiunge rivolto all'Ingegnere.

Sono fatti così. Discutono di cazzate come se fossero cose serie. E di cose serie come se fossero cazzate.

«Stasera ho un impegno, ragazzi» avverte Mura, mettendo fine alla discussione. Coro di proteste, sberleffi e boccacce. Sarebbe tentato di raccontare che è appena tornato suo padre da Bergamo, ma quella è la scusa del Barone. E pure suo padre è morto da un pezzo, come quello del Barone. Allora vuota il sacco, rivelando cosa ha pescato all'alba in riva al mare. O meglio, chi ha pescato.

«Non mi suona giusta» commenta alla fine del resoconto l'Ingegnere.

«Rischi di cacciarti nei guai» ammonisce il Professore.

«Vogliamo almeno vederla» si incuriosisce il Barone.

«Un'altra volta» taglia corto Mura. Tre uomini così non spaventerebbero nessuno, ma gli sembra eccessivo portarli davanti alla sua bella addormentata.

«E allora dove andiamo noi a mangiare il pesce?» si preoccupa il Prof, spostando il dibattito sul tema che lo interessa più di tutti: il cibo. Domanda retorica. Mura li dirotta verso il San Marco, la trattoria sul porto canale che è il loro ritrovo abituale. Vanno sempre lì. «E per la doccia?» obietta l'Ingegnere, maniaco dell'igiene.

«Il Barone non ne ha bisogno» osserva Mura fingendo di odorargli le ascelle. La scarsa secrezione ghiandolare del Barone è sufficiente a distrarli, fra una battuta e l'altra a proposito dell'eccessiva produzione di altri liquidi, in primis sperma. Si allontanano dal campo e raggiungono il molo, dove si salutano.

I tre amici venuti da fuori deviano a sinistra, verso l'interno del porto. Mura a destra. Verso il mare.

3. Adesso è fresca

(Colonna sonora: *Money That's What I Want*,
Barrett Strong)

«Allora, una capricciosa, una prosciutto e funghi, una all'a-
nanas, una al tonno, una alla salsiccia, una carciofini e salame
piccante e... un calzone, okay?»

La cameriera aspetta un cenno di assenso ma non arriva.
La fissano con aria eccitata, ridacchiando, dandosi di gomito,
scambiando battutacce. «Un cazzone», al posto dell'ultima
ordinazione, è quella che li diverte di più.

«E birra media per tutti» conclude lei senza badarci, poi
gira sui tacchi.

Di dodici centimetri, i tacchi. La cosa più lunga che ha
addosso. Gli short le fasciano appena l'inguine. Il top che
completa l'abbigliamento non riesce a contenere tutto quello
che c'è dentro. Con una simile uniforme da lavoro, non c'è
da meravigliarsi se, anche fuori stagione, la pizzeria "Notte e
Dì" sia piena di maschi di ogni età: dagli adolescenti brufolosi
che hanno appena ordinato a una clientela di uomini maturi,
anagraficamente parlando, perché come maturità intellettuale
non l'hanno molto più sviluppata dei teenager.

Il locale è ubicato in fondo al lungomare di Borgomarina, in
viale Carducci. Da queste parti la toponomastica non si sforza
con la fantasia: Dante, Pascoli e Leopardi si prendono le altre
vie principali, i tre eroi del Risorgimento due piazze e una

rotonda, mentre l'autore della *Gioconda* si deve accontentare della strada dietro il canale, di cui pare abbia disegnato il primo schizzo, secondo antiche carte conservate in biblioteca.

Nei pressi del porto, il viale è cinto da una successione ininterrotta di caffè, pub, gelaterie, sale gioco e negozi che si diradano soltanto dopo varie centinaia di metri, superato un grattacielo di trentacinque piani. Costruito nel 1958 secondo i canoni architettonici dell'epoca, con i suoi centoventi metri di altezza è stato il più alto d'Italia fino al 1960, quando fu sorpassato dal Pirellone di Milano. All'inizio lo contestavano come un pugno nell'occhio rispetto allo stile urbanistico di una cittadina balneare dalle remote radici, fatto di villini primo Novecento, modeste pensioni e colonie d'epoca fascista. Ma negli anni del boom la torre di Borgomarina incarnava, insieme a quelle di Milano Marittima e Rimini, l'ambizione di modernità della Riviera, l'idea che questa striscia di terra fosse una New York o una California italiana, più avanti del resto della penisola. Era una gara ad andare verso il cielo, in alto, ancora più in alto, sempre più in alto: perfino la Stella Maris, avveniristica chiesa del paese, eretta vicino allo stadio, avrebbe dovuto con i centodiciassette metri del suo campanile superare la Madunina del Duomo di Milano. Versione ufficiale: il progetto fu archiviato per non rovinare il paesaggio. Balle. La verità è che a un certo punto finirono i soldi e il campanile si fermò dov'era arrivato, venti metri più in basso. Niente primato, ma è diventata lo stesso una leggenda locale.

«Oh, ci siamo fermati per non arrivare più in alto del Duomo!».

Smargiassi, esagerati, coloriti: è il DNA della fauna locale.

Il grattacielo funge da spartiacque, oltre il quale si spegne la Borgomarina turistica: caffè, punti ristoro e botteghe diventano più isolati, scompaiono le ville d'inizio Novecento lasciando

36

spazio ad anonimi condomini di costruzione più recente, si diradano le luci e la cittadina volge gradualmente al termine, sino alla colonia per i figli dei lavoratori Agip e al piccolo parco che segnano il confine con la località successiva, Valverde, altro nome da favola delle stazioni balneari lungo la costa.

È in questa terra di nessuno che qualche anno prima due fratelli calabresi, Santo e Salvatore Caputo, hanno rilevato un vecchio bar trasformandolo in pizzeria. Non si sa con precisione da dove vengano e con quali soldi abbiano acquistato l'esercizio commerciale, ma devono essere tanti perché hanno comprato su due piedi l'intero stabile e l'hanno restaurato come nuovo. Al piano terra, l'ampio locale. Di sopra due appartamenti: nel più grande abitano loro, nell'altro ci mettono dipendenti e ospiti.

In principio si arrangiavano da soli: Santo al forno a preparare le pizze, Salvatore a servire in tavola e Angela, una sorella, alla cassa. Poi a battere scontrini è arrivato un cugino dalla Calabria, un altro si è messo a sfornare pizze, e a portarle in tavola provvedono due o tre cameriere del posto, giovani, carine, poco vestite e in tacco dodici. Da allora il ristorante è affollato fino alle ore piccole di una clientela quasi esclusivamente maschile.

Sono le dieci di sera quando Salvatore rientra al "Notte e Dì". Sfiora la cameriera che serve pizze e calzone ai ragazzi, approfittandone per tastarle il culo: per chiarire che è roba sua. Rivolge un cenno d'intesa al cugino cassiere e prosegue verso una scala che, varcata una porta con su scritto PRIVATO, conduce al piano superiore dello stabile.

L'appartamento dei fratelli Caputo ha tre stanze da letto, soggiorno, camera da pranzo, cucina, due bagni e balcone. È arredato con un lusso pacchiano: divani di pelle bianca, tavolo intarsiato in stile africano, specchi lungo le pareti e una collezione di animali in ceramica a grandezza naturale fra i quali spicca una tigre dalle fauci spalancate. All'ingresso, un poster di Al Pacino in *Scarface* occupa tutta la parete. Un mega televisore è sintonizzato su una partita di calcio, con il volume basso. Spaparanzato in poltrona, il telecomando in mano e una birra davanti a sé, suo fratello Santo sta parlando a un iPhone ultimo modello.

«E la guagliuna che fa?» sta dicendo quando entra Salvatore. S'interrompe. «Aspetta un attimo, Angelì», dice al suo interlocutore. Ammicca al fratello, in segno interrogativo.

L'altro scuote la testa.

Allora Santo riprende la conversazione telefonica. Scandisce ordini: perquisire la stanza della ragazza da cima a fondo. Se saltano fuori telefonini, chiuderli sottochiave. Se quella protesta, due schiaffoni, ma senza lasciare il segno, quel suo bel faccino potrebbe servire.

«Dille che mamma starà via per un po', deve comportarsi bene, altrimenti non la vedrà più. D'accordo, Angelì?»

E riattacca. Poi si rivolge al fratello: «Dai, racconta».

«Non c'è niente da raccontare. Non l'ho trovata.»

Salvatore riferisce di un lungo giro in macchina dalle parti del lungomare, prima in viale Carducci, poi, tornando indietro, davanti agli stabilimenti balneari che lo costeggiano. Ha parcheggiato vicino al porto e perlustrato a piedi le due rive del canale. Niente. È entrato pure nel bar di piazza Garibaldi.

«E che pensavi, di trovarla al biliardo?»

Santo è il fratello maggiore. Comanda lui. E lo fa sentire.

L'altro non raccoglie lo sfottò. «Senza una macchina» risponde, «non può essere andata lontana.»

«A meno che non sia affogata in mare.»

Se è fuggita, non è passata a prendere nulla, ragiona Santo: ha già frugato nell'appartamento di fianco, dove l'avevano sistemata, e i vestiti sono ancora negli armadi. Comunque, non sarebbe scappata senza la figlia. Allora possono mettersi il cuore in pace? Tornerà?

«Non ci capisco una minchia» ammette il fratello minore.

Santo alza le spalle. Cambia discorso. È arrivato un nuovo carico: «L'ho lasciato in garage. Pensaci tu a consegnarlo ai cinesi».

«Sono giù che si abbuffano.»

«Digli di sbrigarsi.»

«Tocca fare tutto a me» borbotta Salvatore, ma obbedisce. Rientra in pizzeria. La musica è più alta di prima. Sullo schermo scorrono, anche lì, le immagini al rallentatore dei goal. Mai che si possa guardare una partita in pace.

Aspetta che i ragazzi abbiano finito di mangiare e chiedano il conto. Li raggiunge al tavolo, infila il conto in tasca e fa cenno di seguirlo. In garage apre il portabagagli dell'auto, da cui estrae e consegna a ciascuno un pacchetto sigillato. «Forza cinesi» li sprona. Li chiama tutti "cinesi", in realtà lo sono solo quattro e anche quelli parlano italiano meglio di lui: sono nati qui. I genitori hanno preso in consegna i negozietti di souvenir lungo il porto. Tengono aperto 365 giorni l'anno, vendendo di tutto, dai prodotti per la casa ai panini. Ma i figli, con il commercio di erba, guadagnano meglio dei genitori.

Infilano i sacchetti dentro i giubbotti di pelle, montano sulle moto, partono sgommando, con un baccano del diavolo.

«Minchia, che deficienti» esclama Salvatore tappandosi le orecchie. Torna dentro. Va in cucina a pizzicare qualcosa da mangiare. La cameriera di prima gli ripassa davanti con un bicchiere di birra su un vassoio. Forse lo provoca apposta? È l'ultima arrivata. Meno carina delle altre. Vorrà farsi notare?

«Un cliente si è lamentato che è calda» spiega la giovane, anche se lui non ha chiesto nulla. La ragazza ne prende un'altra dalla ghiacciaia, stappa, riempie il bicchiere fino all'orlo, gli ripassa sotto il naso. Sì, provoca, decide Salvatore.

Afferra la birra ghiacciata dal vassoio, sciacqua la bocca con una sorsata e la sputa dentro il bicchiere. «Adesso è fresca, il cliente non si lamenterà più» commenta. Quindi le dice di andare a trovarlo di sopra, più tardi, dopo il lavoro.

4. Avrebbe speso meno alla Berlitz
(Colonna sonora: *Me and Mrs Jones*, Billy Paul)

La ritrova dove l'aveva lasciata: a letto.

Dopo averla portata in casa all'alba, le ha infilato un paio dei suoi calzoncini da corsa, dei calzini sportivi, una felpa, e l'ha cacciata sotto le coperte. Si è addormentata di botto e lui è rimasto in cucina a leggere il libro che ha preso in biblioteca: *Chiedi alla polvere* di John Fante. Lo conosce a memoria, è come recitare il Padre nostro, ma non si stanca di rileggerlo.

Prima di andare al campetto di basket, si è cambiato e l'ha scossa: «Devo uscire, torno presto, se vuoi mangiare o bere guarda in frigo». Dove la poverina avrebbe trovato: due bottiglie di birra, una di vino bevuta a metà, mezza piada avanzata dal giorno prima e una fetta di torta al cioccolato che gli hanno regalato al caffè, altrimenti l'avrebbero buttata via, sanno che è goloso. Meglio di niente, se hai fame. Non si è svegliata. O se si è svegliata, non aveva fame. O se aveva fame, ha preferito tenersela invece di alzarsi in quella casa che non conosce. Se si può chiamare casa, il suo capanno. Forse nemmeno la naufraga l'avrebbe definita così.

Aveva tirato la tenda di panno, prima di uscire, e ora la camera è avvolta nella semi oscurità. Mura la spalanca, fuori l'orizzonte è addolcito dalla lieve luce del crepuscolo. I suoi amici saranno a cena al San Marco: cosa avranno ordinato stasera? Gli viene fame. Be', tornerà fuori oppure ordinerà una pizza da asporto. La sente mugolare. Si gira su se stessa.

Il porto canale taglia in due Borgomarina. Sul lato di Levante, una volta, c'erano le case dei benestanti: si fa per dire, perché da queste parti un tempo erano tutti in miseria. Ma sul lato opposto, a Ponente, ancora di più. Per secoli, fino alla Seconda guerra mondiale, era stata una cittadina di pescatori. Gli abitanti si distinguevano in base a una sottile differenza: a Levante quelli che il pesce lo vendono, a Ponente quelli che lo pescano. E i più poveri, inevitabilmente, erano questi ultimi.

Poi è cominciato il turismo, che con il boom degli anni Sessanta ha trasformato il vecchio "borgo marinaro", il termine da cui prende nome la località. Come il resto della Riviera, Borgomarina è diventata una meta per le vacanze, con i suoi cicli scanditi dalle quattro stagioni. In estate si lavora. In autunno si chiude. In inverno si sperpera quello che si è guadagnato, tra carte e scommesse, donne e affari balordi. In primavera si riapre, se sono rimasti abbastanza soldi per riaprire e ripartire per un'altra stagione. Adesso l'economia cittadina dipende dal turismo, ma la pesca non è scomparsa: lo testimoniano una ventina di moderni pescherecci, ormeggiati lungo il porto, con i loro nomi da romanzo di pirati, Morgan, Saetta, Uncino. Ora gli equipaggi sono composti per lo più da immigrati nordafricani, gli unici che ancora sopportano la dura vita del mare per pochi soldi.

Le due sponde, tuttavia, sono rimaste differenti. A Levante, i ristoranti e le trattorie con il dehor affacciato al canale, i caffè eleganti, l'ufficio postale, il barbiere, il tabaccaio, il fioraio, la chiesa parrocchiale, l'inevitabile statua di Garibaldi nella piazzetta omonima e la pescheria, a ricordare che il secolare commercio avveniva su questa riva.

A Ponente, due osterie, una ferramenta, un'autorimessa, un negozio di accessori per la pesca, magazzini per depositare reti e attrezzi, un'agenzia di scommesse. Guardando il mare, a destra le case hanno vivaci colori pastello, bei portoni con il manico d'ottone, fiori al davanzale, il tetto di tegole rosse allineate alla perfezione; a sinistra hanno i muri scrostati, le porte sbilenche, l'aspetto dimesso, sebbene negli ultimi anni imprese edili abbiano comincìano a restaurarle.

I vecchi pescatori muoiono, i figli vendono e quelle abitazioni simili alla cabina di una barca, tutte uguali, con il cucinino all'ingresso e una o due stanze per dormire sul retro, vengono sventrate, rimodernate, mutate per sempre. Proprio sul lato povero di Ponente, non a caso, sorgono i capanni, casupole piantate su palafitte che sono una caratteristica di tutta la Romagna e pure di parte dell'Emilia e del Veneto: lungo fiumi e canali, nelle zone un tempo paludose, come le valli di Comacchio, e in prossimità del mare, all'imboccatura dei porti. Un tempo servivano soltanto per la pesca e, come la barca, erano un mezzo per sfamarsi. Bastava calare la rete a bilancino che li distingue sul davanti e dopo un po' tirarla su, in fretta, per vederci balenare dentro i pesci, spesso piccoli, o addirittura piccolissimi. Gli "uomini nudi" li chiamano a Borgomarina, nel senso di esseri senza scheletro ovvero senza lische, ma che fritti e mescolati alle uova danno un po' più di sapore e di sostanza a una frittata.

In seguito, molti capanni sono stati demoliti e quelli rimasti sono serviti prima da magazzino per reti e strumenti da pesca, poi come luogo di ritrovo conviviale, per mangiarlo il pesce più che per pescarlo: club in prevalenza maschili, prediletti dagli uomini per bere, giocare a carte, talvolta giacere con le donne, senza che la moglie venga a saperlo o almeno senza sbatterglielo in faccia, perché tanto, con la scusa della pesca, che si fa di notte, nessuno si meraviglia se il sabato o la domenica un pescatore torna a casa all'alba.

In fondo al molo di Ponente, dove il canale incontra il mare, ne sono rimasti otto. Il primo è diventato un ristorantino, chiamato senza troppa fantasia Il Faro. Il faro vero è poche decine di metri più in là, in cima al porto, da dove al calare del buio spande la sua luce intermittente, un raggio rosso, uno verde, segnalando ai pescherecci dov'è l'imboccatura per tornare a casa nelle notti di tempesta; e quando cala la nebbia, che da queste parti è ancora un brutto affare, ai lampi si accompagna il richiamo lamentoso di una sirena.

Il secondo capanno, riverniciato di un azzurro fiaba, appartiene al Conte o, meglio, ai suoi eredi: figli e nipoti di un personaggio mitico della zona, nobile di tratto e di autorevolezza, non di casato o di sangue, ma non per questo considerato con minor rispetto. E lì dentro, di pesca, non se ne pratica per niente, tanto è vero che non c'è più neanche la rete sul davanti. Si vocifera di una bisca clandestina, di baccanali in costume, di orge fino all'alba: c'è chi racconta di averne visto uscire una famosa soubrette della tivù, traballante su tacchi impossibili. Magari fanno parte, anche questi aneddoti, dell'attitudine della gente del luogo a ingigantire la realtà: e si trattava soltanto della cameriera di un bistrot. Dal terzo in poi, i capanni diventano sempre più piccoli, vecchi e modesti, mano a mano che si avvicinano al termine del molo.

È all'ultimo, l'ottavo, che si è diretto Mura dopo la partitella a basket. Quattro gradini di pietra portano all'ingresso. Come nelle vecchie abitazioni dei pescatori, si entra subito in cucina: i fornelli, il frigo, una credenza, un divano sfondato, un tavolo coperto da una tovaglia di plastica e quattro sedie intorno. A una parete, un quadro ritrae un peschereccio. Dall'unica finestra si vede il canale. Un breve corridoio, su cui si affaccia la porta del minuscolo bagno, angusto come quello delle navi, con appena lo spazio per lavandino, doccia e tazza della toilette, conduce alla seconda stanza, dove ci sono un letto matrimoniale, un armadio, un cassettone, una sedia. Da questa camera una portafinestra si apre sul terrazzo, al quale è sospesa la rete a bilancia e in cui, nella bella stagione, si passa la maggior parte del tempo: un vecchio tavolino di vimini basso, due sdraio da spiaggia, una sedia da regista, un tavolo da campeggio pieghevole, quattro seggiole reclinabili. La terrazza è sormontata da una tettoia. In un angolo, due canne da pesca, un secchio, un bastone con una retina per tirare su il pesce dalla rete. Ed è tutto.

Quando Mura è andato in pensione, tolti i soldi per le ex mogli e l'aiutino al figlio, si è ritrovato con poco più di un migliaio di euro al mese in tasca. Avrebbe potuto cercarsi collaborazioni giornalistiche, ma la delusione di veder troncata in anticipo la sua carriera è stata troppo forte: «Quel che ho fatto, ho fatto. Basta così».

Aveva vissuto alla grande per trent'anni in giro per il mondo, a spese del giornale: belle case, grandi ristoranti, alberghi a cinque stelle. Non era più così, il budget della carta stampata si era ristretto di anno in anno, per inviati e corrispondenti era finita la pacchia che li faceva trattare come una via di mezzo tra un ambasciatore e un agente segreto: erano stati retrocessi al livello dei commessi viaggiatori.

«E finiranno per scrivere come commessi viaggiatori» si arrabbiava lui, seccato dalle ristrettezze, rammentando le grandi firme della generazione più anziana della sua, che vivevano alla grande ma scrivevano anche alla grande. In fondo non si era ritirato troppo presto, bensì al momento giusto.

Trasferendosi in provincia, nella piccola Borgomarina, aveva sperato di spendere meno che in città: meno che a Londra, certamente, ma pure che a Roma o Bologna. Nelle lunghe estati di villeggiatura, prima le sue di quando era bambino, poi quelle con suo figlio, aveva conosciuto tutti nella piccola città, poteva contare su tanti amici. E a questi era andato a chiedere consiglio su un posto da affittare. Non c'era stato bisogno di lunghe ricerche.

«Vuoi stare per un po' nel mio capanno?» L'offerta era venuta da Remo Guerrini, proprietario dell'unica libreria del paese. D'estate organizzava presentazioni di autori e chiedeva a Mura di dare un'occhiata alle locandine, scrivere qualche riga, dire due parole di introduzione: lui non si sottraeva, era contento di incontrare scrittori o pseudo tali, come le attricette, i cantanti da strapazzo, i personaggi radiofonici, che firmavano libri con il proprio nome, li avessero scritto loro o no, poi venivano sulla Riviera a pubblicizzarli; per tacere dei tanti colleghi, perché ogni giornalista ha un romanzo nel cassetto. Lui finora aveva resistito alla tentazione.

«Il capanno te lo presto gratis, se d'estate continui a darmi una mano» aveva detto il libraio.

«A presentare colleghi e guitti no, Remo, non ce la faccio più» era stata la sua risposta. «Le locandine, se vuoi, te le scrivo gratis come prima. Lascia che paghi un affitto.»

L'altro per un po' aveva rifiutato.

Per Mura, però, era una questione d'onore. Si erano accordati per trecento euro al mese, dieci al giorno.

«È un regalo» aveva detto Mura.

«È una topaia» aveva replicato il libraio.

Non gli andava di venderla, preferiva lasciarla ai figli, che magari un giorno potranno restaurarla e ricavarci qualcosa. Erano ancora a scuola: Mura aveva tutto il tempo di invecchiarci, nel capanno.

«Lo prendo a scatola chiusa.»

Con trecento al mese per l'affitto, ha fatto i conti, dovrebbe starci. Gli servono due euro e cinquanta al giorno per la colazione, cappuccino e cornetto a Dolce & Salato, il suo caffè preferito, alla rotonda sul mare; cinque euro per una piadina al prosciutto e una Coca, il suo pranzo dalla Marisa, la piadinaia sul canalino; dieci per un cartoccio di pesce in rosticceria o una pizza per cena, e ci sta dentro anche un cono gelato o un bicchiere di vino.

Non è il tipo che si prepara da mangiare, altrimenti potrebbe risparmiare di più: in vita sua hanno sempre cucinato per lui a casa o è andato al ristorante. E allora? Sono in tutto venti euro al giorno per il vitto, seicento al mese: e gliene restano ancora cento per le piccole spese. Naturalmente capita che non bastino e debba pagare l'affitto in ritardo o finga di dimenticare di pagarlo per un po': tanto il libraio di quei soldi non ha bisogno e non li vorrebbe nemmeno, per cui non va certo a chiederglieli.

Appena ha visto il capanno, è stato amore a prima vista. Una topaia, come l'aveva chiamata Guerrini, era perfetta: dopo una vita troppo piena, sentiva il bisogno di avere il vuoto intorno.

Come bagaglio, quando si è presentato un mattino a prendere la chiave da Guerrini, aveva con sé un giaccone per l'inverno, due felpe, una con cappuccio, una senza, due paia di jeans, due camicie azzurre con i bottoncini di Brooks Brothers, mai stirate ma indistruttibili, due polo blu a maniche corte, due a maniche lunghe, qualche t-shirt, gli stivaletti ai piedi, le scarpe da barca, un paio di ciabatte, un berretto da baseball, dei vecchi Ray-Ban per quando c'è il sole. E l'equipaggiamento per la corsa, che va bene anche per il basket, tranne per le scarpe, per quello sfoggia le mitiche All Stars basse bianche. Ha quasi più scarpe che mutande o calzini, a rifletterci. Zero libri, i suoi li ha tutti regalati, stufo di chiuderli in scatoloni e portarseli dietro, dopo ventidue traslochi. Niente foto, le ha tutte sull'iPhone e sul computer. Niente ricordi materiali, gli bastano quelli che ha in testa. Niente di niente. Se dovrà andarsene dal capanno, ci metterà cinque minuti a preparare le valige. Del resto, non ha neanche una valigia, soltanto un borsone con cinghia da mettersi a tracolla. Gli va bene così. È questa la libertà. E poi, se avesse bisogno di qualcosa, un letto un tetto un pasto caldo soldi, qualunque cosa, ci sono il Prof, il Barone e l'Ingegnere. I Tre Moschettieri. I suoi amici. Uno per tutti, tutti per uno.

«Come va?»

Silenzio.

«Hai dormito?» È passato a darle del tu: dopo averla tenuta nuda fra le braccia, gli pare naturale.

È una domanda sciocca. Ma lei apre gli occhi e lo fissa come fosse un difficile quesito.

«Un bicchier d'acqua?»

Fa segno di sì con la testa.

Glielo va a prendere. L'acqua ce l'ha: quella del sindaco, che esce dal rubinetto. Un bicchiere pure. Era in dotazione della casa. Del capanno, cioè.

La donna ne beve un sorso e ripiomba giù, lasciando il bicchiere nelle mani di Mura, che la rimbocca come si fa con i bambini.

«Ti senti male?»

Di nuovo un cenno di assenso.

«Posso toccarti?» domanda Mura. Poi, pensando che potrebbe essere frainteso, precisa: «La fronte». E per sicurezza ripete: «Posso toccarti la fronte?».

Un sì ancora più debole.

Scotta.

Va a prendere un asciugamano dal bagno, lo imbeve di acqua fredda, lo piega e glielo mette sulla fronte.

«Grazie.» È la prima volta che parla. Dopo quello che aveva balbettato quando l'ha ripescata nella bassa marea.

«Senti…» Mura tace qualche istante, valuta come dirglielo. «Senti, hai la febbre alta. Sei rimasta tanto in acqua, potresti prenderti una polmonite. Hai bisogno di un medico.»

Scuote debolmente la testa: non vuole. Ha paura, questa donna. E qualunque sia la sua paura, deve essere grossa.

«Il mio migliore amico è un medico. Stasera è per caso qui, a Borgomarina. Posso dirgli di venire a vederti. Stai tranquilla, non ti porterà in ospedale, se non vuoi andarci, nemmeno se sei malata.»

Lo scruta senza parlare per un po'.

«Allora?»

«Grazie.»

«È l'unica parola che sai.» Gli scappa da ridere e non si trattiene. Ma anche se fosse l'unica, gli conferma la prima impressione che ha avuto, sulla spiaggia. Non è italiana. È straniera. Russa. Mura ne è sicuro. Sei anni e una moglie a Mosca sono stati una buona scuola. Avrebbe speso meno alla Berlitz, considerando gli alimenti che paga alla ex consorte, ma, ehi, *Je ne regrette rien*: una delle poche frasi che sa in francese. E non ha avuto bisogno di sposare una parigina per impararla.

Cominciò a studiare russo, in effetti, proprio con una *full immersion* alla Berlitz, a Washington, dove viveva prima di trasferirsi a Mosca. Uno dei *benefits* pagati all'epoca dal giornale: niente lavoro per un mese, sostituito da sette ore al giorno di lezione privata, one-on-one con insegnante russo. Per la precisione, una insegnante. Credeva che avrebbe impiegato un mese intero soltanto ad apprendere l'alfabeto cirillico, invece gli era bastato per innamorarsi della maestra.

«Stai attento, quando arrivi a Mosca. Le russe sono molto belle e molto bugiarde» fu l'ultima lezione che lei gli diede – da letto. Russa e bella, qualche bugia doveva saperla raccontare: perlomeno al marito. Ma il consiglio si rivelò giusto. Le russe erano davvero molto belle, al punto da desiderare di sposarne una. E non era l'unico a pensarla così: a Mosca erano arrivati in cinque, uomini, italiani, single, giornalisti, e nel giro di due anni si erano tutti sposati con una donna locale.

La moglie russa, almeno, il russo glielo aveva insegnato bene. Al punto che ora ci aveva messo un attimo a riconoscere l'accento di quella tipa lungo distesa, mezza nuda e mezza morta, nel letto del capanno.

Del resto, non aveva sposato prima un'americana per imparare l'inglese? Quando gli amici lo rimproverano di esserci beccato il virus del matrimonio, risponde: «Ho dovuto sposarmi due volte per imparare le lingue».

Una battuta, ma non del tutto.

Miele. Miele fuso. Ecco cos'era il russo, altro che lingua. Per forza si era subito innamorato dell'insegnante, a Washington: era la prima russa che conosceva, gli bastava sentirla parlare per eccitarsi, anche senza capire niente, anche senza guardarla negli occhi. Chissà com'era finita, se era ancora a Washington, se era ancora sposata, con lo stesso marito… Non gli sarebbe dispiaciuto saperlo. Ma avrebbe dovuto almeno ricordarsi come si chiamava. Il nome, dannazione, gli era sfuggito nei meandri dell'arteriosclerosi: fra amici definivano così la smemoratezza di cui soffrivano tutti e quattro, in particolare per i nomi.

Nel suo caso, anche per molto altro. Dai, raccontatemi cosa ho combinato quella volta, li spronava, interrogandoli su situazioni di quaranta, trenta, vent'anni prima.

Non ci credevano, all'inizio: come non ricordarsi la serata con Gianni Agnelli e Andreotti al Consolato italiano di New York? Impossibile averla dimenticata! Con il tempo si sono convinti che non era un atteggiamento per darsi le arie: se l'era scordata davvero, la serata con Agnelli e Andreotti. Insieme a molto altro. «Ricordo le cose importanti» rispondeva, come la formazione del Bologna campione d'Italia 1964: Negri, Furlanis, Pavinato; Tumburus, Janich, Fogli; Perani, Bulgarelli, Nielsen, Haller, Pascutti.

La verità è che ne aveva vissute troppe di vite, per ricordarle tutte. Troppe città, serate, incontri. Troppo tutto. Se almeno fosse sufficiente tornare al punto di partenza, per riannodare i fili. Non funzionava. Erano sciolti per sempre. Restava solo la filigrana, il contorno, la sensazione di qualcosa che stai per afferrare ma ti scappa. Come in sogno.

Si è assopita. Nel sonno, si agita, smania, la fronte imperlata di sudore. Si è scoperta una gamba. Mura si piega accanto al letto. Sul polpaccio rilegge il tatuaggio che aveva notato al mattino raccogliendo sul bagnasciuga quel mucchietto di pelle, ossa e... due tette fenomenali.

Sono quattro lettere. In caratteri cirillici. Aveva imparato a capire e parlare bene il russo negli anni trascorsi a Mosca, tra la fine della perestrojka di Gorbaciov e l'avvento del capitalismo selvaggio. Leggerlo e scriverlo era più faticoso. Ma fino a una parolina di quattro lettere ci arriva senza problemi: VORI.

Non ha bisogno di cercare la traduzione su Google. Significa "ladri". E il ricordo affiorato al mattino sulla spiaggia si completa: *Vori v zakhone* recita la frase completa. Alla lettera, "ladri nella legge". In italiano, per rendere il senso del significato, si dovrebbe tradurre come "la legge dei ladri". Metafora da *Delitto e castigo*. Nel senso di ladroni, predoni, banditi: i mafiosi dell'URSS, una delle più feroci organizzazioni criminali del mondo, capace di fiorire nell'impero rosso, dove tutto era controllato dallo Stato, per poi crescere vertiginosamente negli anni tra il collasso sovietico e la nascita del nuovo regime semi-democratico, esplodendo in epoca recente a livelli dei narcos latinoamericani, di Cosa Nostra e della 'ndrangheta. Una piramide con capi, capetti, caporioni, sergenti, soldati, con regole ferree, temute e rispettate anche in carcere. E con un proprio codice di comunicazione fatto di slang, messaggi cifrati, tatuaggi.

Mura ci ha scritto sopra almeno un paio di articoli quando era il corrispondente da Mosca del suo giornale. I capi si tatuavano i gradi sulle braccia: un sole, una stella, una luna, un teschio, a seconda del potere raggiunto. E poi c'era l'abitudine di "marchiare" con un tatuaggio le proprie prede. Gli schiavi: uomini e donne costretti a servire l'organizzazione, diventati prigionieri, privati di ogni libertà, del tutto soggiogati. Un tatuaggio di quattro lettere su una gamba, come fossero animali. VORI. *Vori*. Di proprietà dei Ladri.

Digita sull'iPhone un messaggio per il Barone. Cambia il panno bagnato e lo rimette sulla fronte della donna.

Al contatto dell'asciugamano fresco, lei riapre gli occhi. È scossa da un fremito. «Ho freddo» dice.

Miele fuso.

Mura toglie il panno, ma lei scuote la testa.

Glielo rimette sulla fronte.

Prende nell'armadio un'altra coperta di lana, gliela stende sopra e la rimbocca.

«Grazie.»

Miele.

«Come ti senti?»

«Non so.»

«Forse hai solo bisogno di riposare e dormire.»

«Sì.»

«Come ti chiami?»

Lo squadra come fosse una domanda inopportuna. «Sasha.»

«Io Andrea. Per gli amici, Mura.»

«Mura.»

«È un diminutivo… Dal mio cognome. Muratori, accorciato in Mura.»

Sono discorsi da fare a una mezza morta? Con l'età, oltre che smemorato, si sta anche rincitrullendo.

«Sasha è accorciato per Alessandra.»

O per Alessandro, vorrebbe aggiungere Mura. Aleksandr, per la precisione. Ma lo tiene per sé. È presto per confidarle che conosce il russo. La Russia. E le russe.

5. Sardoncini al pomodoro

(Colonna sonora: *Jimmy Mack*,
Martha Reeves & the Vandellas)

«Sapore di mare» intona il Prof, sulle note della canzone di Gino Paoli.

«A San Remo non ti mandiamo» lo rimbrotta il Barone.

«Lo vogliamo sul piatto, il mare, non sulla pelle» sbotta l'Ingegnere.

«È una spiritosaggine?» chiede il Prof.

«Non la capisci?» si stizza l'Ingegnere.

«Se è obbligatorio ridere, rido. Ma solo per te, ciccino.»

Le battutine dell'Ingegnere, ormai lo sanno, non suscitano ilarità. Per quanto si ingegni, il cabaret è l'unica attività in cui non eccelle. Ma non importa. Sono venuti al San Marco per mangiare. Mica per l'avanspettacolo.

Borgomarina ha ristoranti per tutti i gusti. Non ne mancano di eccellenti, dove la gente arriva anche da lontano. Predominano il pesce e i piatti tipici della cucina romagnola: tagliatelle al ragù, passatelli, in brodo d'inverno, asciutti con il sugo di mare in estate, strozzapreti. Rivelatori sin dal nome, questi ultimi, del fiero spirito laico della regione.

Se Mura dovesse scegliere un solo piatto, andrebbe alla Buca, sul porto canale, a mangiare il risotto "alla moda di una volta": un riso alla marinara per così dire senza la marinara, cotto nei prodotti del mare senza lasciarne neanche mezzo a sguazzare nel piatto. La "moda" è quella dei poveri, che dovevano realizzare molto con poco: il risultato è che ti lascia in bocca un sapore semplice e delicato d'altri tempi. Del mare c'è soltanto il profumo, ma basta e avanza. È un locale con due ingressi, da un lato la trattoria, dove non si può prenotare e aspetti che si liberi un tavolo, dall'altro il ristorante, più costoso e formale. Ogni tanto ci va anche da solo, sul lato trattoria, per quel risottino.

Se deve organizzare una cena romantica, quando viene a trovarlo la sua… fidanzata? No di certo. *Girlfriend*? Non proprio. Compagna occasionale? Be'… Boh… Amica? Amichetta? Scopamica? Insomma, la donna con cui ogni tanto va a letto, la giovane giornalista freelance che corre dietro alle guerre di mezzo mondo anziché occuparsi di lui, e forse vanno d'accordo proprio per questo. Ecco, quando c'è lei, Caterina detta Cate Ruggeri, la porta sul primo capanno della fila, al Faro, dove il tavolino d'angolo si affaccia sulla costa nord; oppure sulla terrazza del Marè, l'ultimo stabilimento balneare prima del porto canale, che ha la vista sulla costa sud. Il cibo è okay in entrambi. Ma il piatto forte è il panorama.

Quando si ritrova con i tre amici, invece, non hanno dubbi, vanno sempre allo stesso posto: al San Marco.

Il nome deriva dai pescatori provenienti da Chioggia, in sostanza veneziani, che si trasferirono a Borgomarina all'inizio dell'Ottocento ponendo le basi per la locale industria della pesca. Perciò il leone di San Marco figura sulle colonne che sormontano il principale ponte sul canale, all'ingresso di piazza Garibaldi. La trattoria San Marco è in un vicolo di fianco alla pescheria, sul molo di Levante: il pesce dunque ce l'ha a un passo. È lì da cinquant'anni: il locale rimasto ininterrottamente aperto a Borgomarina da più tempo. In principio era un'osteria per marinai, oggi è un ristorante alla buona, un posto semplice, all'antica, obsoleto, con uno di quei menu di quattro pagine dove trovi di tutto. "Un ambiente datato ma accogliente", lo descrivono le guide online. A Mura piace proprio per questo. Avendo frequentato in vita sua i migliori ristoranti cinque stelle, grazie al conto spese del giornale, ne ha le palle piene del locale firmato dal designer alla moda, delle carinerie gastronomiche, dei camerieri altezzosi. E non sopporta nemmeno chef e celebrity chef che vanno ai reality show e tengono corsi di manicaretti per ricche casalinghe annoiate. Gli piace il San Marco perché è un posto normale. C'è la televisione accesa di fianco al bancone, ma è una vecchia tivù, non un megaschermo per partite di calcio come hanno ormai tutti i bar e tutte le pizzerie. Anche il bancone è vecchio, con la macchina per il caffè espresso e solo una bottiglia di sambuca, una di Punt e Mes e un amaro in bella vista sugli scaffali posteriori. E i camerieri sono sempre gli stessi da anni, gli sembra quasi da quando era bambino e ce lo portavano i genitori: gentili senza eccedere, cioè senza rompere i coglioni al cliente spiegando che oggi c'è una spigola speciale appena pescata, quando magari è congelata come tutto il resto.

Un locale frequentato anche da uomini soli, rappresentanti di commercio, mariti appena divorziati, persone che per dirla con il Lino Ventura del film *Una donna e una canaglia* hanno paura di restare la sera soli a casa con due uova al tegamino e niente da vedere in televisione: gente che siede con dignità, poco propensa allo smartphone, sfogliando il giornale locale lasciato sul banco, ordinando proprio due uova al tegamino. Nel menu ci sono anche quelle. Oppure spaghetti al pomodoro. O bistecca con patate. Piatti che nei menu della maggior parte dei ristoranti sono scomparsi da decenni. Ma perché poi? Spaghetti, pollo, insalatina e una tazzina di caffè, per parafrasare la vecchia canzone: non sono roba da mangiare anche questa?

"Cibo onesto e in ampia quantità" scrivono ancora su TripAdvisor, e la quantità è di certo abbondante, al San Marco non ti rifilano porzioni *nouvelle cuisine* da presa per i fondelli. Il bis è sempre garantito: la maggior parte dei primi e dei secondi vengono serviti al tavolo nella padella in cui sono stati cucinati e la padella rimane lì, sul tavolo, per chi vuole prendersi quello che c'è rimasto, per una seconda porzione o un'ultima forchettata, per la scarpetta del sugo con il pane.

In cucina, da cinquant'anni, c'è il proprietario, Renato Senni, un omone senza un capello in testa, dal volto infuocato per i calori dei fornelli e il viso buono. Talvolta mette il naso fuori dal suo antro infernale, pulisce le mani grosse come badili sul grembiule, viene a scambiare qualche parola con i vecchi clienti. Domanda, modestamente: «Piaciuto? Tutto bene?». Poi torna al suo duro lavoro. Mura non deve neanche più ordinare. Quando lo vede, il cuoco gli prepara le seppioline al pomodoro, una delizia povera e semplice di sua invenzione, sapendo che ne va pazzo.

Si rifà con i numeri, Senni. Comincia a servire in tavola a mezzogiorno, l'ora del pranzo per i romagnoli vecchio stile, che si sono alzati la mattina presto e a mezzodì hanno già fame. Smette alle tre, ricomincia alle sette di sera. D'estate va avanti fino a mezzanotte. Centinaia di coperti al giorno.

«Zò burdèll, fra stipendi, bollette, tasse e altri balzelli, non rimane quasi niente» risponde quando Mura lo prende in giro dicendogli che diventerà milionario con tutti quei clienti.

La sua lotteria è il San Marco: sbuffa, si lamenta, giura che vuole smettere, ma è il ristorante che lo rende felice. C'è sempre un tavolo senza tovaglia, nel vicolo appena fuori dal locale se la stagione lo consente, riservato ai suoi amici, che ci vanno a giocare a carte e bere un bicchiere, con lui che li raggiunge nelle pause dopo pranzo e dopo cena. Cosa c'è di più bello al mondo?

Niente, nemmeno per Mura. Niente di più bello che passare lì dentro due o tre ore a mangiare, scherzare, ricordare, bisticciare per finta, con il Barone, il Prof e l'Ingegnere, come quando avevano vent'anni e giocavano a fare i piccoli uomini. Continuano anche ora, che ne hanno sessanta e sono sull'orlo della pensione.

Ma stasera Mura non c'è. Li ha lasciati soli, con la scusa di una donna.

«Non sei tu, di solito, quello che accampa scuse?» chiede il Prof al Barone.

«Non sono mai scuse» replica l'altro.

L'Ingegnere rilancia il tormentone: «Ah no, certo, è tuo papà che torna da Bergamo».

Scherzano sulla morte dei genitori per esorcizzarla. Contando anche l'assente Mura, gliene è rimasto uno su otto: la madre dell'Ingegnere.

«Come sta tuo padre?» è l'immancabile domanda quando si incontrano.

«Spero bene, ma è un po' che non lo vedo» la risposta di rito.

Sdrammatizzano il sentirsi orfani, l'essere rimasti soli troppo presto: prestissimo nel caso del Barone, che ha perso la mamma da bambino e il papà appena finita l'università. Ci teneva tanto che diventasse medico, suo padre: almeno ha fatto in tempo ad assistere alla cerimonia di laurea. Come sarebbe stato orgoglioso di vederlo primario.

«Così orgoglioso» sentenzia il Professore, «che per una volta ti darebbe il permesso di uscire con noi anche se è appena tornato da Bergamo.»

«Vai a prenderlo in quel posto» ribatte il Barone, che dopo un po' si sente a disagio con quei discorsi. Non vuole rischiare di intristirsi.

«Ci sono andato, non m'han voluto, vacci tu che sei cornuto» riporta la discussione su un livello più consono il Prof.

«Quello che mi piace in te è la maturità» conclude il battibecco il Barone.

Su istruzione telefonica di Mura, Senni ha apparecchiato un tavolo per tre nella sala del televisore: la loro preferita, così se c'è qualche notizia commentano e se appare qualche bella figa pure.

«Dopo vi porto le seppioline» annuncia il cuoco, ma quelle sono sempre previste. Gli va bene che lo definiscano così. Se uno lo chiamasse chef, tirerebbe una sberla. «Intanto di primo che avete scelto?»

Si mettono d'accordo per i maccheroncini al sugo di mare, altra specialità della casa.

«E nell'attesa, Renatone, portaci un antipastino freddo che lo dividiamo» si raccomanda l'Ingegnere.

«Due antipastini, che li dividiamo» rilancia il Professore, poco amante delle diete.

«E una caraffa di frizzantino» aggiunge il Barone. Poi va fuori a fumare. D'estate, con i tavoli all'aperto, al San Marco fuma a tavola. A marzo non è possibile.

«Che due maroni.» Non gli va di alzarsi per una sigaretta. È di una pigrizia leggendaria.

«Secondo te?» chiede il Prof quando resta solo con l'Ingegnere.

L'altro si stringe nelle spalle. «Mah…»

«Sarà vero che Mura l'ha trovata sulla spiaggia o l'ha rimorchiata?»

«Mura non è il Barone. Quando racconta balle, si vede.»

Passano in rassegna le balle raccontate dal primo e dal secondo nel corso dei loro quarantacinque anni e passa di amicizia, disquisendo su quelle che si capiva subito e quelle che si capiva dopo.

«Il Barone è un bugiardo patologico, sebbene sostenga che le sue sono bugie a fin di bene» teorizza il Professore. «Le cosiddette bugie bianche, dette per non provocare sofferenza in una donna, per non ingelosire noi, per non angustiare il prossimo. In effetti, lo stesso Federico Fellini, in un famoso libro intervista, trattando l'argomento della psicanalisi, sosteneva che la felicità consisterebbe nel poter dire la verità senza fare del male a nessuno. Essendo questo impossibile, non rimane che la menzogna. Di cui il grande Federico s'intendeva, come il nostro amico andato fuori a fumare una paglia.»

«Quante cose sa, lei, Professore.»

Portano l'acqua, il vino e il pane.

Torna il Barone. «Parlavate di me? Mi fischiavano le orecchie.»

«No, era solo il Prof che teneva una delle sue lezioni.»

«Con voi non si può mai essere seri» ribatte il Prof.

«Sembrate Jack Lemmon e Walter Matthau nella *Strana coppia*» commenta il Barone.

«L'Ingegnere sarebbe un Jack Lemmon perfetto, solo un po' più busone rispetto al personaggio del film», provoca il Prof.

«Attento che racconto a tutti che hai combinato in via Frassinago» ammonisce l'Ingegnere.

Un altro dei loro tormentoni: una serata da studenti nell'appartamento di Mura, quando tutti e quattro, dopo avere bevuto troppo, tirarono fuori qualche copia di "Playboy" per farsi una sega collettiva. Cosa successe dopo, è teoricamente un segreto da quarant'anni, sebbene ormai lo abbiano capito tutti.

«La loro esperienza di sesso gay» sostiene la Carla, quando è sicura che non la sentono.

«Mangiate, se no si raffredda» taglia corto il Barone, davanti all'antipasto di pesce freddo portato dal cameriere.

Come al solito, cenando parlano di tutto quello che li appassiona: cibo, sport, politica, donne, non necessariamente in quest'ordine. La Virtus ha trovato un buon americano, ma non tornerà quella di un tempo: era meglio il basket italiano di una volta, oggi non circolano più soldi, se li pappa tutti il calcio e allora tanto vale guardare la NBA in tivù.

«La verità è che abbiamo nostalgia di quando eravamo ragazzi» osserva il Prof. «Non è il basket italiano di oggi che è peggiorato, siamo noi che siamo invecchiati.» E sciorina la storiella delle due vecchie aristocratiche francesi che prendono il tè a Parigi. «"Ah, Robespierre, ah Danton" intona la prima addentando una maddalena. "Ma, Madame, c'era la ghigliottina" obietta la seconda, torcendosi il collo rugoso. "Sì", ribatte l'altra, "ma io avevo vent'anni".»

Risate.

«Sa proprio tutto, lei» si complimenta il Barone.

«Mi confondi con lui» e il Prof indica l'Ingegnere.

«Ma quando lo dice lui non mi viene da ridere» constata il Barone.

«E vaffanculo» risponde l'Ingegnere. Senza arrabbiarsi, beninteso: è un teatrino collaudato che ripetono da decenni. L'unico modo che conoscono di stare insieme. Ci sono tutti affezionati: anche la vittima di turno delle prese in giro. Tanto prima o poi tocca a ognuno.

L'Ing fa il saputello. Il Barone spara balle. Il Prof è permaloso. E Mura, soprannominato "arterio", non si ricorda neanche che ha detto, dove è stato e cosa ha mangiato il giorno prima.

Il Prof sogna la rivoluzione, ma non è chiaro nemmeno a lui quale; l'Ingegnere è segretamente un repubblicano, anche se il Partito repubblicano è scomparso da un pezzo; il Barone ha impiegato dieci anni di psicanalisi per liberarsi dal senso di colpa di proclamarsi un comunista con la Porsche.

«Ho nostalgia del PCI, dottore» confessava sdraiato sul lettino.

«È grave, ma comprensibile, considerati i partiti che abbiamo ora» osservava lo strizzacervelli.

«Ma ho tanta voglia di comprarmi una Porsche Carrera.»

«E compratela, che diamine!»

«Usata, s'intende.»

«Ah, be', allora...» commentavano gli amici.

Altro tormentone del repertorio.

Trattano il capitolo donne quando arriva il dolce, un mascarpone casalingo che è una favola, seguito da caffè e ammazzacaffè. Li porta dritti dritti alla misteriosa naufraga salvata da Mura: d'altronde è sempre così, l'assente del quartetto paga dazio, gli altri tre possono spettegolare a piacimento.

«Secondo me fa una cazzata» dice l'Ing. «Sarebbe meglio chiamare Gianca.»

Giancarlo Amadori, il maresciallo della stazione locale dei carabinieri, compagno di giochi di Mura in spiaggia sin dall'infanzia, poi distaccato per una vita in giro per l'Italia e tornato alla base, ora che gli manca solo qualche anno alla pensione. È diventato anche loro amico, sarebbe il quinto ideale per le sfide a pallacanestro, se loro non rifiutassero per principio il 5 contro 5 e lui non preferisse il football, "guardato, non giocato", specifica da quando è un tantino ingrassato di trenta di chili.

«E allora» lo tormenta in quei casi Mura, «prendi esempio dal Prof che ha la tua età ed è ancora un figurino.»

«Ma vaffanculo» è la risposta del Prof, che pesa più del maresciallo.

«Una cosa è certa» considera il Barone, «deve essere una bella figa. Se no Mura non se la sarebbe caricata in spalla.»

«È questo che non mi convince» osserva l'Ing. «Che se l'è caricata in spalla.»

«Ci vuole un fisico bestiale, op. cit.» commenta il Prof, ricamando su Luca Carboni.

«Che Mura non ha, nonostante il jogging tutte le mattine» puntualizza il Barone.

L'Ingegnere, gli dà una pacca sullo stomaco: «Mentre tu, con la pancetta che ti ritrovi, fai invidia.»

«Se vuoi tastarmi, non essere timido, tocca un po' più sotto.»

Tra frizzi e lazzi, chiedono il conto. Poi però ci ripensano, pretendono il vin santo e i cantuccini da intingerci, quindi un altro caffettino. «Corretto» puntualizza il Prof, indicando la bottiglia di Sambuca.

Finalmente pagano e si alzano.

«Non stavi bene stasera, tesoruccio?» domanda l'Ing al Prof.

«Che cazzo dici?»

«Non hai quasi toccato cibo.»

Arriva l'ennesimo vaffanculo. La loro maniera di dirsi: ti voglio bene.

Fuori il Barone accende una sigaretta, guarda l'orologio, affretta il passo. «Vabbè, ragazzi, domattina mi aspetta la sala chirurgia alle otto.»

«Sento puzza di una scusa, bada che lo racconto alla tua brasiliana» lo avverte l'Ing.

«Chi vai a trovare sulla strada del ritorno?» domanda il Prof.

«Ho bevuto così tanto che è già molto se la trovo, la strada del ritorno.»

Passeggiano lungo il porto canale fino al parcheggio.

«Sempre bello questo posto, Mura ha fatto bene a tornarci» dice l'Ing.

«Quando andiamo in pensione, ci veniamo pure noi» dice il Prof.

«Non ti ci vorrà molto, sei vecchio che puzzi» dice il Barone.

Quindi monta sulla Porsche, ormai libero dai sensi di colpa ideologici, e li saluta.

Ma alla prima rotonda, quando non possono più vederlo, prende il viale che porta al mare invece di quello che va verso l'autostrada. E torna indietro, in direzione del porto canale.

6. L'uomo giusto

(Colonna sonora: *Venus*, Shocking Blue)

Bussano alla porta. L'unico modo per annunciarsi, perché nel capanno non c'è il campanello. Sasha deve avere il sonno leggero: tira su la testa di botto. Oppure era sveglia e fingeva di dormire, con le orecchie tese, studiando la situazione, riflettendo sulle prossime mosse, come un animale ferito, in gabbia, anche se nessuno la tiene prigioniera.

Se ha qualcosa che non va, meglio saperlo e in fretta, ragiona Mura: già può essere rischioso ritrovarsi in casa una naufraga misteriosa, se gli muore nel letto sarebbe di sicuro peggio. Visto che rifiuta di andare in ospedale e vuole rimanere nascosta, occorre un medico. E il Barone, lì a due passi, è l'uomo giusto.

«Ehi fra'» gli dice entrando in una folata di aria fredda. Secondo il calendario la primavera è iniziata, ma di notte la temperatura si abbassa parecchio.

«Ehi *bro*» risponde Mura.

Lo spazio è così ridotto che, dalla porta, l'ospite sente subito qualcuno che si muove sul letto nell'altra stanza.

«Vieni» lo invita il padrone di casa e lo precede.

È un medico nel pieno senso della parola, il Barone: dal latino "medicus", come si diverte a definirlo il Prof, a sua volta derivato da "medeor", non manca di aggiungere, colui che cura, un semidio dell'antichità, erede del potere-sapere di restituire la salute.

Da figlio di medico, Mura ha sempre avuto grande rispetto per il camice bianco, anche se lui non ci era portato. Il padre doveva averlo capito presto: non ha mai insistito affinché seguisse le sue orme.

Al liceo, dove erano compagni di banco, neanche il Barone sembrava interessato a Medicina. Per anni, lo stesso ritornello: ci iscriviamo a Giurisprudenza, superiamo il concorso da magistrato e militiamo in Magistratura democratica, la corrente di sinistra di giudici e procuratori. Non pensava ancora alla Porsche. All'epoca girava su una Citroën Dyane.

A Mura sta bene. Non sa a che facoltà iscriversi, ha cominciato a diciassette anni a scrivere di basket sui giornali locali, ma Legge suona bene, se non altro per rinviare il servizio militare. Sicché si iscrive, perde di vista il Barone durante l'estate, a settembre lo chiama per andare insieme alla prima lezione e scopre che il suo amico si è iscritto a Medicina! Come? Quando? Perché?

«Me lo ha imposto mio padre.» Tornato incazzato da Bergamo, si presume.

Ma è diventato un medico con i fiocchi. Tiene sempre con sé, in macchina, lo stetoscopio. Non gli serve per le sue attuali mansioni di gastroenterologo. È piuttosto una specie di amuleto, retaggio delle guardie e sostituzioni dei primi anni nella professione, quando girava per gli ambulatori di campagna. In auto, del resto, il Barone non ha solo lo stetoscopio, ma anche canne da pesca, riviste di case farmaceutiche, vecchi giornali, maglioni dimenticati da chissà quando, avanzi di cibo, bottiglie vuote, una scarpa, libri, pacchetti di sigarette, vuoti, a metà e pieni ancora da aprire, strofinacci (perché strofinacci? «Possono sempre venire utili»), preservativi, una gran quantità di penne, nessuna che scrive, e matite, quasi tutte spuntate, taccuini, agende, coperte da campeggio... E chissà che altro. Come nel pozzo di San Patrizio, nessuno è mai arrivato in fondo a quello che c'è dentro la sua Porsche («Usata, s'intende»). Magari ci si troverebbe anche un bisturi o un apparecchio portatile per le colonscopie, se esiste. Non c'è da meravigliarsi, quindi, che ci sia uno stetoscopio.

Che ora si è messo al collo, come un bravo dottore in procinto di visitare il prossimo paziente.

Mura fa le presentazioni. «Questo è il mio amico, il dottor Baroncini. Ma puoi chiamarlo Danilo. E questa è... Alek... ehm... Alessandra, ma puoi chiamarla Sasha.»

Il Barone è un bravo medico, di quelli che non si incontrano quasi più, quelli che palpano, ti chiedono di mostrare la lingua, guardano dentro gli occhi, sentono il polso, ascoltano il cuore, picchiano sulla schiena e ordinano: «Dica trentatré». Insomma, le cose di prammatica, poi ti interrogano sul problema che hai, e alla fine formulano una diagnosi del problema e nove volte su dieci ci prendono, senza bisogno degli esami che invece ti prescrivono i medici di oggi, per non perdere tempo con il paziente e non correre rischi di sbagliare. È anche un uomo che non sbaglia un colpo con le donne, il Barone. Sa come metterle a loro agio, sia sul lettino dei pazienti sia sul letto del trappolo. È un bell'uomo e si vanta di avere una leggera rassomiglianza con Robert De Niro, sostenendo perfino che una volta, durante un congresso medico trasformato in vacanza con la sua brasiliana a Los Angeles, alcuni turisti giapponesi gli chiesero l'autografo in un caffè di Beverly Hills.

«E tu con che nome hai firmato?»

«Uno scarabocchio. Poteva essere Dan Baroncio come Bob De Niro, nessuno avrebbe saputo distinguere.»

Con l'intuito del grande seduttore, non pone a Sasha domande a cui lei non avrebbe voglia di rispondere. Rimane sulle generali.

«Sei stata a lungo in acqua?»

«Credo di sì.»

«Ore?»

«Sì, ore.»

Le chiede di aprire la bocca e ci guarda dentro. Le esamina gli occhi tirando giù la pelle con le dita. Sente i battiti del polso. La ausculta. Le infila un termometro sotto l'ascella. Evita solo il «Dica trentatré». Le posa due dita sul collo, poi una mano sulla fronte. Lei chiude gli occhi.

Ecco il guaritore in azione, pensa Mura. Lazzaro, alzati e cammina.

«Che pensa, dottore?»

È la frase più lunga che Sasha ha pronunciato da quando è nel capanno di Muratori. E l'ha detta al Barone, non a Mura.

«Penso che hai trentotto e mezzo di febbre. Ma nessun danno ai polmoni e nessun altro problema. A parte qualche livido e graffio. Avrai sbattuto contro qualcosa.»

«Sì, dottore.»

«Dammi del tu, per favore.»

«Va bene. Grazie.»

«Ti lascio un pacchetto di aspirine. Due adesso e due domattina. Secondo me fra ventiquattr'ore starai meglio. In caso contrario, il mio amico mi avvertirà e posso tornare a visitarti.»

«Grazie, dott…»

È prematuro spiegarle che tutti lo chiamano Barone.

«Grazie… Danilo» si corregge.

«Ero qui vicino, non mi è costato nulla. E con lui» indica Mura, «siamo vecchi amici. Fumiamo una sigarettina, fra', prima che vado?»

«Te la fumi tu, ma ti tengo compagnia.»

«Ah, è vero che da quando sei tornato in Italia sei un salutista. Vuoi che noi medici rimaniamo disoccupati?»

Mura si tocca le palle con discrezione. «Torno subito» dice a Sasha, non credendo alle proprie parole. Sembra un marito con la mogliettina.

«Siete davvero una bella coppietta» considera il Barone, seduto sui gradini affacciati sul molo. Sono andati lì, invece che in terrazzo, per non disturbare. O meglio per spettegolare senza che lei senta.

«Non dire stronzate.»

«Ti arrabbi perché ci ho preso.»

«Non l'ho neanche sfiorata.» Non è proprio vero, se ripensa a come la teneva in braccia con le poppe antigravità sotto il naso.

«Vabbè, non ha importanza.»

«Che te ne pare?»

«Sembra una che ha preso un sacco di botte.»

«L'ho pensato anch'io.»

«Ma sopravvivrà. Di botte non si muore, a meno di esagerare. Vedrai che si rimette in fretta. Hanno la pelle dura, quelle.»

«Quelle chi?»

«Le donne dell'Est.»

Non c'è bisogno di averne sposata una come ha fatto lui, per capire da dove venga. Perlomeno il Barone non ha notato il tatuaggio. Le gambe non gliele ha scoperte.

«Cosa credi che le sia capitato?» domanda il Barone.

«In mare non ci è caduta per sbaglio. Ma non ho ancora avuto modo di interrogarla.»

«Ecco, quando domani starà meglio, intervistala. In profondità.»

«Buona questa.»

«Anche con i lividi e l'aria sbattuta, è davvero un grandissima figa.»

«Concordo.»

Il Barone spegne il mozzicone, lo tiene un attimo fra le dita, indeciso se gettarlo nel canale, poi lo ficca in tasca. «Fammi sapere.»

«Okay.»

Il cielo è terso, si vedono le stelle e uno spicchio di luna. Sta salendo la marea.

«Sempre bello qui giù da te.»

«Anche su da te.»

«Ci siamo scelti due bei posticini per ritirarci, fra'.»

«Tu non ti sei ancora ritirato.»

«Ti imiterò appena possibile. Così avremo più tempo per spassarcela.»

Sarebbe stata una serata perfetta per pescare con il bilancino, nota il Barone. Avrebbero passato la notte a chiacchierare, fumare sul terrazzo, vabbè fumare soltanto lui, scaldandosi con caffè e whisky. Ma c'è la russa di mezzo...

«Fossimo nati tutti finocchi.»

Altro loro tormentone: copyright dal film *Amici miei*, Ugo Tognazzi, Gastone Moschin, Adolfo Celi e Philip Noiret. Anno 1976.

«Eh sì. Buonanotte, *bro*.»

«Notte, fra'.»

Tornato dentro, Mura trova Sasha di nuovo addormentata. Profondamente ora, si direbbe dal respiro. Le sistema le coperte, indossa il giaccone e ci esce da solo, in terrazzo. Il faro lancia una lama rossa e verde, a intermittenza, sul mare nero. Si intravedono le luci lungo la costa. Sì, sarebbe stata una buona notte per pescare con il suo *bro*. Non è solo un modo di dire: fra' per fratello, *bro* per *brother*. Si considerano davvero fratellastri. Una vecchia storia saltata fuori con tanti anni di ritardo, quando era diventato impossibile condividerla con i rispettivi genitori. Ma ancora più bella proprio per questo.

Rabbrividisce, fa proprio freddo. Rientra. Sasha dorme della grossa. Non accende la luce. Va in cucina e spizzica al buio quello che resta della piada e della torta. *Late dinner*, lo chiamano a Londra: *late* sì, *dinner* poco, lo chiamerebbero a Borgomarina. Ma s'accontenta.

Piglia un'altra coperta dall'armadio e si sistema vestito sul divano di fianco al tavolo da pranzo. Be', la situazione è la seguente: la russa si è presa il suo letto e lui dorme sul sofà in cucina. Se ci sono dei vantaggi, in questa storia, Mura ancora non li vede.

7. Settecappotti

(Colonna sonora: *Nightshift*, Commodores)

«Dio, quei ragazzacci con le loro moto, quand'è che se ne andranno via?»

Nella casetta accanto alla stazione, la luce rimane accesa tutta la notte. L'ex maestra di scuola Tina Fabbri non riesce a dormire. A ottant'anni, è anche questione d'età. Ma da qualche tempo c'è un problema in più. Una banda di motociclisti ha cominciato a darsi appuntamento a tarda sera al Ponte, l'ultimo bar prima della ferrovia. E rimangono lì a vociare, peggio, a dare gas ai loro bolidi su due ruote, fino all'alba. «Ma non devono andare a scuola? O a lavorare?»

Tina è disperata. Non chiude occhio da due settimane. Spranga le finestre, mette i tappi nelle orecchie, si gira e rigira nel letto alla ricerca della posizione favorevole. Niente, il sonno non arriva. Il bar è proprio di fronte a casa. E quei giovani sono troppo rumorosi.

Al rumore ci si abitua, aveva l'abitudine di ripetere alle amiche impazienti. Dal matrimonio in poi, ha sempre vissuto nell'edificio vicino alla stazione ferroviaria. Sono pochi i treni che fermano a Borgomarina, ma sono tanti quelli che passano: la linea che collega il Nord al Sud, lungo il litorale adriatico, è quella. Ma con il tempo si è assuefatta, non ci bada più.

Come il porto canale che divideva i pescatori dai commercianti, i poveri dai meno poveri, anche la strada ferrata è un confine interno del paesello: da un lato, davanti alla ferrovia, c'è la città di mare, la zona turistica, il centro storico, il porto; dall'altro, dietro la ferrovia, è sorta la città nuova, le costruzioni erette quando nella vecchia Borgomarina occupata dai villeggianti non c'era spazio per la gente del posto. Più oltre, al di là della città nuova, c'è la campagna, a ricordare che questa era una terra di contadini ancora prima di diventare terra di pescatori.

A Tina piace questa posizione strategica. Le dà l'impressione di essere il casellante della cittadina, custode del passaggio a livello che in effetti si apre e si chiude varie volte al giorno di fronte alle sue finestre.

Poi è morto suo marito, è rimasta sola ed è iniziato quel fracasso notturno: la banda delle motociclette.

Non potendo chiudere occhio, passa ore a osservarli da uno spiraglio dietro le tende, dopo aver spento la luce perché non possano vederla. Quasi che, studiandoli, sia possibile trovare prima o poi la soluzione, il modo per convincerli a sloggiare o almeno a usare modi più civili: non urlate, non date gas, smettete questo baccano.

Stasera sono arrivati dopo le undici. Sono rimasti a fumare e ascoltare musica con i loro telefonini, a cavalcioni delle moto. Ogni tanto, uno parte a razzo e torna dopo mezz'ora, accolto da risate e grida di approvazione. Entrano nel bar, consumano qualcosa, tornano fuori a fumare. Avranno diciassette, diciotto anni.

Sono così vicini che potrebbero sentire la vecchietta nell'ombra, se parlasse. «Ehi, ragazzi, basta, andate più in là.» Oppure: «Tornate a casa dalle vostre mamme».

Ma lei tace. Qualcuno le pare di conoscerlo, di averlo visto lungo le rive del canale. Sono illuminati dal lampione della via. Tre o quattro hanno lineamenti orientali: devono essere cinesi.

Saranno i figli di quella brava gente che ha preso in gestione i negozi di souvenir lungo il porto e adesso, se serve qualcosa a qualunque ora, sono sempre aperti e disponibili. Bisogna solo imparare a capire quello che dicono, e talvolta non è facile con il loro accento. L'accento dei figli, invece, è perfetto. Sono nati qui o ci sono arrivati in fasce. Hanno frequentato qui le scuole e avranno anche smesso di andarci, se stanno sotto casa sua fino alle ore piccole.

Arriva un vecchio in bicicletta.

Lo riconosce subito: Settecappotti! Il matto del paese. Che poi, poverino, matto non è di sicuro: è solo un senzatetto. Chiunque diventerebbe un po' tocco a vivere così. La bici e i sacchi di roba che tiene sul portapacchi sono i suoi unici averi. Oltre ai cappotti che gli hanno fruttato il soprannome – non è chiaro se siano sette, sei o magari quattro – indossa gli indumenti uno sopra l'altro, un po' per ripararsi dal freddo, un po' perché non ha un armadio dove tenerli. Dicono che abbia una specie di tana nel Parco di Levante, fra gli arbusti, dove si sarebbe costruito una capanna: di notte il cancello è chiuso, ma lui deve aver trovato un buco nella rete da cui passare. Come Tina, però, dorme poco. Girovaga dal tramonto all'alba, quando fruga nei rifiuti, domanda da mangiare ai ristoranti che chiudono o ai fornai che stanno aprendo, poi va a nascondersi nel suo rifugio.

Ma guarda quei disgraziati che gli danno fastidio e non lo fanno passare! Ridono sguaiati adesso, in cerchio intorno a lui. Tina apre uno spiraglio della finestra.

«Ai'ho vést, ai'ho vést, ai'ho vést...» Ho visto, ho visto, ho visto, dice Settecappotti. Cos'è che avrà visto? Mette la mano davanti alla bocca e lo ripete sottovoce ai ragazzacci.

Quelli si piegano in due dalle risate. Ecco, ora hanno ripreso a infastidirlo. Tina ha deciso: chiamerà i carabinieri. Ma dopo un po' per fortuna lo lasciano andare.

74

Forse dovrebbe chiamare comunque Giancarlo, il maresciallo? Una brava persona, uno che adesso dorme di sicuro il sonno del giusto, ma alla stazione dei carabinieri risponde sempre qualcuno.

Tina è una maestra in pensione. Tutti i bambini di Borgomarina sono passati da lei: anche il maresciallo, quando era una supplente alle prime armi. Era una maestra anticonformista, all'avanguardia, che insegnava alle bambine a difendere i propri diritti: una femminista *ante litteram*. E lo è rimasta. Alla sua età va ancora in giro vestita come una ragazzina, con le gonne lunghe a fiori, le magliette rosa, la sciarpa all'orientale, certi buffi cappellacci. Non le va di disturbare il maresciallo. Teme che i ragazzi passerebbero dei guai. Magari li chiuderebbe in prigione per una notte: sai che dolore per quei bravi genitori, venuti dalla Cina, da così lontano, a lavorare nel loro piccolo borgo di pescatori. E poi, se scoprissero che la denuncia viene da lei, potrebbero vendicarsi. Si sentono tante brutte storie, al giorno d'oggi. Così Tina incassa e non reagisce. Il marito è al cimitero, sulla strada per Cervia. Lei è sola. Un'altra notte insonne a girarsi e rigirarsi nel letto.

8. Il mare va avanti e indietro
(Colonna sonora: *Street Life*, Randy Crawford)

Neanche Mura ha dormito bene, anche meno del solito, per colpa del divano. Si alza appena viene luce, massaggiandosi la schiena dolorante. Sessanta i nuovi quaranta? Col cavolo.

Ma il cielo è azzurro come il giorno prima, illuminato da un'alba sfolgorante. Dà un'occhiata alla nuova convivente: sembra la bella addormentata. Nonostante quello che deve avere passato, non ha problemi di insonnia. Prova a darle gli anni: meno di quaranta, più di trenta. All'incirca nel mezzo? Grosso modo, la metà dei suoi.

Si ficca in bagno, piscia, indossa maglietta, felpa e calzoncini per la corsa, infila le scarpette da runner. Ha un momento di incertezza: svegliarla, avvertirla, rassicurarla? Lasciarle un biglietto? E in che lingua? Ripensa al tatuaggio sulla gamba: *Vori. Vori v zakhone*, ladri nella legge. Al diavolo, esce cercando di fare meno rumore possibile e inizia la sua terapia quotidiana.

Dopo un attimo di incertezza fra la costa sud e quella nord, fra Levante e Ponente, sceglie l'ovest senza un motivo, sebbene capisca subito che il motivo c'è. Sta tornando sul luogo dove ha trovato Sasha riversa come un pesce moribondo lungo la riva.

Come il mattino precedente, la spiaggia è deserta. Mura ansima e suda per la fatica, finché non prende il ritmo aerobico della corsa e sente il beneficio diffondersi nel corpo, i muscoli delle gambe che rispondono all'allenamento, le endorfine che entrano in circolazione nel sangue. Si lascia alle spalle Borgomarina Ponente, ecco Tagliata, Zadina e là in fondo Pinarella: la spiaggia costeggiata da un boschetto di pini, la brezza ne porta l'odore, mescolandolo a quello salmastro dell'acqua.

«D'estate bisogna portare i bambini al mare» ammonisce il Professore, «così respirano lo odio.»

Gli scappa da ridere da solo alla stupida battuta del vecchio amico. Che non parla per esperienza personale, naturalmente. Di bambini, il Prof non ne ha neanche mezzo. Lo ripetono sempre: se la loro amicizia fosse una famiglia, avrebbero un figlio in quattro, il suo Paolo, sistemato a Londra, futuro avvocato.

«Ha studiato Legge, naturalmente, per seguire le orme del padre, laurea in Giurisprudenza all'Alma Mater, abbeverandosi alle fonti del diritto nella più antica università d'Europa»: altra battuta ricorrente del Prof. Per ricordare che Mura passò tre quarti degli esami in virtù dei collettivi del movimento studentesco del '77, con il "30 politico" come voto egualitario. Quando il movimento andò in declino e i professori tornarono in cattedra, superò gli ultimi grazie ai *De Simone*, i riassuntini universitari, l'equivalente dei *Bignami* della scuola media superiore.

«Si vede che lei qualcosa ha letto» gli disse il docente di diritto amministratsuoiivo, «ma non sembra entrato fino in fondo nella materia. Potrei darle un diciotto, le rovinerebbe la media del trenta.»

E lui: «Lo prendo, professore. Sono uno studente lavoratore. Non ho potuto approfondire perché lavoro». E un po' era anche vero: lavorava già come giornalista freelance, scrivendo di basket. Proprio per quello gli piaceva il giornalismo: perché, al contrario dello studio, non approfondiva. Un argomento un giorno, un altro il giorno dopo. La misura giusta, per lui, era restare sulla superficie delle cose.

Le urla dei gabbiani sono l'unico suono che spezza il silenzio incantato. Volano, volano, volano, poi si fermano a galleggiare sull'acqua o vengono a zampettare fra i rifiuti della risacca. Ecco dove l'ha ripescata. La marea che viene e va ha cancellato le orme, ma è sicuro che il punto sia quello. Il ladro torna sempre sul luogo del delitto. Lui, però, non è un ladro. Non ha rubato niente. Solo una donna.

"Donne da rubare" recita un detto romagnolo, per dire quanto sono belle, tradendo il carattere ribaldo di questa terra. Andrebbe bene anche per l'Arabia Saudita. Ripensa ai *Vori v zakhone*: non deve essere la prima volta che quella bella donna è stata rubata. Riprende a correre e rientra al capanno.

Stavolta non può essere silenzioso. Apre il rubinetto della doccia, resta cinque minuti sotto lo scroscio bollente, lasciando che il fumo provochi un effetto sauna in quel bagno da cabina di motonave. Mura adora la doccia, è quasi un piacere fisico per lui. E costa poco procurarselo.

Dopo indossa un vecchio accappatoio, anche quello, come asciugamani e lenzuola, in dotazione al capanno. Un altro omaggio del libraio Guerrini.

Credeva che a Borgomarina fossero tutti gentili con lui perché, agli occhi della popolazione di una cittadina balneare, aveva avuto un ruolo importante: giornalista, corrispondente estero, giramondo.

«Com'è che si mangia alla corte di Sua Maestà?»

In verità una volta ci aveva mangiato davvero, a Buckingham Palace con la regina, in occasione della visita di un presidente della Repubblica. Ma la domanda non richiedeva una risposta precisa: era una curiosità generica, la voglia di ascoltare racconti esotici, incontri con i potenti, gossip dietro le quinte. Era sempre così, in America, in Russia, in Medio Oriente. Al ritorno dai suoi viaggi a Gerusalemme, Mosca, Città del Messico, la gente del posto non era interessata a sapere chi aveva ragione e chi torto nel decennale conflitto fra arabi e israeliani, nella caduta del comunismo sovietico o nelle guerriglie latinoamericane. E lui non provava nemmeno a spiegarne le complicate sottigliezze, limitandosi a banalizzare con un «È un gran casino» che metteva tutti d'accordo.

Pretendevano invece risposte dettagliate alle domande sulla vita quotidiana: come si sta davvero a Gerusalemme, Mosca, Città del Messico? Come passava il tempo quando aveva finito di scrivere gli articoli, che peraltro tutti dimenticavano il giorno dopo, confondendoli con quelli del giorno prima? Come si mangiava? Quanto costava comprare casa? Che macchine giravano per strada? E naturalmente, se l'interlocutore era uomo, la domanda perenne: come sono le donne?

Mura pensava spesso che nelle corrispondenze avrebbe dovuto scrivere soltanto di quegli argomenti, invece di riportare dichiarazioni di ministri o raccontare di attentati e rappresaglie militari.

La donna che gli occupa il letto, intanto, si è svegliata.

«Mu... ra?» Lo ha chiamato per la prima volta per nome, mentre lui sta armeggiando in cucina a preparare un caffè. Accende il gas e la raggiunge.

Si è seduta sul letto, la schiena appoggiata ai due cuscini che ha raccolto dietro di sé, le gambe rannicchiate sotto le coperte. Nonostante quello che al Barone è giustamente sembrato un occhio nero, i capelli biondi scompigliati e un pallore da Siberia, è di una bellezza impressionante. Impossibile non notare il gonfiore delle tette, sotto la felpa.

«Va un po' meglio?»

«Sì.»

«Ti andrebbe un caffè?»

«Grazie.»

«Arriva.» Torna in cucina, piglia due tazzine spaiate – la dotazione del capanno lascia a desiderare, ma non si lamenta. «Zucchero?» chiede mentre lo versa.

«No.»

Salutista? O semplicemente donna tosta.

Lo bevono insieme, Mura seduto, in silenzio.

«Avrei bisogno…» mormora Sasha.

«Dimmi.»

«Di andare in bagno.»

Ah, già. Le porta un asciugamano.

Lei si alza disinvolta e trotta fino al gabinetto: felpa, calzoncini, calzini, versione femminile di Mura, per modo di dire, con trent'anni in meno. Be', non può restare vestita anzi svestita così tutto il tempo, bisognerà trovarle qualche indumento.

Nell'armadio, la scelta di cosa prestarle è limitata: una maglietta, un paio di jeans. E un paio di vecchie scarpe da barca che il proprietario del capanno ha dimenticato: di misura dovrebbero andarle bene, come le sono andati bene i calzini. Ah, c'è anche una giacca a vento che il Barone ha lasciato all'attaccapanni dietro la finestra dopo una notte di pesca.

Bussa alla porta del bagno. «Prova questi.»

Lei apre uno spiraglio, le passa i vestiti. Dopo un po' sente di nuovo lo scroscio della doccia. Sembra a suo agio, la naufraga. Non sarà la prima volta che si sveglia in casa di uno sconosciuto.

Oltre a vestirla, però, bisognerà nutrirla. «Esco a prendere da mangiare» le dice da dietro la porta, quando il fiotto dell'acqua s'interrompe.

«Va bene.»

Non ha la macchina. Ne ha avute tante, anche a spese del giornale, nei Paesi più impervi in cui si è trovato a lavorare, dalla Russia a Israele. Ma a Borgomarina gli sembrava una spesa inutile, tutto quello che gli serve è nelle vicinanze del capanno. Il caffè per la colazione. Il chiosco di piada per il pranzo. La rosticceria o la pizzeria per la cena. Il San Marco per le uscite con gli amici. La Buca o il Marè per quelle con la… la… la ragazza con cui ogni tanto va a letto. E se deve andare più lontano, passa a prenderlo il Barone con la Porsche, l'Ingegnere con la Golf o il Professore con la Panda della sua eterna fidanzata, visto che la macchina non ce l'ha neanche lui.

«Sei un vero snob» lo prendono in giro gli altri tre.

«Sono un vero povero» precisa il Prof, che ha fatto meno soldi di loro.

A parte che i soldi per comprare un'auto non li avrebbe avuti nemmeno Mura. Al massimo, per una bicicletta. E quella non ha dovuto acquistarla: ce n'era una, arrugginita ma funzionante, nel terrazzo del capanno. Ha il vantaggio di essere così mal messa che non deve neanche legarla con la catena, non gliela porterebbe via nessuno. Così inforca la bici e pedala.

Non va molto lontano. Dolce & Salato, il caffè della colazione quotidiana, è alla prima rotonda venendo dal mare. La vetrinetta del bancone spiega il nome del locale, occupata com'è da una collezione completa di cornetti, bomboloni, paste, muffin, pizzette, crescentine e panini per tutti i palati. In più, una mazzetta di giornali da soddisfare il giornalista che è ancora in Mura: "Repubblica", "Corriere", "Stampa", "Resto del Carlino", "Gazzetta dello Sport", "Corriere dello Sport/ Stadio", "Corriere di Rimini".

È così che passa le mattinate, dopo la corsa, leggendo gratis la rassegna stampa, appollaiato su un trespolo all'interno o a uno dei tavolini esterni a seconda della stagione. Nulla batte arrabbiarsi con i colleghi, davanti a un cappuccio e un croissant, nella convinzione che lui avrebbe prodotto un pezzo migliore, un titolo migliore, un giornale migliore: lo sport preferito dei cronisti.

Ma stamattina niente lettura e niente cappuccio. A casa preparerà un secondo caffè, qui ordina due cornetti. «Anzi, quattro, due dolci e due salati.» Sasha deve avere una fame da lupo dopo ventiquattr'ore senza mangiare. Una lupa, ecco a cosa somiglia. Una splendida lupa siberiana.

«Perché tutta questa fretta?» Il maresciallo è seduto a uno dei tavoli di fianco al bancone, impegnato a consumare un caffè e un immenso bignè alla vaniglia. In borghese, una volta tanto. Anche per questo non l'aveva visto.

«Gianca!» lo saluta Mura.

«Niente lettura dei giornali oggi?»

«Raccontano sempre le solite stronzate.»

«Detto da te…»

«… che le scrivevo.»

Si conoscono da quando erano bambini, in effetti da più tempo che con i moschettieri incontrati sui banchi di scuola. Ma quella con Giancarlo Amadori è stata un'amicizia a intermittenza, regolata dalle vacanze estive: tre mesi e mezzo insieme quando Mura e famiglia si spostavano da Bologna a Borgomarina per la villeggiatura, in un villino preso in affitto dove lui passava la stagione con la mamma e il papà dottore li raggiungeva nel fine settimana. Mesi intensissimi, in cui Andrea e Giancarlo stavano insieme dalla mattina alla sera nella libertà totale dell'infanzia spensierata dei baby boomer, senza compiti e senza controlli perché i rischi erano zero. Il pericolo più serio era annunciato da un altoparlante a tutta la spiaggia: «Si è perso un bambino di anni quattro con un costumino azzurro, chi lo ritrova è pregato di portarlo al Bagno Medusa». Lo ritrovavano sempre.

Mura e Gianca avevano giocato insieme a pallone fino allo sfinimento sulla sabbia che scotta, le linee del campo segnate spargendo acqua da un secchiello. Avevano giocato insieme a palline, Gimondi Motta Adorni Bitossi Zandegù Tacconi, trascinando uno della combriccola per le gambe in modo che il culo disegnasse la pista, da rinforzare con sabbia bagnata e abilità ingegneristiche talvolta anche sofisticate, insieme a ponti, gallerie e curve stile Vigorelli.

Avevano imparato insieme a nuotare al corso del bagnino. Si erano impegnati insieme nelle gare di tuffi dal molo e dalla piattaforma, una specie di trampolino che sorgeva a duecento metri dalla riva e la vera sfida era raggiungerlo senza fermarsi. Si erano iscritti insieme a un corso di judo, esibendosi la notte di Ferragosto su un palcoscenico montato in piazza Ciceruacchio e diventando insieme cintura gialla (Mura si era fermato lì, Giancarlo era andato avanti, nei mesi invernali, fino alla cintura nera).

Con l'iscrizione all'università, le estati di Andrea non erano più passate da Borgomarina, calamitato dalla curiosità per il resto d'Italia e per l'Europa, scoperta in autostop. Infine: l'America. Dopo la laurea era partito, nelle sue intenzioni per una breve avventura, di fatto senza tornare indietro.

E anche Amadori era partito, prima per l'accademia dei carabinieri a Modena, quindi spedito qui e là per tutta la Penisola, salendo di grado: brigadiere, brigadiere scelto, vicemaresciallo, maresciallo.

Si erano rivisti quando Mura era tornato a Borgomarina con il figlio piccolo, ma solo di sfuggita, durante le brevi licenze di Gianca. Anche lui nel frattempo si era sposato: una volta sola, però. E il matrimonio con una romagnola, insegnante di ginnastica, aveva tenuto, allietato da tre marmocchi, «per fare squadra mentre cambiamo vita da una città all'altra». Mura aveva l'impressione che le coppie in Romagna reggessero meglio che altrove. Come se ci fosse, nell'aria o forse in mare, qualcosa che manteneva l'armonia.

Soltanto ora, a fine carriera, l'Arma aveva permesso al maresciallo di tornare al paesello natio. All'anagrafe veramente risulta nato a Forlimpopoli, ma solo per caso: all'epoca, a Borgomarina non c'era neanche un ambulatorio.

Si erano finalmente ritrovati quando Mura aveva deciso di ritirarsi lì dopo la pensione. Qualche volta Amadori partecipava alle cene di pesce appena tirato su con il bilancino del capanno: una gran frittura, piada, insalata e Albana frizzante. Scambiano le ultime notizie. Mura ha la simpatia per i carabinieri nel sangue. Ogni volta che lo fermavano per eccesso di velocità nelle ferie in Italia, e succedeva spesso, non perdeva occasione di ricordare al milite di turno di avere avuto un nonno maresciallo. Era la verità. Anche se non serviva a evitargli le multe.

«Colazione a casa con qualcuno che ti aspetta?» domanda Amadori concludendo i convenevoli.

«No, in realtà…»

Il maresciallo ci mette un attimo a cogliere l'esitazione.

«… in realtà ne mangi quattro da solo! E io sono un invornito.» Uno sciminuto, un duro di mente, come si dice dalle sue parti: è chiaro che non è convinto.

«È che…» ci riprova Mura.

«Affari tuoi. E se si tratta di affari di donne, lo sai che sono una tomba» aggiunge Giancarlo in tono cospiratorio. Poi una bella risata e un abbraccio.

Mura non può mica dirgli: sì, sono a colazione con una giovane russa che ho trovato ieri mattina all'alba, nuda e più morta che viva sulla spiaggia, ma resti fra di noi perché lei non vuole che io chiami la polizia, tantomeno i caramba, per stabilire cos'è successo. Be', adesso cercherà di scoprirlo lui, cos'è successo.

Trova Sasha vestita, con i suoi vestiti, avvolta in una coperta, la sua coperta, seduta su una poltroncina in terrazzo, suoi anche quelli, poltroncina e terrazzo, da un punto di vista tecnico. Un tiepido sole ha scaldato l'aria e ingentilito i colori della costa.

«Ho lavato le tazze e la macchinetta del caffè» gli comunica. «Se vuoi te ne preparo un altro.»

Casalinga perfetta, oltre che gran pezzo di figa? Allora è proprio da sposare. Visto come si è ambientata, potrebbe essere nelle sue intenzioni. Com'era quel detto che Mura ha imparato in Inghilterra? "La casa di un uomo è il suo castello." Magari vale anche per il capanno di un uomo.

«Ci penso io, non preoccuparti. Ho portato dei cornetti. Comincia a mangiare. Avrai fame.»

«Ti aspetto.»

Mura glieli porta su un vassoio di plastica, insieme alle due tazzine spaiate con il caffè fumante dentro. Lo bevono e mangiano seduti sul terrazzo. Non è caldissimo e Sasha rimane avvolta nella coperta. Ma il sole picchia sulla tettoia e la scalda ogni minuto di più.

«Mi piace qui» dice lei.

«È un capanno, li chiamano così. Un po' come le cabine degli stabilimenti.» E le indica sulla spiaggia, ancora sprangate dal lungo assedio invernale. «Sembra di stare in mezzo al mare, no?»

«È bello vederlo da casa.»

«Sì. Dovremmo avere tutti una vista così. Penso che saremmo più felici.»

«L'acqua va avanti e indietro» dice Sasha, volgendo lo sguardo in direzione del suo approdo di fortuna. «Cerca di baciare la spiaggia e non importa quante volte viene mandata via, poi ritorna.»

Poetica, oltre che casalinga e gran gnocca!

«A te, più che baciarti, per poco non ti affogava.»

Tace. Non guarda più fuori. Si fissa le dita, lunghe, affusolate, perfette.

«Chi sei, Sasha?»

«Che vuoi dire?»

«Hai un lavoro? Dove vivi?»

«Vivo da queste parti. Sono... una cameriera.»

Ci sarebbe la coda fuori, nel ristorante dove lavori, vorrebbe risponderle. Invece, scandendo bene le parole, dice: «*Ya govoriu po ruski*». Parlo russo.

Lo guarda esterrefatta, come se lo vedesse per la prima volta. Come se non fosse la persona gentile che l'ha salvata e ospitata. «*Kto ti?*» tocca a lei domandare, improvvisamente guardinga. Chi sei tu?

È un po' arrugginito, il suo russo: non incontra più la seconda moglie, sorry, ex seconda moglie, da anni. Ma è stata un buon investimento. Ha cercato di dimenticarla, ma non ha dimenticato la sua lingua. Ora spiega in due parole a Sasha come l'ha imparata: giornalista, corrispondente da Mosca, sposato con una moscovita. Quest'ultima informazione aveva pensato di non dargliela, in fondo sono affari privati: ma serve a farle capire che non solo conosce il russo. Conosce anche le russe.

«*Sto slucilas?*» le chiede a questo punto. Che è successo?

Risponde che non se lo ricorda. Era in un bar, qualcuno le ha offerto da bere e, zac, si è ritrovata in mare.

«In mare dove?» domanda Mura, spazientito, passando all'italiano.

«*Tam.*» Là, in russo. Un gesto con il mento. Verso il largo. «*Tam.*».

«E i tuoi vestiti?» In realtà vorrebbe chiedere: perché eri nuda?

Non lo sa. Li avrà persi in mare. Mare mare mare, sembra il ritornello di una vecchia canzone di Luca Carboni, ma che voglia di arrivare... Tutta colpa del mare, allora?

«Come sei finita a riva?»

«Ho nuotato.»

«Per molto?»

«Credo di sì.»

«Per ore, l'hai già detto al mio amico medico?» Gli suona un'esagerazione da romagnolo.

Lei racconta che ha fatto nuoto sin da bambina, a livello agonistico, in Russia. È stata una campioncina. A un certo punto ha smesso, ma in acqua si sente a casa.

«Non temevi di affogare?»

«Ho avuto paura, sì. Era buio, avevo freddo, non ero sicura di andare nella direzione giusta. Mi hanno guidato le luci della costa»

Restano zitti per un po'.

«E adesso quale è la direzione giusta per te? Adesso dove vuoi andare, Sasha?»

Tace.

Deve avere usato lo shampoo che ha trovato in bagno per lavarsi i capelli. Anche così, vestita da uomo, nella luce della tarda mattinata, è ancora più bella.

Sul tavolino di vimini dove l'aveva appoggiato, il telefonino di Mura comincia a vibrare. Lui guarda il numero sullo schermo, si alza e va a rispondere in cucina. «Ehi.»

«Ciao.»

«Dove sei?»

«Da qualche parte sulla strada per Raqqa.»

«Tutto ok?»

«Tutto ok. C'è qualcuno lì con te?»

«No. Sono qui da solo, in cucina.»

Dal punto di vista formale, vero: è da solo, in cucina. Ma come cazzo ha fatto Caterina a capire dal tono delle sue risposte che, nel capanno, c'è qualcun altro? Mura riavvolge alla velocità massima consentita dal cervello il nastro della loro conversazione. Lui nell'ordine ha detto soltanto: «Ehi», «Dove sei?», «Tutto ok?».

Cinque parole, se contiamo "ehi" e "ok" come parole, più due punti interrogativi. Come può Cate avere intuito da così poco che c'era qualcosa di insolito nella sua voce, dunque nel suo capanno?

Deve essere un particolare dono femminile, perché gli è già capitato altre volte, con altre donne: mogli, fidanzate, *girlfriend* di lungo corso. Ma nel caso di Caterina Ruggeri detta Cate, giornalista freelance, anni trentadue, intrepida corrispondente da tutti i fronti di tutte le guerre del mondo, è ancora più stupefacente per la semplice ragione che lei non è gelosa di lui. Non può esserlo. Non sono una vera coppia. Non stanno insieme. Vanno soltanto a letto insieme, quando lei ha tempo e voglia di andare a trovarlo.

L'ha conosciuta qualche anno prima di andare in pensione, al festival del giornalismo di Perugia. Sono finiti uno accanto all'altra a una tavola rotonda. Lei indossava una gonna un tantino troppo corta su stivali neri più da giardino inglese che da sfilata di moda. In ogni caso, mettevano in risalto due gambe magre, flessuose, con le cosce incavate. Segno internazionale di riconoscimento, le cosce incavate, di una grande scopatrice: così sostiene il Barone, che di grandi scopate e scopatrici se ne intende.

Nel dibattito al festival Mura si era dovuto sforzare per concentrarsi: le gambe della vicina lo distraevano. Ma le accavallava così di proposito, per confonderlo? Be', c'era riuscita. Dopo la discussione, tutti a cena. Loro due che continuavano a parlare fitto fitto e già lui cominciava ad avere delle aspettative sul dopocena, quando Cate aveva detto che doveva partire immediatamente per Roma, la mattina dopo aveva un aereo per l'Afghanistan. O per il Ruanda. O per qualche altro buco di culo del pianeta.

Ora Mura non se lo ricorda bene, dove andava Cate. Ma si erano scambiati gli indirizzi email.

Tornata in guerra, gli aveva scritto un messaggio molto carino: "Sono l'unica donna occidentale nel raggio di qualche migliaio di chilometri, tutti i colleghi maschi mi corteggiano per passare la notte con me, ma non sanno farlo bene. Tu invece sai parlare".

Più che altro ascoltare, le aveva risposto, guadagnandosi una fila di sorrisini e bacetti xxx, come si usa nel linguaggio digitale.

Da allora hanno cominciato a vedersi ogni tanto. Lei aveva un fidanzato. Poi l'ha mollato. In seguito, ne ha avuti più di uno per volta. Senza contare i colleghi che ci provano: anche se parlano peggio di Mura, non significa che Cate non ci finisca a letto. Non importa. È forse l'unico sistema per evitare di appiccicarsi addosso la solita etichetta delle sue relazioni di lungo corso: "Da consumarsi preferibilmente entro tre anni". La crisi del settimo anno valeva per i tempi di Marilyn Monroe. Gli amori moderni si consumano più in fretta.

Sorvola su quelle elucubrazioni. Dopo che Mura ha risposto di essere da solo "in cucina", Cate prosegue come se l'istante prima gli avesse chiesto: «Che tempo fa dalle tue parti?».

Lei lo mette al corrente dell'ultima battaglia al fronte.

Lui la mette al corrente dell'ultima sfida a basket contro il Barone e l'Ingegnere: ha perso di quattro punti, come al solito in coppia con il Prof.

Risolino. Cate ha avuto modo di conoscere i tre moschettieri. Si sono reciprocamente piaciuti.

Dice che forse verrà in Italia entro una settimana o due per un po' di R&R, *Rest and Relax*, come i soldati americani in Vietnam chiamavano le brevi licenze in Thailandia passate a ubriacarsi (*Rest*) e andare a puttane (*Relax*), eufemismo adottato da molti corrispondenti di guerra, in genere uomini: ma funziona pure per Cate, femminista e maschiaccio. Lui risponde che l'aspetta. «Sai dove trovarmi.»

«L'ultimo capanno in fondo al molo a sinistra.»

«Giusto.»

Che poi Cate non è gelosa. Non sarebbe successo niente se al quesito iniziale, «C'è qualcuno lì con te?», Mura avesse risposto con sincerità: «Ah, sì, c'è una tipa che ho trovato nuda sul bagnasciuga, era infreddolita e un po' in difficoltà, ho pensato di portarla a casa».

«È carina?»

«Una figa pazzesca.»

«Te la fotti?»

«Non ancora.»

Ma conto di riuscirci presto, avrebbe dovuto aggiungere a questo punto.

«Bene bene, poi quando ci vediamo mi racconti com'è andata» sarebbe stato un tipico commento stile Cate.

E davvero, per lei, non sarebbe cambiato niente.

E davvero, per lei, non sarebbe cambiato niente?

Ecco il punto: l'interrogativo che capovolge il significato della frase. Loro due saranno anche una coppia aperta, anzi una non coppia, *friends with benefits* come si dice a Londra, amici con benefici, sottinteso sessuali. Insomma, scopamica. Ma si può confidare tutto a una donna, alla donna con cui vai a letto?

È sempre rischioso. L'abitudine a mentire su quello che in una relazione ufficiale sarebbe classificabile come "tradimento" è così radicata nella psiche di Mura che non riesce a liberarsene nemmeno quando è in una relazione non ufficiale, ufficiosa, una relazione-non-relazione. Il lupo perde il pelo ma non il vizio, e il vizio di nascondere peccatucci, come li chiama il Barone, Mura non l'ha perso. Sì, ma quali peccatucci, in questo caso specifico? È chiaro, quelli che non ha ancora commesso.

L'intenzione di peccare, tuttavia, c'è.

9. Canotte scollate
(Colonna sonora: *It's a Shame*, The Spinners)

Il manrovescio getta la donna a terra. L'uomo che l'ha sferrato è grande e grosso. Lei piccola e minuta. Reagisce con un singhiozzo. Si prende la testa fra le mani. Dalla bocca le esce un lamentoso: «Ma... ma... ma», che poi sfocia in un «Marco... per favore, Marco... Marco...».

In piedi, per niente impietosito, la guarda con disgusto. «Mi hai rotto i coglioni, Silvia. Hai capito? Non ne posso più delle tue gelosie. "Dove sei stato stanotte?" Sono stato dove cazzo mi pare.»

«Marco...»

«E smettila di frignare, se no te ne arriva un altro. Sai cosa sei? Una bambina viziata. Ti ha viziata il paparino, dandoti sempre tutto quello che volevi...»

Silvia ha smesso di piangere e di invocare il suo nome.

«... Ti ha voluto dare anche me. Ma io me ne vado se continui così, capito? Me ne frego dei tuoi soldi. Sparisci, sgorbio!» E sparisce lui, lasciandola a piagnucolare sul tappeto in fondo al letto.

Sono al terzo piano di una bella villa del primo Novecento, situata in uno dei vialetti alberati tra il lungomare di Borgomarina e il porto canale. Non se ne costruiscono più di case così, in quello che era lo stile classico delle cittadine della Riviera un centinaio di anni prima.

All'epoca la costa romagnola era coperta in larga parte da una pineta che finiva su una spiaggia di dune e sterpi. Qua e là sorgeva qualche piccolo borgo, collegato da strade sterrate percorse da carrozze e cavalli. Contadini e pescatori vivevano in casupole umide e buie, senza luce, senza acqua corrente, senza nulla. Si stava più caldi e più comodi nelle stalle.

Ma i pochi, facoltosi borghesi della zona lungo il litorale, che si trattasse di latifondisti, commercianti o qualche professionista, abitavano in graziose ville e villini con tutti i comfort, circondate da un ampio giardino, cinte da mura e cancelli, in modo che nessuno, dall'esterno, potesse immaginare la vita fra quelle pareti.

Poco era cambiato nel ventennio fascista, a parte l'apertura di qualche colonia per i figli dell'Italia littoria. Dalla fine della Seconda guerra mondiale, in un decennio il turismo aveva trasformato la regione. Abbattute le pinete, spianata la spiaggia, bonificati gli stagni, avevano aperto stabilimenti balneari e alberghi. Il clima era buono, il fondale sicuro, la sabbia fine, la cucina saporita, i prezzi convenienti, la gente sempre sorridente e ospitale, pronta ad aggiungere un posto a tavola, una rete per i bambini in una stanza, una parola cordiale per tutti.

Non esisteva un altro tratto di costa così lungo, comodo e spazioso in tutta la penisola. Così era diventata la meta favorita del turismo di massa: prima gli impiegati, poi anche gli operai cominciarono a permettersi una settimana di agognate ferie in Romagna. E dopo gli italiani arrivarono i tedeschi, quindi gli scandinavi, gli inglesi, i francesi, gli olandesi, infine i russi. Chi in pensione, chi in campeggio, chi in roulotte.

Per dare da mangiare e dormire a queste schiere di invasori, intere famiglie si mobilitavano per lavorare nel medesimo esercizio: genitori, figli, nonni. Tre generazioni tutte insieme. Dalle campagne assumevano senza contratto giovani e anziani, i primi in spiaggia o a governare le camere, i secondi, spesso donne, in cucina e in stireria a cucinare e sgurare. Tutto in nero, naturalmente. Senza contratti, senza scontrini, senza pagare una lira di tasse. Ma in questo modo un fiume di soldi si era riversato sulla regione e diffuso fra la popolazione, creando un benessere che da quelle parti non si era mai visto e nemmeno sognato.

Ville e villini cambiarono di mano. I proprietari rimasti fermi ai vecchi commerci, all'agricoltura, fallirono o restarono indietro. I nuovi ricchi acquistavano le belle case dei ricchi di prima. Ad Alberto Ricci sembrava di giocare a Monopoli: alberghi, terreni, case. In pochi anni di crescita vertiginosa, una bella fetta di Borgomarina era diventata sua. Tutto frutto del sudore della fronte, una dedizione al lavoro spaventosa, una formidabile voglia di fare soldi. Altro che gli piacesse fare, nella vita, non c'era.

Solo ora che è vecchio ha imparato a rilassarsi e a scoprire altri piaceri. Uno su tutti: la famiglia. Ma il destino è cinico e baro: saranno le cose che ami a fregarti. Alberto sognava che la sua unica figlia avesse un matrimonio felice e gli desse tanti nipotini.

Ricci non è bello, ma piacente, un romagnolo tipico, quasi da cartolina. La moglie da giovane era di certo un tipo. Silvia, invece, è venuta fuori bruttina. Né carne né pesce, l'avrebbe definita lui stesso. Se la guardava con occhi da maschio, non da padre, pensava: "un volto insignificante e neanche una curva".

Qualcuno che se la sposasse si poteva anche trovare, ma lei si era innamorata di un mascalzone: Marco Tassinari, playboy da strapazzo, perdigiorno, buono a niente, che aspirava soltanto a correre dietro alle sottane. Doveva la sua modesta fama a una breve stagione da calciatore, in serie C, con il Ravenna, in cui peraltro era rimasto famoso più per le espulsioni (sette in due campionati) che per i goal (due, di cui un rigore). L'anno seguente il Ravenna lo aveva ceduto al Bagnacavallo in D, l'anno dopo il Bagnacavallo l'aveva ceduto al Bellaria in Promozione, a fine stagione il Bellaria l'aveva lasciato libero e lì in pratica si era chiusa la sua carriera di giocatore di calcio. Ma era cominciata quella di ex calciatore, per cui era assai più portato.

Teneva i capelli lunghi con la zazzera fin sugli occhi. Aveva collo, braccia, schiena e gambe piene di tatuaggi alla David Beckham. In estate girava in calzoncini corti da calcio, aderenti per mettere in evidenza il pacco, magliette rosa fucsia ancora più aderenti o canotte scollate per mostrare il pelo dello sterno, calzini e scarpette da tennis, sempre slacciate, borsello e occhiali da sole specchiati. Un burino che voleva essere riconosciuto anche da lontano: e ci riusciva alla perfezione. Ma nell'ambiente provinciale della Riviera anche un personaggio così patetico trovava un ruolo da recitare: l'accompagnatore dei VIP. O presunti tali: ex calciatori con un pedigree appena migliore del suo, soubrettine che ottenevano comparsate negli show delle tivù regionali, ex concorrenti di reality show. Un circo umano per lo più grottesco, che Tassinari portava in discoteca, al ristorante, allo stabilimento balneare, come un gettone per attirare pubblico. In mancanza di meglio, bisogna prendere quel che c'è.

«E stascera, scignori e scignore, abbiamo con noi il grande Erosc Zampignani, autore di goal indimenticabili nelle file del Cescena!» Assolo di batteria. «Accompagnato dal nostro Marco Tassinari, ex centravanti di tante grandi squadre romagnole!»

E giù applausi, o fischi, o sghignazzate: andava bene lo stesso.

In cambio di queste marchette, Tassinari otteneva l'ingresso gratuito nei locali, drink a go go senza sborsare un soldo, un piatto caldo quando c'era da mangiare. Se la serata riusciva, il proprietario del club o pizzeria o baccanale gli allungava cinquanta euro, un centone per le occasioni speciali, a Capodanno o Ferragosto.

L'ex centravanti, in sostanza, era sempre in bolletta. Arrotondava portando a letto vecchie matrone, che lo ripagavano con dei regalini, «in contanti, così ti compri quello che vuoi tu… se non ti offendi, bel rubacuori». Lui non si offendeva per nulla.

Come avesse potuto Silvia, una ragazza timida, anonima e di buon cuore, innamorarsi di un farfallone di quel genere, rimane un mistero, se non fosse che l'amore è cieco o almeno misterioso, dopotutto.

Lei spasimava per Marco. Lui spasimava per il denaro di Alberto Ricci, il noto albergatore, padre di Silvia. Questo matrimonio s'aveva da fare. Ne era venuto fuori solo un nipotino, non la cucciolata desiderata dal patriarca. Dopodiché si era chiuso il rubinetto.

«Occupati del moccioso e non rompere» la maltrattava Marco. Non avrebbe toccato più sua moglie neanche se lo pagavano. Tanto i soldi ormai gli spettavano in quanto direttore del Bristol, l'albergo che il suocero gli aveva cointestato quale prezzo per sposare la figlia. Non il migliore hotel del suo impero, ma uno di quei tre stelle che in Romagna lavorano a ritmo continuo da Pasqua a ottobre, prima con i polacchi, poi con gli italiani, infine di nuovo con i turisti dal Nord Europa, a cui le temperature del nostro inizio autunno vanno benissimo per la tintarella e un tuffo in mare.

«Bristol, che cazzo di nome è per un albergo» chiedeva Marco al capo cameriere, che era lì da una vita e di fatto lo gestiva senza alcun bisogno di lui.

«Boh», rispondeva quello.

C'è un hotel Bristol in ogni stazione balneare della Romagna: nessuno sa il perché. Lo ignorano anche a Bristol, città inglese senza titoli per dare notorietà al proprio nome nel mondo.

Probabilmente suona meglio di Hotel London (troppo scontato), Hotel Liverpool o Hotel Manchester (troppi riferimenti calcistici, con il rischio che i turisti inglesi di Manchester non vogliano andare nel primo e quelli di Liverpool nel secondo), per conferire una esterofila patina snob alle cittadine della Riviera.

Il Bristol è vicino alla villa dei Ricci, su un viale parallelo al porto canale. Ed è lì che Tassinari intende dirigersi, dopo avere pestato la moglie. Il figlioletto di tre anni è andato in giro con i nonni: benissimo, così non rompe le palle neppure lui. L'ex calciatore l'aveva concepito come un goal in zona Cesarini. «L'ultima scopata con quella racchia di mia moglie» annunciò agli amici. Da quando ha saputo che Silvia era incinta, l'ha evitata rigorosamente sotto le lenzuola. Da allora, del resto, a letto con lei non c'è tanto spesso. Di letti liberi, fuori stagione, il Bristol ne ha in abbondanza. E Tassinari ha le chiavi di tutte le stanze.

Belloccio, smargiasso, beato nella propria ignoranza, con in più ora l'arroganza dei soldi, di donne Tassinari ne ha quante ne vuole. Ma ce n'è una di cui si è incapricciato. Una mignotta, perché va anche con quelle. Adesso è lei che ha in testa. O meglio, dentro le mutande. Desidera solo chiudersi al Bristol per starsene in santa pace a ragionare su Sasha, invece che perdere tempo con il piagnucolio di Silvia.

«Guarda chi c'è, il papà!»

È Rosa, la nonna, che indica al piccolo Christian suo padre a metà delle scale di casa. Alberto, il nonno, tace, fissandolo, sulla porta.

«Oh, siete già tornati? Io devo scappare» risponde Marco e aumenta l'andatura. Dà uno scappellotto al figlio, che non lo prende per niente bene e comincia a piangere. Quindi salta i gradini due a due ed è fuori dalla villa.

Ma il suocero lo segue. «Dove vai?» lo interroga senza salutare.

«Sono impegnato, Albertone.»

A Ricci non piace essere chiamato Albertone. Nessuno lo chiama così, in paese. Soltanto quel deficiente di suo genero. «Sei impegnato? Ma se non hai mai combinato niente, ostia!»

«E dai, Albertone.» Accelera il passo. Fila via.

Idiota, pensa Ricci. Sua figlia ha sposato un idiota. No, l'idiota è lui che non è stato capace di impedirglielo. L'aveva capito subito che sarebbe stato un disastro: ha sempre avuto occhio nel giudicare le persone. Ma con Tassinari non serve, anche un orbo capirebbe che è un uomo squallido, ipocrita, fasullo. Purtroppo, si è rivelato anche peggiore di come se l'era immaginato.

«Sumar d'un esan.» Somaro di un asino. Lo dice di Tassinari. Ma anche di sé. «Ho lasciato che mia figlia si rovinasse, troverò io il modo di liberarla.»

10. La sua religione preferita
(Colonna sonora: *When I Was Young*, Eric Burdon and The Animals)

Un tuono scuote le case e il temporale lava la città, portato lungo il litorale da nuvoloni neri sospinti dal vento, che si è alzato all'improvviso, come succede a primavera.

«Si sieda ad aspettare, che tra un po' passa!»

È la Maria, una piadinaia vecchio stile sulla sessantina: lavora nel chiosco sul canalino da una vita. Se ne sta ben riparata all'interno, dove impasta la farina e la posa sulla teglia, ma fuori una tettoia offre protezione anche a Mura, rimasto lì incantato, a fissare l'acqua che viene giù a catinelle, con il cartoccio caldo in mano. Ha comprato due piadine al prosciutto, ordinando per Sasha la stessa che prende sempre lui. Ora è indeciso se rimontare subito sulla bici e fregarsene di inzupparsi di pioggia o attendere, come gli consiglia la donna.

Da giovane avrà fatto girare la testa a tutti, ancora adesso ha il suo fascino. È una morona con la bocca larga, gli occhi di fuoco, il seno prominente, due avambracci possenti risultato dell'allenamento quotidiano a modellare la piada.

«È che poi si freddano e sono buone calde» dice Mura, come parlando a se stesso, lo sguardo rivolto al cielo.

«L'è ver, ma bagnate son peggio che fredde» commenta lei. Bocca della verità. Ha ragione. Aspetterà.

Come dicono gli inglesi? Se a Londra non ti piace il tempo,

aspetta cinque minuti. Là cambia di continuo, per effetto della corrente del Golfo. Ma anche qui, i temporali di primavera in genere non durano molto.

La piada è il pane della Romagna, un cibo unico e al tempo stesso universale: perché a Bologna ci sono le tigelle, a Roma la pizza bianca, in Medio Oriente la pita, in India il naan, in America Latina le tortillas. Mura li ha provati tutti, ma nessuno gli piace come la piadina. E così, dopo i cornetti di Dolce & Salato per la colazione, all'ora di pranzo è andato a prendere la piada per Sasha. Perché gli è venuto in mente di accogliere in casa questa donna e servirla come se il suo misero capanno fosse un albergo? Con il room service, per di più.

Così come è venuto, il temporale passa oltre, esce letteralmente dal porto canale e se ne va a morire al largo, pioggia sul mare, acqua su acqua.

«Aveva ragione, è stato meglio aspettare» dice alla piadinaia.

«Te dai retta alla Marisa, burdèl, che non sbagli» risponde strizzando l'occhiolino.

È un invito? S'immagina che, mentre piove a dirotto, le chiede di entrare a ripararsi nel chiosco, e lì, nel buio, rischiarato soltanto dal bagliore del forno come un pentolone ancestrale, c'è un angolino dove stendersi, una branda, un divano, un materasso gettato per terra, su cui prenderla rapidamente, avidamente, senza proferire parola. L'idea lo eccita.

«Atc salut, Marisa.» Un po' di romagnolo l'ha imparato.

«Addio, bel giuvan. Sai sempre dove trovare una piada calda, quando hai voglia.»

E Mura inforca la bici, ridendo per l'allusione sconcia.

La pioggia ha coperto l'asfalto di pozzanghere: si diverte a procedere a zig zag per evitarle, poi cambia strategia, le attraversa in pieno, sollevando due fontane d'acqua ai lati della bici.

Déjà-vu: Mura bambino, in villeggiatura con la mamma a Borgomarina. Il babbo li raggiunge il venerdì sera o il sabato mattina con la Millecento, più tardi con la Giulia Alfa Romeo. La domenica sera torna in città a lavorare.

Quando rientra a Bologna alla fine dell'estate, il piccolo Mura è nero "come il carbon", per citare una canzonetta dell'epoca. Sole sole sole, nei suoi ricordi il tempo delle vacanze è sempre bello, cielo azzurro, neanche una nube. Fino a Ferragosto. Poi succede qualcosa, si alzano spiffoni, le giornate si accorciano, finché un mattino scoppia uno spaventoso temporale e la mamma ordina: «Niente spiaggia». Un ordine benvenuto, un cambiamento desiderato, dopo settimane e settimane di implacabile solleone.

La pioggia in realtà durava poco. Appena smetteva, Andrea indossava un maglione e i pantaloni lunghi, dei jeans con il risvolto, così sarebbero durati per varie stagioni della sua crescita, i sandali con i calzini invece delle ciabattine giapponesi, inforcava la bici e insieme agli amici si avventurava in viali all'improvviso deserti. E il divertimento scatenato era fare gli spruzzi con le ruote nelle pozzanghere, nonostante le sgridate della mamma, in verità più formali che altro, quando se lo vedeva davanti con i pantaloni sporchi e bagnati.

«Dut vè, patacca?»

È il biondo, come l'ha soprannominato Mura, il bellimbusto che incrocia qualche volta sul lungomare, una specie di stereotipo dello "sborone romagnolo", tipologia che di sborone ovviamente non ha nulla. Capello troppo lungo, bermuda troppo aderente, supremo distacco negli occhi per atteggiarsi al di sopra di tutti, sebbene produca come unico effetto quello di dargli lo sguardo da miope e l'aria da ebete.

Ma stavolta ha ragione. Tornato bambino nel suo amarcord

dei temporali d'infanzia, Mura lo ha inzuppato d'acqua sfrecciando in una pozzanghera davanti all'hotel Bristol.

«Ooops, sorry.» L'inglese gli viene fuori come un riflesso naturale, ma l'altro non deve avere sentito. O capito.

«Imbezel» digrigna fra i denti Marco Tassinari, attraversando la strada.

Per fortuna le piadine non gli sono cadute di mano.

«Fredda non è la stessa cosa che calda» annuncia aprendo il cartoccio di piada sul tavolo della cucina. E gli torna in mente il commento malizioso della piadinaia.

«È buona anche così» risponde Sasha, attaccando a mangiarla famelica. Segno che si è ripresa, se le è già tornato l'appetito.

Mangiano in silenzio, con voracità. Nel capanno solo rumore di mandibole al lavoro. Mura pensava di essere il recordman mondiale del divorare in fretta qualunque cibo: gli altri tre moschettieri sostengono che butta giù senza masticare.

«Non ti portiamo mica via il piatto» dice in quei casi il Prof.

«Ti resta tutto nel gozzo» dice l'Ing.

«La mamma t'ha messo l'adrenalina nel latte» dice il Barone.

Ma Sasha lo batte, spazzando via la piada alla velocità della luce. Poi rimane lì, seduta a tavola, davanti a un bicchiere d'acqua di rubinetto. Forse preferirebbe vodka, pensa Mura. Il colore è lo stesso e in russo vuol dire "piccola acqua, acquetta". In casa non ne ha. La sua ospite deve accontentarsi dell'acqua senza diminutivo.

Finisce anche lui. S'alza, butta i cartocci nel bidone sotto il lavandino. Gira attorno al tavolo. Siede sul bracciolo del divano. Si rialza. L'ospite è Sasha, ma è Mura a sentirsi a disagio, ingabbiato, prigioniero di questa convivenza improvvisa, destinata a durare non si sa quanto, decisa chissà perché.

Il perché, in realtà, Mura lo capisce. Gli è chiaro dal primo momento in cui si è accorto che non era un pesce, l'oggetto portato dalla marea sulla spiaggia.

«*Ti mnia pamozhis?*» Mi vuoi aiutare? È Sasha a rompere il silenzio. In russo, come se la lingua stabilisse fra loro un patto di automatica complicità.

Sì, ti voglio scopare. Ehm, volevo dire: aiutare. «Sì. Certo.» In italiano. «*Canesno.*» In russo, adesso.

«Mi hai già aiutato» continua lei in italiano, come per venirgli incontro. «Mi hai salvato. Ti sono tanto…» Cerca la parola giusta. «… graziata?»

«Grata.»

«Sì, grata.»

Miele. Miele fuso. Irresistibile.

«Chiunque si sarebbe comportato allo stesso modo.» Non precisa: chiunque avesse occhi per vedere che pezzo di gnocca sei, anche mezza affogata sul bagnasciuga.

«No. Non credo. Ci sono tanti uomini che…» E si ferma a metà della frase.

«Ti danno fastidio?»

«Che mi fanno paura.»

Mura si gratta un orecchio. Tutto procede come gli ha predetto l'Ingegnere, che non sbaglia mai i suoi calcoli. Si è preso un guaio in casa con questa bella ragazza, e il guaio minaccia di crescere.

«*Slusciaisch, Sasha.*» Poi preferisce continuare nella propria lingua: «Senti, se vuoi che ti aiuti, devi dirmi cosa è successo.»

«Ricordo così poco…»

«Sforzati. Fidati di me.» Non sa perché dovrebbe fidarsi di lui. Né perché debba lui fidarsi di lei. È il caso che li ha condotti a incontrarsi. Mura l'ha sempre considerato la sua religione preferita. Crediamo di essere noi a decidere, invece siamo spostati di qua e di là da un venticello: benigno o maligno, dipende dai giorni.

«Ricordo che…» Sasha sembra provarci. Mette le dita sulle tempie, come se si sforzasse di recuperare dati andati perduti, ma ancora presenti da qualche parte dentro la sua magnifica testolina. «Avevo bevuto…»

«Questo lo hai già detto» nota Mura.

«C'era un uomo…»

Ci avrei giurato, pensa lui. «Al bar?»

«No.»

«Dove?»

«In mare. Su una barca. Ma io dovevo essere ubriaca. O drogata. Ignoro come ci sono arrivata. Non ricordo chi mi ci ha portato, chi fosse quel tipo.»

«E ti ha buttato in mare.»

«Forse sono caduta, oppure mi sono tuffata, per scappare.»

È più di quello che gli ha detto all'inizio. Un po' alla volta, la verità verrà fuori. In mezzo a un sacco di balle, Mura ci giurerebbe: più le russe sono belle, più sono bugiarde. E in base al suo teorema, Sasha deve essere bugiardissima. «Be', ho capito» commenta, e con un cenno la invita nell'altra stanza. Sasha ignora il letto. Va a mettersi davanti alla portafinestra che dà sul terrazzo. Dopo l'acquazzone, l'aria è diventata soave, tersa, limpidissima. Il profilo della costa pare scolpito sull'acqua del mare.

«Raccontami di te» riprende.

«Hai una sigaretta?»

Lui non fuma. Non fuma più. Ma in un cassetto della cucina conserva un pacchetto di Marlboro. Le ha dimenticate Cate l'ultima volta che hanno dormito insieme. È passato un mesetto. Sono un po' rinsecchite, altro non passa il capanno. Ne accende una con il fuoco del fornello. Aspira profondamente.

Non era mica male, fumare. Peccato danneggi gravemente la salute. Com'era quella frase? Le cose più belle della vita o sono immorali o sono illegali o ingrassano.

Una citazione dotta tornava sempre utile negli articoli. Ma non ricorda più la fonte. Le porge la sigaretta accesa.

Sasha aspira con voluttà. Il fumo entra nella bocca, le scende in gola, scende giù, giù, nelle profondità. E quando sembra che sia sceso talmente in basso da non poter più tornare fuori, ritorna: espirato con un senso di ansia e liberazione al tempo stesso. Poi Sasha comincia a raccontare.

La sua storia comincia quando un uomo, alla stazione di Mosca, la convince a non prendere il treno per Petushki, squallido sobborgo della capitale russa. Quanto tempo è passato? Una ventina d'anni, ma le sembra un secolo. Mosca-Petushki: un accelerato che porta all'estrema periferia della capitale i pendolari sfatti dal lavoro, alcolizzati cronici che non sanno nemmeno dove si trovano, massaie indurite dalla lotta quotidiana per la sopravvivenza nella Russia post-sovietica. E lei. Una ragazza che si allena per diventare olimpionica di nuoto. Crede che sia il biglietto per una vita differente. In piscina ci è cresciuta, dimostrando fin da piccola una dote speciale per fendere l'acqua più veloce delle altre. Così tre volte alla settimana lascia l'appartamento in cui vive con la madre, il padre non l'ha mai conosciuto, in una krusciovka, le palazzine popolari costruite in fretta e alla buona nell'era di Krusciov, quando il Cremlino riconobbe che il comunismo non riusciva a dare nemmeno un tetto sulla testa dei suoi lavoratori.

«Voi fate finta di pagarci e noi facciamo finta di lavorare» commenta Mura, che se le ricorda bene quelle case.

Sasha lo guarda senza capire.

«Non ci badare. Era una vecchia battuta dell'URSS. Tu non eri neanche nata. Continua.»

Da quel giorno in cui non prende il treno, e sale invece sulla Mercedes dell'uomo che le dà un passaggio fino a Petuskì, Sasha cambia sport. Non lo sceglie di propria volontà, glielo impongono i maschi. All'inizio sembra una scorciatoia per una vita differente. Quando capisce di cosa si tratta, è tardi. Diventa l'amante di un mafioset to. Poi quello si stufa e la mette a disposizione della gang. Quindi viene usata come merce da vendere a clienti in cerca di carne giovane. È già sviluppata. La natura le ha regalato un corpo slanciato.

E due tette possenti, aggiunge mentalmente Mura.

Resta incinta, non sa nemmeno di chi. La creatura che sente in grembo è l'unica cosa buona della sua vita. Per quattro mesi nasconde come può il ventre ingrossato. Al quinto mese di gravidanza fugge. Va a nascondersi nella dacia della nonna, in campagna, 100 chilometri da Mosca. Partorisce da sola. Giura a se stessa che morirà di fame piuttosto che tornare al mestiere di prima. Ma un'amica la tradisce – un'informazione per un pugno di rubli. Tutto è in vendita nell'ex Unione Sovietica. La ritrovano. Se la riprendono. Insieme alla figlia.

È a quel punto che la marchiano con il tatuaggio dei *Vori v zakhone*: ladri nella legge. Dieci anni d'inferno. Ma deve obbedire, se vuole proteggere la sua bambina. Il seno gonfiato dal latte materno deve essere reso più sodo: la portano dal chirurgo estetico.

Un capo se la prende per un po': il weekend, una vacanza, un mese. Dopo la rimette nell'ingranaggio della prostituzione.

Il tempo passa. Finché le fanno un'offerta: un lavoro in Italia, come cameriera. E la libertà.

Ci crede. Non può fare altro che crederci.

Prigioniera di ladri della legge italiani. Non fa differenza. Finisce in questo piccolo borgo di mare, senza sapere in cambio di cosa è stata venduta: droga, armi, un favore da restituire. I nuovi padroni sono altrettanto spietati dei vecchi. Chiudono sua figlia in una casa di campagna: Sasha può incontrarla una volta al mese. Un giorno le lasceranno andare, promettono, ma intanto deve fare la puttana. Quando verrà quel giorno? Cosa accadrà nel frattempo alla sua bambina, che è diventata una ragazza crescendo isolata, come un cane alla catena?

«È una storia da romanzo» commenta Mura. Ci avrebbe scritto un articolo con i fiocchi. Ma sarà vera? Non aggiunge che sono sempre così le storie delle russe: tragedie strappalacrime, con la donna di turno nel ruolo della vittima. In cerca di un salvatore, di solito.

«Dove ti tenevano?» chiede.

«In un appartamento vicino al loro, qui in paese, sopra una pizzeria. Sapevano che non sarei scappata, senza mia figlia.»

«Devi tornarci? Ci sarà la tua roba.»

«Non ora. Non è niente di importante.»

È venuto buio nel capanno, ma non hanno acceso la luce. Sono rimasti a parlare davanti alla portafinestra della terrazza: fuori si intravedono le insegne accese dei locali. Mura ha ancora parecchi dubbi da chiarire. A partire da chi ha cercato di affogarla.

«Qualcuno mi ha ubriacato o drogato, te l'ho detto. È tutto come dentro una nebbia.»

La nebbia delle bugie, vorrebbe ribattere. Preferisce non insistere, per il momento. «E tua figlia dov'è?»

«Non lo so. Quando mi portano da lei, mi bendano. È gente pericolosa. Ma forse c'è un modo per ritrovarla.» Si interrompe. Glielo chiede di nuovo, prima in russo: «*Ti kocis mnia pamaghat?*». Poi in italiano: «Vuoi aiutarmi?».

11. L'odore di lei
(Colonna sonora: *Samba Pa Ti*, Carlos Santana)

È una notta di luna piena. La sfera luminosa si riflette sull'acqua del porticciolo turistico. Sul ponte dell'Elisir, la sua barca a vela, Ermete Calzolari la osserva con lo stesso stupore che aveva da bambino. Allora pensava che la luna lo inseguisse: dovunque andava, si spostava con lui, rimanendo sempre visibile, nello stesso posto. «Com'è possibile, babbo, la luna ci viene dietro?»

«Non bisogna porsi queste domande» rispondeva suo padre, che era manovale e non aveva neanche la licenza media. Certe risposte, proseguiva, come parlando a sé più che al figlio, le conoscono solo quelli che hanno studiato, studiato tanto, non le persone normali come loro; e poi ci sono cose che rimangono misteriose per tutti, per sempre. Forse la luna è una di queste.

Ermete è uno che ha studiato, studiato tanto. Non è diventato un manovale come il padre: era il migliore della classe alle elementari, alle medie, alle superiori.

«Sto fiol c'ha una zucca così» diceva il professore di italiano al Monti, il liceo classico di Cesena, dove lo avevano iscritto, costringendolo a prendere la corriera da Borgomarina tutti i giorni alle sei e mezza del mattino. Poi si era laureato in legge a Bologna: anche lì, il migliore del corso.

Un docente lo aveva raccomandato a uno studio notarile e quella era diventata la sua carriera, fino al ritorno in Romagna, prima con un suo studio a Cesena, quindi un secondo a Rimini, infine uno anche nella piccola Borgomarina da dove era partito.

Il bambino inseguito dalla luna è diventato ricco. Ha una grande villa nel paesello natio, a cui è rimasto legato. A casa comanda la moglie, che ha tirato su due figli, adesso anche loro laureati e avviati alla stessa professione del babbo.

Ermete ha tutto quello che poteva desiderare. Ma non è felice.

Prepara un espresso con la macchinetta per il caffè, poi va a berselo a poppa, su un divanetto di pelle sistemato accanto a un tavolino basso. Estrae il cellulare, controlla i messaggi: niente di nuovo. Compone un numero: "L'utente non è raggiungibile o ha il telefonino spento".

Dunque, Sasha è davvero sparita. O è morta. L'unica persona che riusciva a dargli una ragione per vivere, lui se l'è lasciata sfuggire. Doveva intervenire prima. Adesso magari è troppo tardi. Poteva lasciarsi tutto alle spalle e andare via con lei, in qualsiasi posto. Uno fa i suoi conti, calcola questo e quello, e intanto l'esistenza scorre via. Dicono che i romagnoli hanno il senso della famiglia. Ci credeva anche Ermete. Glielo ha trasmesso il padre. E al padre, il nonno. Una moglie, un lavoro, dei figli: che altro deve volere un uomo?

Un giorno, però, si è accorto che non gli bastava. Sua moglie è una brava donna, ma a letto è finita da un pezzo. I figli sono egoisti e magari è giusto così. Il lavoro è diventato una piccola fabbrica, che va avanti da sola, anche senza bisogno di lui. E i soldi? A che servono i soldi che ha accumulato e continua ad accumulare?

A vedere Sasha, a questo servono. Era geloso che la vedessero anche altri uomini, ma non ha avuto il coraggio di farle un'offerta. La gelosia ha prodotto la rabbia, dalla rabbia è venuta una lite, dalla lite sono passati alle minacce. Ed ecco come è finita. Irrimediabilmente finita.

In famiglia, in studio e certo anche in paese, pensano che Ermete sia diventato pazzo: è andato a vivere sulla sua barchetta. Dice che non gli serve altro. Dice che uno di questi giorni prende il mare e sparisce, non lo vedono più.

Scende sottocoperta, fruga in un cassetto, tira fuori una catenella a cui è appesa una chiave e se la appende al collo, quindi indumenti di biancheria intima: reggiseno di pizzo, slip tangà, reggicalze. Li avvicina alle narici, aspira, gli pare di sentire ancora il profumo di lei, l'odore di lei. Li stringe in pugno, si getta sul letto, si caccia gli indumenti in bocca, li succhia con avidità e intanto con la mano si tocca, violentemente, selvaggiamente, in cerca del piacere.

Quando finisce, tira fuori da sotto il cuscino un paio di manette, ne chiude una sul polso, attacca l'altra alla spalliera del letto e con la mano libera stringe la chiave appesa al collo. E il notaio Calzolari si addormenta così, sfatto, bagnato del proprio seme e dalle proprie lacrime, ammanettato al letto, con il desiderio di farsi chiudere di nuovo a chiave dalla sua padroncina.

12. Un pacchetto di cracker

(Colonna sonora: *I Will Survive*, Gloria Gaynor)

Sul tavolo della cucina, le due scatole spalancate della pizza da asporto. In una sono rimaste le croste. Ora che è sola, Sasha divora anche quelle. Ha fame, ma in casa non c'è niente. Proprio niente. Come cazzo vive quest'uomo?

Apre il frigo per la terza volta, nella speranza di trovarci quello che non c'era la seconda e la prima, ma niente: è vuoto. Tranne una bottiglia riempita di acqua di rubinetto, mezzo limone rinsecchito, una bustina di ketchup, una cipolla. Niente di commestibile, comunque. Apre sportelli e cassetti della credenza, sposta piatti, pentole, padelle. *Slava bogo!* Grazie a Dio! Salta fuori un pacchetto di cracker. Dimenticati, probabilmente. Chissà da quanto. Da mesi, conclude dopo averne sgranocchiato uno. Ma va bene lo stesso, almeno è qualcosa da mettere sotto i denti.

Accanto alle scatole della pizza, due bottiglie di birra: ne ingoia a collo le ultime gocce rimaste sul fondo. Be', il suo padrone di casa non deve essere uno che cucina spesso, a giudicare dal menu che le ha proposto finora: brioche per colazione, piadina per pranzo, pizza per cena.

Torna nell'altra stanza, raccoglie la coperta dal letto sfatto, se la mette sulle spalle: ha freddo. Tocca il termosifone sulla parete: appena tiepido. Questa non è una casa, è una grotta.

Fuori il mare si è increspato di piccole onde. No, si corregge, questa casa è una barca. E rabbrividisce, non più per il freddo: per il ricordo del naufragio da poco scampato.

Appoggia la fronte al vetro della portafinestra, fissa la massa in movimento dell'Adriatico e le pare di rivedere la scena. L'uomo che la colpisce con un manrovescio atterrandola sul ponte dello scafo. La pistola puntata. Le strappa i vestiti di dosso. Si rialza, lui la colpisce di nuovo. Striscia, rotola su se stessa, graffiandosi sul pavimento ruvido della barca. Procede a quattro zampe. La risata di lui. Le mani che la toccano in mezzo alle gambe. E mentre l'uomo si inginocchia per leccarla, una pedata, uno scatto, un tuffo nel mare gelido e buio. Nuota sott'acqua per allontanarsi, ogni tanto mette la testa fuori per respirare. La barca è una sagoma scura, cinquanta metri più in là. Sul ponte, l'uomo punta una torcia sul mare. Grida qualcosa. Bum bum: due colpi di pistola. Risuonano come cannonate. Si immerge ancora, nuota, s'allontana. Forse non l'ha vista e ha sparato a casaccio. Rimette la testa fuori, cerca di individuare le luci della riva, la direzione in cui fuggire. Ma non vede nulla.

Adesso è uscita sul terrazzo del capanno. Fissa l'acqua dal parapetto. Aveva pensato di morire così, affogata. In cima al molo, il faro illumina il mare a intermittenza.

È stato quel fascio di luce verde e rossa a salvarla. Ecco la direzione verso cui nuotare. A volte, nell'acqua, ha la sensazione di girare in cerchio, tornando sempre al punto di partenza. Ma non ha alternativa che nuotare, nuotare, nuotare. Quanto può resistere un essere umano? Quando è stanca, fa il morto, lasciandosi cullare dalle onde: prega di non diventare un morto davvero. Fino a che sente la terra sotto i piedi. Il mare l'ha trasportata a riva. Alle prime luci dell'alba, la bassa marea la scopre, come una coperta che si ritira dal letto, lasciando emergere un corpo nudo, segnato dalla stringa rossa dello slip.

La rete a bilancino è sospesa sull'acqua. Potrebbe pescare! Se non c'è niente da mangiare, si procurerà il cibo da sola. Non ci ha mai provato, ma c'è una prima volta per tutto. Slega la rete, la guarda cadere con un tonfo nell'acqua e scomparire di sotto. Ora non resta che aspettare. Quanto? Non ha la pazienza del pescatore. Tira la corda, l'acqua piove dai buchi della rete, intravede un guizzo qui e là. Che sono? Nulla, soltanto un granchio, alghe, acqua che filtra. Lega di nuovo la corda al pontile, torna dentro. Niente, almeno preparerà un caffè.

Del resto, casa sua non è molto diversa. Anche lei non cucina. Anche il suo frigo è semivuoto. In più, solo biscotti e scatolette. Non ha avuto bisogno di altro. Talvolta i clienti l'hanno invitata al ristorante. Sembravano gentili, servili perfino: la chiamavano "padrona". Era solo un gioco delle parti: i soldi li avevano in mano loro. Anche quest'uomo che se l'è presa in casa è gentile. Di soldi non sembra averne. Ma l'aiuterà davvero a ritrovare sua figlia? Cosa vorrà in cambio?

13. La sabbia è preziosa
(Colonna sonora: *Ain't No Mountain High Enough*, Diana Ross)

La spiaggia sembra predisposta per resistere a uno sbarco. Il nemico è il mare, che ogni inverno tenta di mangiarsene un pezzetto, indifferente al fatto che quel litorale è la ricchezza della regione. In autunno, prima di chiudere gli stabilimenti, i bagnini alzano una barriera di sabbia lungo l'arenile. Dietro la barriera, ci sono i "bagni", come li chiamano qui: sprangati, tappati, in modo da resistere alle intemperie, al vento, alla pioggia, alla neve.

Sembrano bunker, pensa Mura scendendo in bici lungo il viale di ghiaia che li costeggia. Tra pochi giorni, riapriranno per i lavori di riparazione e pittura, per aggiungere dettagli rispetto alla stagione precedente, un campo da beach volley, una vasca da idromassaggio, un dondolo, una passerella, con un'operosità che trasforma l'intera costa in un cantiere. Dovunque si vernicia, si pialla, si abbellisce. Ma adesso è silenzio. I proprietari sono lontani, nelle loro case. Tornano di quando in quando a dare un'occhiata ai danni del maltempo o a controllare che nessuno abbia provato a entrare per rubacchiare. Non c'è molto da portare via: sedie a sdraio, lettini, la roba del bar, al massimo un televisore, gli attrezzi per il mare, tutto stipato dove c'è posto, nelle cabine che in estate vengono affittate ai bagnanti per tenerci il canotto, il materassino, il secchiello.

Numero 17, ripete Mura mentalmente, toccando il coltello da cucina che si è infilato nella tasca del giubbotto. Basterà per manomettere la serratura di una cabina? Spera di sì. È lì che lo ha mandato Sasha per recuperare il telefonino. Cabina numero 17, Bagno Adriatico. Un numero che porta sfortuna, secondo alcuni. Ma lui il 17 ci è nato. Spera sia il suo numero fortunato.

La russa ha detto di non avere la chiave. Quando ha bisogno di usarla, si rivolge al proprietario. A Carlo Zaghini. Uno dei suoi clienti. Dunque, non resta che scardinare la porta.

BAGNO ADRIATICO è scritto in grande sull'insegna sul tetto dello stabilimento; e più in piccolo, subito sotto, DI ZAGHINI CARLO. Uno dei trentaquattro stabilimenti di Borgomarina. Uno dei 468 della Riviera, da Marina di Ravenna a Gabicce, contando anche quest'ultima località che appartiene alle Marche, ma geograficamente, storicamente, culturalmente, è anch'essa romagnola.

Il primo lido aprì a Rimini nel 1843, in quella che allora era una striscia di dune, sterpi e stagni in cui prosperava la malaria, trasmessa da zanzare grosse così. "Stabilimento Bagni" si chiamava, dichiarando il suo scopo: bagni di mare con finalità terapeutiche. Era una palazzina in legno con appena sei cabine, costruita in un'area abbandonata piena di acquitrini. La Cassa di Risparmio di Faenza ci aveva messo cinquecento scudi di prestito per livellare l'arenile, erigere lo stabilimento e costruire una piccola strada per le carrozze. Dopo venticinque anni, un'esondazione del Marecchia tirò giù tutto, nel 1868 – poco dopo la sospirata unità d'Italia – il Comune comprò la terra, demolì quel poco che era rimasto in piedi e ricostruì l'edificio chiamandolo "Stabilimento Kursaal", nome mitteleuropeo che significava "sala di cura" e faceva tanto chic, a base di bagni marini e sabbiature, nella speranza di attirare clienti danarosi dall'impero austro-ungarico.

Fu inaugurato il primo luglio 1873, con un pontile, una piattaforma che portava in mezzo al mare, chioschi e camerieri in giacca bianca. Qualcuno era stato a Venezia e assicurava che al Lido funzionava così. "Lezioni di nuoto, pranzi, giro in barca" annunciava una scritta. Era l'inizio del turismo che avrebbe trasformato la Romagna da terra di contadini e pescatori in terra di bagnini.

Quello stesso anno si inaugurò uno stabilimento anche a Borgomarina. "Assistenza sanitaria, servizi per bagni, nuoto e arenazioni, ristorante, caffè, servizio di omnibus e gondole, vetture con cavalli quotidiane da Cesena, Forlì, Forlimpopoli, con comodità di accesso alle stazioni ferroviarie di Cesena, Gambettola e Savignano" reclamizzava una pubblicità dell'epoca.

Nel 1911 aprì a Rimini il Grand Hotel e uno stabilimento a Cervia. Nel 1926 fu formata l'Azienda Autonoma di Soggiorno per potenziare il turismo. Il fascismo incoraggiava l'apertura delle colonie per bambini affetti da malattie, Mussolini dava l'esempio bagnandosi nel mare della sua prediletta Riccione. E le ruspe spianavano la grande pineta che da Ravenna si spingeva fino a Borgomarina lambendo la spiaggia, popolata di daini e cavallini selvatici, oltre che delle onnipresenti zanzare, le stesse che avevano punto Anita Garibaldi, morta in un casotto di caccia più a nord, nella pineta di Ravenna, assediata insieme all'eroe dei due mondi dagli eserciti di un paio di stati dopo una fuga rocambolesca dalle casupole sul porto canale di Borgomarina dove si erano rifugiati in un primo tempo.

Dopo la Seconda guerra mondiale era venuto il boom. Già nel 1947 si registrava lo stesso numero di presenze di prima del conflitto. I Cinquanta sono anni di cresciuta, i Sessanta di prodigiosa espansione: tremila alberghi, duecentodieci colonie, ottomila ville, undici campeggi, millecinquecento cabine, migliaia e migliaia di ombrelloni, milioni di turisti. In agosto, la popolazione di Rimini cresceva fino a diventare più grande di quella di Bologna, il capoluogo di quella strana regione con il trattino, Emilia-Romagna: una terra divisa in due, attraversata dalla via Emilia come un piano inclinato su cui tutto e tutti scivolano, inevitabilmente, verso il mare.

«Vagg al bar» dice Zaghini Carlo, come lo battezza il cartello dello stabilimento, o Carlone, come lo chiamano in paese, mentre la moglie sparecchia.

Abitano in quella che una volta era la periferia di Borgomarina, una terra di nessuno oltre lo stadio e prima di Valverde, dove esiste ancora qualche spazio vuoto in cui ogni estate un circo viene a piantare il suo tendone per uno spettacolo ormai vintage ma che in Riviera funziona ancora: anche se di "bestie feroci" da esibire ce ne sono sempre meno per le leggi a protezione degli animali e il tutto si riduce a cavalli, cammelli, caprette, una vacca americana dalle larghe corna, uno struzzo, due pecore e una giraffa.

Il resto è ora territorio di tristi palazzine, condomini di appartamentini uno identico all'altro per il popolo dei vacanzieri con pochi soldi, quelli che non possono permettersi di comprare o affittare più vicino al centro della stazione balneare.

La casa di Zaghini era in origine un casolare di campagna. Ci viveva suo nonno, quando faceva il contadino. Ci ha vissuto suo babbo, quando ha aperto il Bagno Adriatico. Ci vive lui, adesso che ha ereditato casa e Bagno, restaurando entrambi perché al giorno d'oggi non si può più vivere come una volta e neppure andare in spiaggia come una volta. Ai tempi del babbo, il Bagno era a gestione familiare, più qualche ragazzotto che puliva la spiaggia, apriva gli ombrelloni al mattino, li richiudeva la sera. Sua mamma preparava la piada e, la domenica, le tagliatelle. Lui stesso fin da bambino dava una mano. Tutti lavoravano in nero, in Riviera nessuna pagava regolarmente le tasse, non circolava uno scontrino, e il risultato era piena occupazione e soldi che scorrevano a fiumi. Abbastanza per costruire una seconda casetta sul terreno non più coltivato attorno al casolare, in cui ora si sono sistemati i genitori; per modernizzare la grande casa di campagna dove si è trasferito lui con la moglie e i due figli; e per aggiungere al Bagno Adriatico quelle che sono diventate una necessità: il campo da pallavolo e quello da racchettoni, il servizio ristorante, il playground per i bambini, le lezioni di aerobica e l'intrattenimento musicale per l'apericena, i quiz, i giochi di società, la vasca Jacuzzi. Ogni estate bisogna aggiungerne una: a quanto pare i turisti non vogliono più saperne di venire in Romagna per riposarsi, hanno bisogno di sentirsi al Club Méditerraneé o come cavolo si chiama. Per tornare a casa dalle vacanze e raccontare agli amici: «Sentite cosa ci hanno fatto fare in spiaggia quest'anno».

Da un pezzo bisogna assumere il personale con regolare contratto, versare i contributi ai dipendenti, emettere scontrini per ogni acquisto, pagare le tasse fino all'ultimo e una quantità di altri balzelli che non ci si immagina. Per quanto in estate si guadagni, i soldi non sono mai abbastanza. Perciò si allunga la stagione, la si tira da Pasqua a ottobre contando sui pallidi turisti del Nord Europa e dell'Est per i quali diciannove gradi sono già sufficienti per stendersi al sole e se il sole non c'è va bene lo stesso, almeno ci sono il mare, la sabbia e ci sono loro, i bagnini.

Neanche questo basta, però: le spese superano sempre le entrate, se va bene le pareggiano. È come pagarsi uno stipendio, neanche tanto più alto di quello che Zaghini passa ai dipendenti: e allora che senso ha? Nei giorni feriali, la spiaggia è spesso semivuota. Solo nel fine settimana si fanno buoni incassi; basta che piova due o tre weekend estivi e addio, l'anno rischia di andare in passivo, bisogna scongiurare che il tempo dia una mano.

«Chi me lo fa fare?» ripete a ogni fine stagione alla moglie. Conosce la risposta: il mestiere nel sangue. Stare lì in spiaggia come un impresario teatrale che dirige la sua compagnia di attori, come il domatore del circo che tiene a bada i leoni nell'arena, è la cosa che gli piace di più nella vita. Gli piace sentire la sabbia sotto i piedi, anche quando scotta, è come un contatto con il centro della terra. Gli piace entrare nell'acqua al mattino presto, quando il mare è deserto, la marea ancora bassa, e passano solo uomini e donne a raccogliere vongole e lumachine sugli isolotti di sabbia formati dal ritiro dell'acqua. Gli piace ancora di più mettere in acqua la sua barchetta, una scialuppa a remi, niente di più, e remare, sentire i muscoli delle braccia che si gonfiano, il dolore della fatica, lo scafo che corre veloce sul pelo dell'acqua.

Il Bagno Adriatico in riva all'Adriatico: «C'hai mica fantasia, tè, Zaghini!» lo pigliano per il culo gli amici. Eppure, lui è orgoglioso del nome che ha scelto per lo stabilimento.

Zaghini ci vuole bene all'Adriatico. È stato solo due volte a vedere il Tirreno: preferisce il mare della Romagna. Se ti alzi il mattino presto, non è meno limpido dell'altro, solo che qui il fondale è basso e sabbioso, e non può avere i colori che ci sono di là. Certo, se entrate in acqua in agosto, quando due milioni di persone ci pisciano dentro tra Ravenna e Gabicce, il colore è quello di un vaso da notte!

Ma se tutti vengono qui lo stesso, una ragione ci sarà. Anzi, più d'una: il calore, la simpatia, la gentilezza.

«Mo com'è bella, signora!» dice Zaghini alle ospiti di settant'anni e passa che vengono in vacanza la prima settimana di giugno per risparmiare.

Le nonnine sono pensionate, non ingenue, tantomeno sceme. Capiscono che è un complimento ipocrita, al massimo scherzoso: ma hanno lo stesso piacere.

Sono queste le soddisfazioni di Carlo, e pazienza se i soldi scarseggiano. Queste: la sua famiglia, perché quella viene prima di tutto e va salvaguardata, il suo Bagno e… e basta?

Non proprio, lo spazio per qualche vizietto deve pure esserci. Le carte, il maraffone: una via di mezzo romagnola tra scopa e briscola. D'estate, al Bagno, è troppo occupato per giocarci, e lascia le carte ai vacanzieri, ma d'inverno nessuno gli impedisce di passare le giornate al bar nei tornei di maraffa con gli amici.

«Attento a non giocarti la casa e lo stabilimento» lo avverte sempre la Ida, sua moglie, consapevole che ogni estate qualche bagnino e albergatore scompare dalla mappa di Borgomarina, perché ha perso tutto.

Zaghini, però, scommette il giusto: la birra che si bevono giocando a carte. Al massimo, nei tornei, la posta è venti euro a testa: non ci si rovina.

E poi ci sono le donne, naturalmente, insieme ai motori l'altro grande amore dei romagnoli. Niente amanti, che ti rovinano la reputazione e la famiglia. Meglio andare a mignotte, una botta e via, non ci si vede più. Una botta e via, finché non ha incontrato quella streghetta russa: lei sì che vuole rivederla. L'ha trovata al night sulla statale, la prima volta. Adesso se la porta negli alberghi a ore della statale Adriatica, la strada che corre da Ravenna a Pesaro e continua verso il Sud.

Fuori stagione si chiudono nello stabilimento: sopra il bar c'è una stanzetta, d'estate da ragazzo ci dormiva lui per stare di guardia e così poteva invitare la morosa, la ragazza che poi ha sposato. Ora ci va con quel diavolo d'una russa: con lei prova cose che non aveva mai provato, neppure immaginato, gli sembra di essere tornato bambino, la riscoperta del sesso. Anzi, la scoperta.

Se saltasse fuori tutto, Ida non lo perdonerebbe. E gli amici, che risate si farebbero alle sue spalle! Cosa sei diventato, Zaghini? Un… come si dice? Machista? Masochista? Scommettiamo che ti piace anche prenderlo nel culo?

Non può stare senza di lei, ma non può stare con lei.

«Me vagg al bar» ha comunicato uscendo alla moglie.

Ma quando monta in macchina, nell'ex terra di nessuno ai confini di Borgomarina, non si dirige verso il porto canale e la luce calda del bar biliardo in piazza Garibaldi. Va verso la spiaggia. Basta, ha deciso. Le prove del suo vizio devono scomparire per sempre. A lui sottochiave non lo mette nessuno.

Mura posa la bici dietro lo stabilimento sotto il grattacielo. Non c'è bisogno di mettere l'antifurto, è così vecchia che non gliela ruberebbe nessuno, il freno di dietro è rotto, quello davanti soltanto lui riesce a farlo funzionare, la prima volta che lo tiri fa cilecca, la seconda devi andarci piano sennò impenni sulla ruota anteriore e cadi per terra, la terza è abbastanza dolce da rallentare, con una sorta di atroce ululato.

In giro non c'è un'anima, ma sono le dieci di una sera di primavera: il grattacielo si popola soltanto d'estate, i suoi trentadue piani sono deserti il resto dell'anno.

Una volta, quando era ragazzo, aveva sentito dire che d'inverno il portinaio affittava gli appartamenti come camere a ore alle coppie clandestine.

Adesso le tapparelle sono tutte giù. Un tenue chiarore si alza più in là, dal porto canale, il centro della cittadina, dove la vita continua anche al di fuori della stagione turistica: di giorno, per la spesa in pescheria, dal fornaio, dal lattaio, nelle botteghe che resistono all'ipermercato Coop sulla statale e ai supermercati all'inizio del paese; e di sera con il bar biliardo, il ristorante la Buca, la trattoria San Marco.

Lungo la spiaggia, l'oscurità è totale: il Comune risparmia, tenendo i lampioni accesi solo nei mesi estivi. La ghiaia sotto le scarpe segnala la presenza di Mura, che all'altezza del grattacielo gira davanti ai bagni e prosegue sulla sabbia. Visti da vicino, sembrano ancora di più dei bunker: reti metalliche chiudono i passaggi fra le cabine e il bar. Le pedane di cemento sono state dissepolte, alzate e accostate l'una all'altra per riparare dagli elementi o impedire l'accesso.

Mura procede camminando vicino alla collina di sabbia eretta a metà della spiaggia per difendere dalle burrasche del mare: qualche volta la marea è salita fino a entrare in paese, l'acqua è uscita dal canale, le onde hanno ricoperto il lungomare. Ma in genere questo ostacolo è sufficiente a ridurre i danni delle intemperie.

La sabbia è preziosa come l'oro in Romagna. È il litorale più lungo, largo, soffice d'Italia, e grazie alla solerte cura dei romagnoli anche il più pulito: ogni mattina i bagnini passano con il rastrello, portando via cartacce, cocci, mozziconi. La spiaggia deve essere candida come borotalco. Da ragazzi, con il buio loro ci venivano a baciarsi, e qualche volta qualcosa di più di baci e languide carezze. Adesso non è più possibile perché la sera i bagnini sparano riflettori di luce sugli ombrelloni. Non è moralismo. È anche questo impegno per la sicurezza, l'igiene, la protezione di un bene prezioso.

Magnani, Romeo, Florida, Milano, Ancora, Rio, Marconi, Alba, Belvedere, Bologna, Britannia, Corallo, Denis, Gabbiano, Ines, Internazionale, Marè, Pineta, Pippo, Renata, Riviera, Romagna, Tahiti, Ulisse, Wanda, Zara: dal porto canale in giù, Mura potrebbe recitarli tutti come una filastrocca, e a ognuno è legato un ricordo.

Qui veniva in spiaggia Roberta, indimenticabile milanese bionda occhi azzurri, che diede prima un bacio a lui, poi a Gianca, il suo amico d'infanzia e in quella occasione suo rivale: si innamorarono entrambi, l'estate seguente lei non venne più, che fine avrà fatto? Lì si sfidavano a pallone, imparando a calibrare i rimbalzi della sfera sulle imperfezioni della sabbia e stando attenti a non farsela bucare se finiva addosso a un iroso capo famiglia sotto un ombrellone. Là davanti si riunivano per la pista delle gare di palline; laggiù si ritrovavano per guardare i fuochi artificiali la notte di Ferragosto. C'è la spiaggia dove accendevano i falò, allora si poteva, e quella per il bagno di mezzanotte, un rito dell'estate.

I ricordi lo portano fino al Bagno Adriatico. Lo stabilimento è costituito da un ampio tronco centrale di forma quadrangolare a due piani, in cui sono situati il bar, la sala giochi, il ristorantino, e da due rettangoli paralleli, uno a destra, l'altro a sinistra del corpo principale, che contengono le cabine, i ripostigli di servizio, le toilette. Anche qui, come in altri bagni, il passaggio è chiuso da reti metalliche, per tenere fuori gli intrusi. Scavando con le mani sotto la rete, Mura riesce a ricavare uno spazio in cui strisciare, passarci sotto e superare l'ostacolo. Si è sporcato di sabbia, non ha importanza.

Tutto tace. La cabina numero 17, secondo quanto gli ha detto Sasha, è nel rettangolo di destra, oltre uno slargo per le docce all'aperto.

Gli scappa quasi da ridere. Non è uno scassinatore. E nemmeno un ladro. È un giornalista in pensione di sessant'anni. Suonati. A quest'ora dovrebbe essere a casa a guardare una partita in tivù. Va bene, nel capanno non c'è la tivù, ma di certo non dovrebbe essere al Bagno Adriatico. Cosa l'ha portato fino a lì, non è chiaro. Anzi, è abbastanza chiaro: l'incapacità di dire di no, tirarsi indietro, fare brutta figura. Davanti a una donna, per di più. E che pezzo di donna.

Si è cacciato nei pasticci altre volte, in vita sua, dai, questo non sarà tanto peggio. Illumina la strada con la luce del telefonino. Cabina 17. È la cassaforte di Sasha, il posto segreto dove uno dei suoi clienti le permette di tenere poche cose, almeno in inverno, quando lo stabilimento è chiuso.

Basta aprirla e trovare quello che la russa gli ha chiesto di portarle. Non dovrebbe essere poi così difficile. È una cabina, mica Fort Knox.

Mura prova la maniglia, vedi mai che l'avessero dimenticata aperta. Chiusa, naturalmente, con la chiave rimasta in mano al cliente di Sasha: il pegno per essere sicuro di rivederla.

Prova a scuotere la porta. Non si sposta di un millimetro. Solide però, queste cabine romagnole! Estrae un piccolo caccia-vite e armeggia con la serratura. Non funziona. È più complicato di quanto prevedeva.

Studia la situazione. Non può arrendersi. Tornare a mani vuote sarebbe anche peggio di avere rinunciato in partenza: un'ammissione di fallimento. Che uomo è se non riesce nem-meno a scassinare la cabina di uno stabilimento balneare! Fuori stagione, per di più.

Gli viene in mente che da bambino, con i suoi amichetti, andava a spiare dalla serratura la cabina in cui si spogliava una bambina: la più carina della spiaggia. Dalla serratura... e da una finestrella sul retro.

Gira attorno al rettangolo delle cabine, oltre lo slargo delle docce, e torna indietro, contandole per non perdere l'orien-tamento. L'ultima è la 32, deve arrivare alla 17. Sarà questa? Spera di non essersi confuso. Il problema è che non c'è nessuna finestrella sul retro. E se ce ne fosse una sul tetto?

Va a prendere uno dei tavoli ammucchiati vicino all'ingresso, coperti da tela cerata. Combina un gran baccano a spostarli, ma lì intorno, a quell'ora, non c'è nessuno. Porta il tavolo davanti alla porta numero 17, ci si arrampica sopra, quindi si aggrappa al tetto e si issa in cima. Niente finestre neanche sul tetto. Bisogna buttarla giù a forza, quella maledetta porta.

Salta giù, punta il cacciavite nello stipite e spinge, spinge, spinge... cazzo, per un pelo non si ferisce, il cacciavite salta via e gli sfiora un dito. Ci riprova, tirando delle specie di coltellate alla serratura. *Tund, tund, tund*, accidenti che fracasso, i colpi rimbombano nella notte. E finalmente la porticina comincia a cedere. Uno strattone. Un altro ancora. Click, uno scatto, e si apre uno spiraglio. La spalanca. È tutto sudato. Illumina l'interno con il cellulare.

Cosa gli aveva detto Sasha? Una sacca blu, appesa all'attaccapanni. C'è altra roba lì dentro: una scatola da scarpe, un astuccio. Degli strani aggeggi di metallo, come delle gabbiette con un lucchetto per ciascuna. E... una frusta di pelle nera... Mmmmmm, sarà di Sasha anche questa?

«Me t'amaz!» Il grido esplode come un colpo, accompagnato da un cono di luce puntato alle spalle di Mura.

Carlone Zaghini lo dirige dal portone del bar: poco prima era sprangato, ora c'è lui. Era solo un presentimento che lo ha spinto a venire a prendersi le cose di Sasha, stasera, ed ecco che qualcuno sta cercando di portargliele via. Impugnando la vanga con cui scavano i buchi per piantarci gli ombrelloni, corre dritto verso l'ombra sulla porta della cabina 17.

«Me t'amaz» ripete piombando addosso alla preda come un toro infuriato.

Ma Mura ha qualche secondo di vantaggio. Il tempo di prendere la sacca blu, uscire dalla cabina e schivare d'un soffio la vanga lanciata all'altezza della sua testa, che picchia contro il muro e ricade sul cemento con rumore assordante.

Tirandosi da parte, Andrea scivola e finisce sull'impiantito attutendo l'impatto con le mani, ma così facendo gli sfugge la sacca. Per effetto della rincorsa anche Zaghini va a sbattere sul punto dove un attimo prima c'era il suo bersaglio, perde l'equilibrio e si ritrova con la faccia tra i piedi di Mura. Glieli afferra con un grugnito, mentre quello cerca di tirarsi su, salvo cascare di nuovo nella sabbia.

Mura cerca la sacca a tentoni nel buio, l'altro gli salta addosso. Rotolano avvinghiati a terra, una, due, tre volte, finché Zaghini sbatte con la testa contro un tubo dell'acqua, mollando la presa per il dolore. Mura è in piedi d'un balzo, torna verso la cabina, incespica in qualcosa: è la sacca! La raccoglie mentre Zaghini gli arriva addosso da dietro e lo spinge contro il muro.

«Chi sei? Che vuoi?» grida Carlone come un ossesso, ma sono due ombre che si muovono nell'oscurità. Zaghini cerca di mettergli un braccio attorno al collo. Se ci riesce, pensa Mura, è finita. Carlone è più basso, ma tozzo, con due braccia come clave.

«T'amaz» ringhia di nuovo il bagnino, inferocito, facendolo cadere carponi sulla sabbia. Mura ne approfitta per tirargliene una manciata in faccia e per un momento lo acceca. Ora o mai più: in due salti si allontana, sguscia sotto la rete e corre verso il mare. «T'amaz» gli urla dietro Zaghini, rincorrendolo. È quattro, cinque passi indietro. Mura si arrampica agile sulla barriera di sabbia eretta per proteggere la spiaggia dal mare, l'altro è più pesante e scivola. La distanza diventa dieci passi.

Mura corre verso nord, verso il grattacielo, verso il porto canale e allunga l'andatura: è l'allenamento che non ha fatto al mattino.

«T'amaz» sente ancora, ma più flebile, in lontananza.

Quando ha passato il grattacielo non sente più niente, si gira senza smettere di correre, non vede nessuno, continua a scappare trafelato, sporco di sabbia, sudato, stringendo la sacca in pugno, pensando: ce l'ho fatta. La bici tornerà a prenderla un'altra volta. Quella non gliela porta via nessuno.

14. Una luce al neon
(Colonna sonora: *Slow Hand*, The Pointer Sisters)

Parcheggia il Mercedes fra gli alberi dietro la stazione di benzina, attraversa il piazzale e si avvicina a piedi all'ingresso dell'edificio basso, senza finestre, avvolto nell'oscurità. Solo dei caratteri al neon intermittente ne segnalano la presenza. Compongono la scritta LA GATTA che appare e scompare, cambiando colore ogni volta: rosso, verde, blu, giallo. Ogni tanto, per un contatto elettrico, il giallo si ripete due volte in rapida successione. Fra Borgomarina e Lido di Savio, è il più vecchio nightclub della zona: anche se più a sud, fra Rimini e Riccione, ce ne sono di migliori.

«Ehilà, campione» lo saluta il buttafuori all'ingresso.

Marco risponde con un cenno del capo, schioccando la lingua.

Lo conoscono: è stato a lungo uno dei clienti fissi.

Dentro è così buio che si fatica a vedere: non per risparmiare sulla bolletta della luce, per quanto anche a quello avranno pensato, ma per incoraggiare i clienti a pomiciare. Una dozzina di entraîneuse in top scollato, minigonna e tacchi stratosferici sculettano su e giù adescando uomini dalla mezza alla terza età. Una spogliarellista si dimena nuda sul palchetto, al ritmo di languidi successi pop anni Ottanta, illuminata da faretti stroboscopici.

Ogni tanto un avventore si alza e va a infilarle una banconota nella giarrettiera, guadagnandosi un sorriso, una carezza, una strusciatina del petto o dei calzoni, a seconda del taglio della carta moneta. Qualche ballerina è già seduta nell'ombra con la vittima di turno, davanti a bicchieri colmi di ghiaccio e alcolici colorati. In un angolo, un tizio più anziano degli altri ha sul tavolino una bottiglia di spumante dentro un secchiello di ghiaccio e due donne al fianco, una per braccio.

Da Ravenna a Gabicce mare, la Riviera Romagnola è un lupanare risaputo e tollerato in barba alla legge. Succede anche in altre parti d'Italia, naturalmente, ma qui la mercificazione del sesso è meglio organizzata e più visibile.

Nella semioscurità dei night, le presunte ballerine toccano e si lasciano toccare, mettono la lingua in bocca, masturbano, in cambio di consumazioni a ritmo continuo e mancette. Per l'equivalente dei drink consumati in un'ora, cassieri acquiescenti permettono alle ragazze di uscire insieme ai pesci che hanno abboccato all'amo, poi si chiudono negli alberghi a ore più vicini o, alla meno peggio, in macchina, per professionali sveltine. Qualche cliente è abitudinario e torna sempre dalla stessa. Qualcuno s'innamora e preferisce aspettare che smontino alle cinque del mattino, per accompagnare la sua bella a casa, di solito un appartamentino condiviso con altre puttane, per un sesso con più calma e maggiore spesa.

Con le loro luci al neon, i night sono come fari nel mare della carne: un oceano di prostituzione stradale, disposto lungo cento e passa chilometri di Adriatica, per chi preferisce andare subito al sodo, senza l'illusione del drink sorseggiato sul divanetto del locale, senza sprecare denaro in convenevoli. Una marea di mignotte nigeriane, marocchine, albanesi, moldave, ucraine, russe, brasiliane. Le italiane preferiscono evitare la strada, ricevono in appartamento, mettendo il cellulare e un messaggio ammiccante online o nella pagina della piccola pubblicità del "Resto del Carlino", il quotidiano regionale.

Le cinesi e orientali in genere gestiscono le SPA, altro eufemismo per indicare dei bordelli. Ci sono anche i trans, ovviamente, più vistosi, scollacciati e provocanti delle donne, nel buio pesto fra Lido di Savio e i lidi ravennati. Ci sono le lucciole del turno di giorno, per garantire i bisogni alla luce del sole: come le farmacie, qualcuna deve essere sempre aperta. E dietro a tutto questo business c'è l'ombra della criminalità organizzata che lo sfrutta usando le mignotte come schiave del sesso.

Tassinari li ha visitati tutti: postriboli camuffati da night, passeggiatrici di strada d'ambo i sessi e di ogni nazionalità, massaggiatrici ammiccanti in attesa di capire se il cliente vuole passare dallo shiatsu al pompino. Quando giocava in serie C, aveva le ragazze di Borgomarina ai suoi piedi. Si sentiva un playboy, arrivando alla gelateria Nuovo Fiore con la decapottabile prestatagli da un amico, e rimorchiava in cinque minuti.

Ha continuato a portarsi a letto soubrette e aspiranti tali, mentre faceva il pierre a tempo perso e accompagnava presunti VIP in discoteche, ristoranti, alberghi della zona.

Ma i soldi non bastano mai, specie se uno non ha un vero lavoro, e così ha sperimentato anche lui la vita di chi si vende per sesso.

«Mi sono fatto una tardona» diceva compiaciuto agli amici del bar Garibaldi.

Marco aveva ventotto anni, la tardona in questione trenta di più e dopo l'amore gli infilava puntualmente un regalino in tasca. Ci ha messo un po' a capire che, oltre ad aiutarlo a guadagnare senza troppo sforzo, la vita da marciapiede gli piaceva. Lo eccitava. Si sentiva un figo con quelle cinquanta-sessantenni ingioiellate che sbavavano per lui: era meglio che conquistare ragazzine. E con le tardone poteva sbizzarrirsi, lasciarsi andare, costringerle a giochetti erotici per farselo venire duro.

Poi si è sposato con quella racchia della figlia dell'albergatore e da quel giorno niente più problemi di soldi. Andarci gratis, con le tardone, non era più la stessa cosa. Ci ha provato, ma non gli si rizza più. Così ha iniziato a pagare lui, in cerca di nuove emozioni. I centri massaggi, con due cinesine per volta. Le nigeriane, con quei sederi che parlano. I trans, con quelle curve eccessive, artificiali, pazzesche. Infine, si è imbattuto in Sasha e ha scoperto ciò che non aveva mai provato. All'inizio non ci credeva. «No, guarda, non sono il tipo» diceva. Invece, poi, era diventata la sua droga. L'unica, dannazione, che glielo faceva funzionare, Viagra o non Viagra. Di perversione in perversione era arrivato all'ultima fermata.

«Marco…»

La voce lo fa sobbalzare. Si gira, è una bruna dagli occhi verdi, non la sua bionda dagli occhi azzurri.

«Ue'» dice a mo' di saluto, senza riuscire a nascondere la delusione. È che con l'accento slavo sembrano tutte uguali. Ma non sono uguali.

La bruna lo abbraccia e gli poggia due tette siliconate sul petto. «Beviamo un bicchiere?»

«Hai visto Sasha?» chiede lui per tutta risposta.

Lei mette il broncio come se fosse offesa. Non si sposta, però. Anzi, gli si attacca ancora di più addosso, strusciandogli una coscia in mezzo alle gambe. «Non ti piaccio più.»

«Mi piaci, mi piaci. Ma l'hai vista? Ho bisogno di una cosa.»

«Quale? Questa?» Gli prende la mano e se la ficca tra le gambe.

Marco la allontana bruscamente. «Hai rotto il cazzo» sibila e procede nell'oscurità del night.

La bruna ha perso l'equilibrio cadendo dall'altezza vertiginosa dei tacchi, ma per sua fortuna atterra su un divanetto, addosso a un cliente impegnato con una sua collega. Il quale non se la piglia per niente. «Ciao bella» dice strizzandole le poppe.

La collega invece si secca. «Fila» ordina alla bruna, che peraltro è già sfuggita all'abbraccio del tizio e si è rimessa in piedi. «Questo è mio.»

Tassinari incrocia un altro paio di falene, ma non le conosce. O non le riconosce. Loro lo salutano felici: «Ciao amore». Non significa niente. Dicono così a tutti, anche al primo venuto.

Le donne che lavorano a La Gatta cambiano in continuazione. Non è un impiego a lungo termine. A qualcuna scade il permesso di soggiorno. Qualcuna pensa di guadagnare meglio in un altro locale o lavorando in appartamento. Qualcuna si perde fra droga e alcol finendo in strada. Qualcuna pesca il tipo giusto e si sistema come fidanzata o amante, almeno per un po'. E qualcuna ci lavora part-time, quando ha tempo, voglia, bisogno, mettendosi d'accordo con la cassiera-maîtresse. Era così anche per Sasha. Non sapevi mai quando trovarla.

Marco conclude il giro esplorativo mentre termina una canzone e cambia la ballerina sul palcoscenico. È ancora presto, il locale è mezzo vuoto, lo spogliarello è soft: quello hard, con la showgirl che si dimena nuda sui clienti o ne porta uno sul palco spogliandolo e mettendogli le mani dappertutto, comincia dopo l'una di notte. Sui divanetti, nelle alcove nascoste, Sasha non c'è.

Tassinari entra nella toilette delle donne per vedere se è lì, provocando le proteste di due nere che stanno pisciando con le porte dei separé spalancate. Non che siano timide. Tutta scena anche quella.

Punta dritto sulla matrona alla cassa: tenutaria, dovrebbe chiamarsi, non cassiera, ma non importa, perché pur sempre di maneggiare soldi si tratta.

«Sei tornato a trovarci, bel giovanotto?»

È italiana, lei. Del sud. L'unica italiana del locale. Truccata pesantemente, ha passato la sessantina e somiglia a quella strega di un film di Fellini. Tassinari ha visto solo un poster della *Città delle donne*. Non va mai al cinema.

«Senti, bellezza» dice sfoderando il tono che usava quando faceva il gigolò con le tardone. Ma a scopare questa non ci riuscirebbe. Nemmeno con due pillole di Viagra.

«Dimmi, tesoro.»

«Hai visto la russa, negli ultimi giorni?»

«La russa? Ma ne abbiamo due anche stasera.»

Finta tonta. Marco sbuffa: è poco intelligente, ma non cretino. Quella sa benissimo di che russa sta parlando.

«Sasha.»

«Ah, Sasha.»

«Sì, Sasha.»

«Non si fa vedere da… una settimana o giù di lì.»

«Non importa.» Tassinari ha già l'informazione che gli serviva.

«Ma vedrai che torna» insiste la matrona. «Devo riferirle qualcosa da parte tua?»

«Che la cerco. E che prima o poi la troverò.»

15. Una specie di rombo

(Colonna sonora: *My Baby Just Cares for Me*,
Nina Simone)

«L'hai trovata?»

Gliela getta sul letto in cui è stravaccata. Vicino al letto, una tazzina di caffè. Forse per restare sveglia ad aspettarlo? Se il contenuto della sacca era davvero importante, non avrebbe dovuto avere bisogno della caffeina per restare sveglia.

«Stai bene?» chiede la russa dopo aver allargato il filo che tiene chiusa la borsa. Ci ha dato un'occhiata dentro e solo allora, alzando gli occhi di nuovo su Mura, nota che ansima. «Tutto ok?»

Ha sabbia dappertutto: nei capelli, in faccia, nei vestiti. Prova a spazzarne via un po' con le mani.

«Sei caduto?»

Mura risponde di sì. Poi va in cucina, s'attacca a collo al rubinetto, beve una lunga sorsata, prende una seggiola, la porta di là e siede accanto al letto. Sasha sta armeggiando con un telefonino che ha estratto dalla sacca.

«Grazie... Andrea.» È la prima volta che lo chiama per nome. Non è abituato. Gli fa una strana impressione. Quasi nessuno lo chiama così.

Le riferisce come è andata.

Mentre parla, su Borgomarina cala la quiete della notte, rotta soltanto da qualche auto o moto che accelera rombando nei viali deserti: dove staranno andando? S'è alzato il vento, che s'infila negli interstizi delle assi di legno del capanno, facendolo cigolare, fischiare, tremare come una scialuppa in balia dei flutti. Sono rimasti due mozziconi di sigaretta, nel portacenere che Sasha ha messo sul davanzale. Ne accende uno. D'istinto porge l'altro a Mura: «Vuoi?».

E lui lo piglia. Ha smesso di fumare, ma stasera ne ha bisogno. Ce n'è solo per tre o quattro tiri, in piedi sulla terrazza, senza parlare. Poi tornano dentro.

«Funziona ancora quella roba?» chiede Mura indicando il Nokia vecchio modello che Sasha ha tirato fuori dalla sacca.

«*Nimnhoska.*» Un poco.

In russo gli spiega che è un telefonino segreto. Ne aveva dato uno così anche a sua figlia e lo usavano per chiamarsi di nascosto, qualche volta, quando erano sicure di non essere scoperte. Lo ha usato anche per registrare un suono.

«*Slushaisc.*» Ascolta.

Preme un tasto. Si ode una specie di rombo, in lontananza. Un rumore sordo, attutito, come arrivasse da sottacqua.

«Lo sentivo ogni volta che mi portavano da mia figlia. Ero bendata, non potevo vedere la strada, ma poco prima di arrivare da lei mi toglievano la benda e c'era questo rumore. Così una volta ho portato con me il Nokia e ho registrato il rumore. Pensavo che mi avrebbe aiutato a capire dove la tengono.»

Mura le chiede di riascoltarlo.

Uhhhhhhh. Vhuuuuuuu. Rhuuuuuuuu. Come un tuono. O un lamento.

«Cosa ti sembra?» le chiede.

«Non lo so. Si confonde con il rumore dell'auto e con le voci.»

Lo riascoltano una terza volta.

«E quando arrivavi sul posto?»

«Finiva. Dopo sentivo solo sassi o terra sotto le ruote dell'auto, poi più niente.»

"Potrebbe anche essere un trattore nei campi", pensa Mura. O il suono dei macchinari di una fabbrica. Chissà quanti ce ne sono sparsi per le campagne.

«È l'unico momento in cui sento un rumore così» dice Sasha. «Forse può aiutare a capire dov'è la mia bambina. Non credi?»

Lui risponde con un cenno affermativo, anche se dentro di sé non ne è affatto convinto. Ma non vuole toglierle la speranza.

«Hai mai notato qualche dettaglio utile a identificare il posto?»

«No. Mi toglievano il cappuccio o la benda solo nelle vicinanze. Niente case, cartelli, niente di niente. Poi ci lasciavano sole per un po'. Una donna ci portava da mangiare. E mi rimettevano la benda quando uscivo.»

«Niente dalle finestre?»

«Un cortile. Alberi. Niente di riconoscibile.»

«E non usciva mai?»

«Usciva poco. Non lasciava mai la casa. Dev'essere una fattoria isolata, perché diceva di non vedere altre abitazioni nei dintorni.»

«Come passa il tempo?»

«Chiusa in una stanza. Le hanno dato un computer con dei DVD. La donna di guardia porta dei giornali. Ha dei libri per studiare l'italiano. È una prigione.»

Mura si aspetta che Sasha si commuova, ma la russa ha un tono neutro, quasi raccontasse di fatti che non la riguardano. Rimozione del dolore, forse. O ne ha passate talmente tante che nulla la impressiona più davvero.

«Ma tu… che progetti avevi… con la tua bambina?»

«Che vuoi dire?»

«Avevi qualche speranza di tornare a vivere con lei?»

«Dicevano che, se avessi obbedito agli ordini, un giorno me l'avrebbero ridata.»

«E ci credevi?»

«No».

«E allora?»

«Allora cosa?»

«Avevi un piano?»

Non ce l'aveva. Cercava una via d'uscita, ma non l'aveva ancora trovata. Sperava di trovare aiuto da qualche parte, da qualcuno, anche se il suo salvatore non era ancora saltato fuori. Glielo dice un po' in russo, un po' in italiano. Qualche volta prima in russo, poi ripete in italiano: vuole essere certa che lui capisca.

«Mi hai raccontato che il proprietario del Bagno Adriatico è un tuo amico» dice Mura. «Per questo ti permetteva di tenere le cose in una cabina dello stabilimento. Perché non ti lasciava la chiave, allora?»

«È mio cliente, non mio amico. Se mi dava la chiave, non dipendevo più da lui. Ci sono altri uomini che vedo abitualmente, un albergatore, un notaio, un farmacista. Ma nemmeno loro sono amici. Non ho amici. Non mi fido di nessuno, io.»

«È strano che si sia così infuriato per un ladruncolo nelle cabine. Conosceva il contenuto della sacca?»

«Credo di sì. Poteva andare a vedere quando voleva.»

Vorrebbe chiederle se c'era altro, oltre al vecchio Nokia, a cui era interessato il bagnino, ma preferisce non assillarla con troppe domande.

«Non mi racconti tutta la verità. E non è la prima volta.» Questa è un'affermazione, non una domanda.

Sasha non risponde. È tornata a sdraiarsi sul letto. Si guarda le dita affusolate delle mani. Ravvia i capelli.

«Ho bisogno di una doccia» taglia corto Mura. «Sono pieno di sabbia. Buonanotte.»

«*Spakoine noche.*» Buona notte, risponde la voce al miele.

L'acqua calda, sparata al massimo della pressione, lo ristora come un massaggio, è così che gli piace. Resta sotto il fiotto per dieci minuti, immobile, lasciando che il piccolo bagno del capanno si riempia di vapore. Gli viene in mente la sauna a Mosca: c'era sempre qualcuno che diceva: «*Slioki para*». Dacci dentro con il vapore.

E qualcun altro gettava acqua sul braciere infuocato, provocando micidiali vampate di calore che agguantavano la pelle, finché diventava rossastra, come bruciata. Era quasi una tortura, ma i russi ne andavano pazzi. Alla fine aveva conquistato anche Mura.

Infila il vecchio accappatoio liso con cappuccio, si strofina per bene, poi dal bagno passa in cucina e si siede al buio sul divano.

«Mura?»

«Sì.»

«*Idi sudà*.» Vieni qui.

Voce al miele, ma è un ordine. Lui si tira su dal divano e la raggiunge di là.

Non ci sono tende nella stanza da letto del capanno. Il riverbero lontano della città, il fascio di luce del faro, il chiarore della luna, filtrano dalla portafinestra. Il contorno del corpo di Sasha emerge nitido nella semioscurità della stanza. Ha scostato le coperte. È nuda. Le maestose tette che Mura si è ritrovato sotto il naso quando l'ha presa in braccio sulla spiaggia puntano dritte in alto, come sull'attenti. Quanto le ha guardate di sottecchi, pensando che premevano contro la sua maglietta e la sua felpa. Vederle così, ora, nel suo letto, è una visione che per un momento lo lascia disorientato, inebetito, paralizzato. Tutto un altro effetto.

«*Idi sudà*» ripete la voce. Sempre miele, ma un comando: netto come uno schiocco di frusta.

Mura obbedisce. Slaccia l'accappatoio, lo lascia cadere al suolo e si sdraia accanto a Sasha. Restano così a guardarsi, nudi, per un lungo momento. Poi lei lo abbraccia e gli infila la lingua in bocca. Baci frenetici, come per recuperare tempo perduto, con i corpi ora appiccicati. Allarga le gambe e lo attira a sé senza smettere di succhiargli la lingua, voracemente. Lo spinge sopra di sé. Gli piglia con le dita i capezzoli e glieli stringe, forte, sempre più forte, provocandogli un mugolio di dolore. Allora smette, lo cinge con le braccia e con le gambe, stringe, stringe, lo chiude in una morsa. E mentre Mura corre dentro di lei, Sasha gli succhia il collo, succhia succhia succhia, finché a Mura non sembra di scomparire dentro quelle labbra avide, neanche fosse tra le mani di una vampira che vuole rubargli anche l'ultima goccia di sangue. Comincia a venire alzando la testa per respirare, per liberarsi, intanto viene anche lei e finalmente spalanca le fauci. "È il succhiotto più lungo che mi abbiano mai fatto", pensa Mura, girandosi sulla schiena. Gli amici lo piglieranno per il culo. Ma per una scopata così ne valeva la pena. Senza neanche bisogno, una volta tanto, della pillolina blu.

«Ehi» dice Mura a Sasha, girata sul fianco verso di lui, con una mano sul suo uccello.

«Ehi, Sasha» le sussurra.

Ma Sasha non risponde. Si è addormentata di botto.

16. Una gallina dalle uova d'oro
(Colonna sonora: *She's On Fire*, Amy Holland)

Frugano dappertutto. Tirano fuori i cassetti e ne rovesciano il contenuto sul pavimento: manette, vibratori, mostruosi cazzi di tutte le dimensioni e i colori, mutandine, reggicalze, top, fruste e frustini, l'intero armamentario della professione. Girano il materasso e rovistano tra lenzuola e coperte, dentro le fodere dei cuscini, sotto il letto. Spostano i mobili, spalancano ante e sportelli, vuotano il bidone della spazzatura, guardano nella buchetta della posta.

Mettono a soqquadro l'appartamento di Sasha da cima a fondo. Cosa cercano? Non lo sanno bene neanche loro. Un segno che è passata di lì. Un indizio per capire se è fuggita, si è nascosta, se è stata rapita da altri oppure è riuscita a fregarli, da sola o in combutta con qualcuno. O se ha fatto una brutta fine.

«A fine do pirucchiu» dice Salvatore, mentre scassa tutto, piglia a calci le sedie, spazza con la mano un bicchiere e dei piatti sporchi dal tavolo.

«Che minchia fai? E sta' attento!» s'incazza Santo. Per poco i cocci delle stoviglie non gli sono finiti addosso.

Continuano a discutere in dialetto. Una cosa è certa: quella meschina non c'è più e loro hanno perso una gallina dalle uova d'oro. Oltre a un bel pezzo di figa a cui dare una ripassata. Il passaporto glielo avevano sequestrato dall'inizio. La patente di guida non ce l'aveva.

«Dove teneva la grana?»

«E chi ne sacciu?»

Perché sono sicuri che avesse dei soldi, in segreto, da qualche parte, per quanto i cassieri fossero loro e decidessero quanti lasciargliene per le sue cose: il mangiare, le stronzate da femmina o il vestire. Quella cercano, i due fratelli, nell'appartamento: la grana. Ma non ce n'è, tranne un barattolo di monetine sulla credenza del cucinino.

«Dovevamo starle più appresso.»

«Che t'importa, teniamo la figghia.»

«I mittiamola a lavorare allora.»

Scendono in pizzeria. Danno le chiavi dell'appartamento di Sasha alla donna delle pulizie e le ordinano di rimettere ordine, buttare via tutto, che della russa non rimanga niente.

Poi telefonano alla fattoria per avere notizie della ragazza.

«E che volete che faccia? Sta chiusa in stanza, a guardare film» risponde Angela, la sorella.

«Sicura che la madre non l'ha cercata?»

«E come ci arriva qua la puttana?»

Una bestemmia. «Rispondi, scema, non fare domande.»

«Non s'è più vista dall'ultima visita.»

«Va bene. Mi raccomando, Angelì, controlla che la ragazza non abbia un telefonino. E non lasciarla più uscire di casa, nemmeno dalla stanza. Sottochiave, devi tenerla. Anche quando mangia.»

«E se deve andare in bagno?»

«Vacci con lei.»

«Mi dici cosa diavolo è successo.»

«Te lo dico quando vengo.»

«E quando vieni?»

«Domani. Veniamo a trovarti domani.»

17. Mazapégul

(Colonna sonora: *Papa Was a Rollin' Stone*, The Temptations)

«Mo' ti sei messo a far compere?»

Il maresciallo Amadori ha il vizio di sorprendere Mura. Si diverte a manifestarsi all'improvviso, sbucando da dietro un albero, in un vicolo, al tavolino di un caffè, dopo averlo osservato per bene. Non per niente è un carabiniere.

Questa volta, però, Mura avrebbe dovuto vederlo: Giancarlo è praticamente in vetrina, a uno dei tre tavolini all'esterno di Dolce & Salato, mentre beve uno dei tanti decaffeinati della giornata. In uniforme, ragione di più per notarlo. La caserma è a duecento metri di distanza. C'è un altro bar più vicino, per la verità, ma il caffè di Dolce & Salato è migliore e ha i giornali gratis: anche ad Amadori piace sfogliargli, nella breve pausa.

Aveva appunto la testa affondata nella cronaca nera di un quotidiano locale, quando alzandola per l'ultimo goccio di nettare scuro ha visto arrivare Mura, in bici come al solito, contromano come al solito, con due sacchetti di roba da mangiare tenuti in bilico sul manubrio – e questo non è come al solito, perché non l'ha mai visto fare la spesa. In paese tutti sanno che non cucina: a eccezione di quando invita gli amici a mangiare il fritto tirato su con la rete nella terrazza del capanno. Ma in quel caso non è lui a cucinare, rovinerebbe tutto, al massimo dà una mano: se ne occupa il Professore.

«Ciao, Gianca.»

Non l'ha visto per primo perché ha la testa tra le nuvole, per usare un altro luogo comune che il suo caporedattore non gli avrebbe passato. Per dirla com'è, ha Sasha in testa. In testa, in bocca, sulla punta delle dita, su quella dell'uccello. Sul collo, dove Sasha gli ha lasciato due grossi lividi neri, uno a destra, l'altro a sinistra, e per fortuna che si è limitata a succhiare: se gli piantava anche i denti nella pelle, come una vera vampira, a quest'ora era morto. E sulla schiena, dove quella mattina, al risveglio, nel corso di una seconda scopata cominciata con lei sopra e finita con lei sotto, lo ha marchiato a sangue con le unghie. Di donne a cui il sesso piace così, ne ha incontrate altre, ma la russa è diversa: decide tutto da sola. E lui è stato al gioco.

Ferma la bici davanti al tavolino del maresciallo. C'è un bel sole tiepido già alle dieci del mattino. L'aria odora di primavera, invasa da mulinelli di piume pallide: i manin, le manine, come le chiamano in Romagna, il polline che in questa stagione va e viene tra gli alberi.

«Hai ospiti a pranzo?» chiede Amadori, indicando il contenuto dei sacchetti.

«No, perché?» replica Mura, preso in contropiede.

«Perché da quando ti sei stabilito qui non ti ho mai visto con la sporta della spesa…»

Touché.

«… tranne quando vengono a trovarti i moschettieri. E in tal caso m'offendo, perché un fritto di pesce lo mangerei volentieri anch'io. A patto che non cucini tu, s'intende.»

«Ma no, Gianca, nessun ospite, è che…» Mura si accorge d'avere un tono un po' troppo sulla difensiva: fare la spesa, dopotutto, non è mica un reato. «… È che stasera ceniamo a Fiorenzuola dal Barone. E ognuno porta qualcosa.»

Una mezza verità. Stasera cenano davvero a Fiorenzuola, ma non a casa del Barone, dove in pratica non c'è da sedersi. Dal Barone non si cena, al massimo si fa uno spuntino in piedi, per quanto lui sostenga di essere più bravo del Prof ai fornelli. È una gara gastronomica tutta maschile, fra i moschettieri: e le loro donne acconsentono. Escluso Mura. Che ai fornelli è un disastro. E una donna, perlomeno stanziale, non ce l'ha. La saltuaria scopamica è sempre al fronte di qualche guerra. Però, ora, a sostituirla c'è Sasha.

«E che gli porti di buono?»

Giancarlo non aspetta la risposta. Allarga il sacchetto per guardare nei cartocci degli acquisti del vecchio compagno di giochi estivi: squacquerone, mortadella, crescenta salata ai ciccioli, olive, ciambella, biscotti, cioccolata, grissini, mandarini, birra e sigarette.

«Sigarette? Non avevi smesso di fumare?»

«Sono... per il Barone.»

«Tabaccai in sciopero nelle Marche o quelle romagnole sono migliori?»

«Ma vaffanculo, Gianca.» Detto così, in amicizia, come si usa fra loro.

«Ci sono andato, non m'han voluto, vacci tu che sei...» replica al volo il maresciallo, completando la frase in falsetto, accompagnata dal segno delle corna.

«Ti decidi a crescere?»

«Appena cominci tu.»

Dunque, probabilmente mai. Ripetono le stesse battute sceme, gli stessi scherzi, del tempo in cui erano ragazzi o addirittura bambini. Eterni bamboccioni: li salva la consapevolezza che fanno gli stupidi apposta. Ma non ha lo stesso niente a che vedere con il fine umorismo anglosassone. In fondo, che male c'è. Basta che non li sentano i diretti superiori. Quelli del maresciallo si annunciano, prima di venire a Borgomarina per un'ispezione. E Mura, dopo la pensione, di superiori non ne ha più.

«Pigli un caffè?»

«Un'altra volta» risponde Mura con il piede sul pedale.

«Vabbè, dai» dice il maresciallo, infilando due dita nel cartoccio della focaccia ai ciccioli per staccarne un pezzo, che addenta con gusto.

«Il furto è un reato, dovresti saperlo.»

«Circolare.» E Amadori si alza in piedi anche lui, la pausa caffè è durata abbastanza.

Li blocca un Mercedes decapottabile che inchioda davanti al caffè. Scende Tassinari, che si precipita alla cassa passando davanti agli altri clienti. Nel posto del passeggero una bionda cotonata, con tette siliconate e occhialoni da diva, si rimira nello specchietto retrovisore.

Mura e il maresciallo si scambiano un'occhiata.

Non c'è bisogno di aggiungere altro.

È appena ripartito che lo raggiunge la voce del suo amico. «Oh, ti cercava la Tina.»

Arresta la pedalata a metà.

«La Tina Fabbri. È passata di qui prima. Credeva di trovarti a colazione. Non sapeva che adesso giri con la sporta della spesa.»

«At salud.» E Mura riparte.

Girato l'angolo va quasi a sbattere nella Tina Fabbri. In bici pure lei, ma non in contromano come lui. Perché sta dalla parte sbagliata della strada? Troppo tempo passato con la guida a sinistra in Inghilterra.

La Tina è una specie di zia per Mura. Gli badava il figlio quando era piccolo, durante le lunghe villeggiature estive, mentre la moglie russa faceva sanguinare la carta di credito negli outlet di San Marino e lui correva dietro alle mogli degli altri sotto gli ombrelloni. Come marito e padre, non è stato esemplare. Ma dalla zia Tina si sentiva compreso e giustificato, se non assolto, come dalla madre che non aveva più.

«Andrea!»

Lei lo chiama così.

«Zietta!»

«Ti cercavo ed eccoti.»

«Lo so che mi cercavi. Me l'ha detto il maresciallo.»

«Ah. E cos'altro ti ha detto?»

«Niente. Che mi cercavi e basta. Lo sai che puoi telefonarmi quando vuoi.»

«Preferivo parlarti a voce.»

Così gli racconta che non dorme più la notte. Be', neanch'io dormo granché, risponde Mura, ma nel caso della Tina non è solo questione degli anni che passano.

«È per quei ragazzacci sulle moto.» Piazzati sotto casa sua a sgasare, rombare, chiacchierare, fuori dal bar di fronte. Sembra di averli ai piedi del letto. Non esiste il reato di disturbo della quiete pubblica? Rumori molesti?

Per esistere, esiste, ammette Mura. Ma nessuno ci bada. Però, se davvero non dorme, se c'è un baccano infernale, non sarebbe il caso di parlarne con il maresciallo? Tina lo conosce bene. Altrimenti, può dirgli una parola lui. La ramanzina di un carabiniere dovrebbe bastare.

Ma la Tina preferirebbe non coinvolgere i carabinieri. Teme che serva una denuncia formale, che salti fuori il suo nome e che i ragazzi, se va bene, stiano buoni per un po' prima di ricominciare e per giunta vendicarsi di lei. Lo chiederebbe a un figlio, se ce lo avesse. A suo marito, se non fosse morto: pace all'anima sua. Potrebbe chiedere agli amici, che a Borgomarina non le mancano: il suo salotto è stato un'istituzione cittadina, ci veniva anche il sindaco. Non l'attuale: il sindaco di trent'anni fa. Ma gli amici sono appunto invecchiati, come lei, sono coetanei, tutti ottantenni. Quelli ancora al mondo, perlomeno. E sul sindaco di adesso vale il discorso per il maresciallo: sarebbe meglio lasciar perdere le autorità, se non è proprio necessario. Per questo ha pensato a lui. A Mura. Che ha l'età giusta. E anche l'esperienza.

«L'esperienza, in che senso?»

Nel senso, spiega la Tina, che i ragazzacci sulle motorette, li ha ben studiati lei al buio dalla finestra, sono cinesi.

«Ma parlano di sicuro l'italiano, Tina! Sono cresciuti qui.»

Sì, obietta lei, ma in famiglie straniere. Con una mentalità forse diversa dalla nostra: altrimenti non lascerebbero i figli fuori di casa tutta la notte! Non studiano? Non vanno a lavorare?

Dovrebbe vedere i figli degli italiani, vorrebbe obiettare Mura. Non sono tanto diversi. Ma lascia perdere.

«Insomma, tu hai girato il mondo, di stranieri ne hai visti tanti, sono sicura che sai come prenderli, questi ragazzi. Senza bisogno di dire che sono io a lamentarmi. È un grosso favore che ti chiedo. Te la sentiresti di aiutarmi?»

È la seconda donna che mi chiede aiuto questa settimana, pensa Mura. Sebbene alquanto diversa da Sasha.

«Okay.» "Purché", pensa, "non diventi un'abitudine."

«Grazie, grazie, grazie.»

«Qualunque cosa per la mia zietta.» Non è retorica. Ogni volta che la vede, pensa a sua madre. Come se un pezzo della sua mamma, scomparsa troppo presto, quando lui era lontano, impegnato con la sua carriera di giornalista, vivesse ancora dentro l'amica. «Non garantisco che servirà a qualcosa» prosegue, «ma ci proverò.»

«Sei un tesoro. E se non funziona, allora mi rivolgerò al maresciallo.»

Giancarlo Amadori si vede ripassare davanti Tassinari con un vassoio di paste e croissant. A chi cavolo lo porterà, a quest'ora? A meno che non sia una colazione a letto con la superdotata che ciarla al cellulare in Mercedes.

«Marescià» lo saluta Tassinari, storpiando l'accento romagnolo in una via di mezzo fra romanesco, napoletano e siciliano. Come se tutti i carabinieri fossero meridionali. Lui risponde con un segno dell'indice e del medio della mano destra: prima rivolti verso i propri occhi, poi verso Tassinari che sta salendo in macchina. Ti seguo. Ti scruto. Ti tengo nel mirino. Questo significa. Ma quello risponde con una risatina e riparte sgommando, dopo avere depositato il vassoio di paste sulle cosce della tipa al suo fianco.

Come riesce a scoparsi quelle sventole, un patacca così?

Da quando il maresciallo è tornato a vivere e a lavorare a Borgomarina, Tassinari non gli è mai andato giù. Ha impiegato poco ad avere un'idea su che tipo sia: sempre con una donna diversa per mano, tutte dello stesso genere da reality show. Non lo ha mai visto lavorare una volta. E nelle poche occasioni che lo ha incrociato per strada o al ristorante con moglie e figlio, aveva l'aria di un Cristo in croce. Il Cristo in croce dev'essere il suocero, quello sì è una brava persona e un gran lavoratore. Un vero rumagnol. Come sopporterà questo qui?

Il maresciallo rimugina gli insulti peggiori del suo dialetto.

L'è ignurent com una zuchira. L'è cateiv c'mé un pez ad cherna inte col. Se e mi cul e foss com la su faza am vergugnareb ènca a scurzé. Tci un bdòch arfàt! Tci un... un... un...

Un Mazapégul! Ecco cos'è Tassinari. Peggio che ignorante come una zucchina, peggio che cattivo come un pezzo di carne del collo, peggio che un pidocchio rifatto. Chiamano così, Mazapégul, lo spiritello dispettoso che si aggira nei boschi e nelle pinete della Romagna, con una faccia più furba che simpatica, il pelame grigio e un copricapo rosso. Rosso come la Mercedes decapottabile di Tassinari. Quanto costerà quell'auto? Come due, tre anni del suo stipendio. Uno gnomo, il Mazapégul. Un mostriciattolo, una via di mezzo tra un gattone e una scimmia. E in effetti Tassinari è ormai più largo che alto, nonostante le arie da playboy.

È la storia che ripeteva sempre sua nonna, quando Giancarlo voleva giocare a pallone invece di stare a casa a studiare. I genitori erano al lavoro, il papà all'officina, la mamma al forno. «Ste bon, si no diventi un Mazapégul», lo ammoniva la nonna. Un buono a nulla, in sostanza: anche se poi aveva imparato che il folletto in questione si trasformava in uomo per giacere con le donne e la prospettiva non gli dispiaceva. Così, agli albori dell'adolescenza segaiola, aveva preso l'abitudine di dire alla nonna: «Dai, dai, raccontami la favola del Mazapégul», per eccitarsi immaginando le imprese del diabolico gnomo.

E lei gliela raccontava, ignara dello scopo, sperando che servisse a farlo crescere bene. «Entra di notte nelle stanze delle donne, leggero come il vento, salta da un mobile all'altro e si ferma sul letto di una bella ragazza. Se la donna gli è sottomessa, le rattoppa le calze e le riassetta la camera.»

«E sennò, nonna» chiedeva Giancarlo, eccitato, «cosa combina alle donne?».

«Se lei lo deride e gli preferisce il fidanzato, o il marito, allora la scuote, la morde, la graffia, le strizza le carni, la spettina, le nasconde gli oggetti. Poi disturba gli animali nella stalla, soprattutto i cavalli. E infine si corica con lei e la prende, gridando: "Ad bell òcc, ad bell cavell!" Che occhi belli, che bei capelli!»

«E c'è un modo per fermarlo, nonna?»

«Ci sono vari sistemi. Si può mettere un forcone sotto il letto della donna, per proteggerla, o una scopa davanti alla porta.

Oppure bisogna rubargli il berretto rosso, senza il quale perde i suoi poteri. Lo sai come cantavano i cattivi ragazzi al carnevale di Faenza? "Nò sen qui dle beretta rossa, siamo quelli del berretto rosso, per spaventare le donne." La cosa migliore è gettargli il berretto rosso nell'acqua del pozzo. Il Mazapégul ha una grande avversione per l'acqua. Se lo si bagna si è salvi dalle sue insistenze, dai suoi scherzi maligni, dalle sue scorribande. Guai a te se diventi un invornito così.»

Sono favole da raccontare a un ragazzino? Forse no, ma le nonne romagnole sono fatte così. Ce l'avesse per le mani adesso, il maresciallo caccerebbe Tassinari sotto una doccia d'acqua gelata e ce lo terrebbe finché non gli è passata per sempre la voglia di infastidire le donne.

18. Sciare come un hot dog
(Colonna sonora: *It's The Same Old Song*, Four Tops)

«Te, se ti dessero diecimila lire, ti butteresti?»

Un altro dei loro tormentoni. Quando vanno a Fiorenzuola dal Barone, il Professore e l'Ingegnere lasciano l'autostrada A14 Bologna-Pesaro all'altezza di Cesena Sud, deviano su Borgomarina e passano a prendere Mura. Ne approfittano per una sosta, l'equivalente di rifocillare i cavalli: aperitivo sul porto canale da Sloppy Joe, bar ristoro con aspirazioni hemingwayane, lo stesso nome del locale dove Hem andava a rinfrescarsi la gola a Key West. E prima dell'aperitivo, l'immancabile passeggiata fino alla punta del molo, fino al faro, dove restano in religioso silenzio a fissare le onde che sbattono contro il porto, assorti in pensieri, come se pregassero: anche se non pensano a niente e tantomeno pregano. Ridono, come quei deficienti durante il minuto di silenzio allo stadio prima della partita che non riescono a stare zitti e a dimostrare rispetto. In attesa che uno dei tre pronunci la domanda di rito: «Te, se ti dessero diecimila lire, ti butteresti?».

Una battuta dai *Vitelloni* di Fellini. C'entra come i cavoli a merenda, perché i protagonisti del film sono bamboccioni trentenni e loro hanno il doppio degli anni, sullo schermo è inverno mentre nella realtà del momento, ora, è primavera. Ma non ha importanza. A questa età, vestiti da capo a piedi, per tuffarsi in un'acqua più fredda che in agosto, per quanto possa essere freddo l'Adriatico della Riviera, ci vorrebbe un po' di coraggio. E perché mai uno dovrebbe tuffarsi tutto vestito alle sette di una sera di primavera dalla punta del molo? Non ci sono cose migliori per passare il tempo?

Ci sono, naturalmente, e proprio qui sta il punto: ti butteresti per diecimila lire?

Amano le sfide assurde, in Romagna, magari con finale tragicomico, crudele, come narrava Fellini: uno mangia per scommessa venti chili di salsiccia, poi strabuzza gli occhi e muore. Mura, il Prof e l'Ing non arriverebbero a tanto: gli bastano le disquisizioni teoriche. Per diecimila lire? Proprio no: era una somma con un certo valore per Alberto Sordi e gli altri personaggi del vecchio film, non certo adesso per loro. Eppure, questo dà il via a una di quelle discussioni surreali con cui occupano il tempo. O lo perdono, che per loro è lo stesso.

«Cambiamo in euro» propone l'Ingegnere, il più pratico. «Per cinque euro no, non ci tufferemmo, ma per dieci?»

Prrrrrr! Mura risponde con una pernacchia.

«Venti?» ci riprova l'Ing. «Ci mangi due pizze e due birre.»

«E quanti ne spendi in medicine per curarti la polmonite?» ribatte il Prof.

«Cinquanta euro?» ritenta l'Ing.

«Cento» rilancia Mura.

«Allora duecento» raddoppia il Prof.

«Venduto! Dai, te li do, buttati» provoca l'Ing, estraendo il portafoglio.

Il Prof fa il gesto dell'ombrello.

«Duecento?» domanda Mura.

«Duecento» conferma l'Ingegnere.

E Mura comincia a spogliarsi, via il giubbotto, i calzoni, le mutande.

«Devi pagarmi te, per assistere a questo spogliarello!» protesta il Prof, girandosi dall'altra parte inorridito.

«Mi scappava la pipì» si giustifica Mura, prendendoselo in mano.

«Guarda che dal molo non ci arrivi più a pisciare fino in acqua» commenta l'Ing.

«Ti innaffierai i piedi» ammonisce il Prof.

«E allora vediamo chi piscia più lontano» propone Mura.

Ma sul molo è in arrivo un'anziana coppia a passeggio. L'Ingegnere dà l'allarme: «Rimetti le braghe e basta cretinate».

Mura esegue.

«E il nostro aperitivo?» ricorda il Prof, che già sta pensando a patatine, olive e noccioline allo Sloppy Joe.

«Lo sapevo che per duecento non ti buttavi» dice l'Ing.

«Certo che no. Prima di tuffarmi avrei alzato la posta.»

Hanno trascorso così amabilmente una decina di minuti. Sono le stesse chiacchiere, gli stessi scherzi, che ripetono da quando si sono conosciuti al liceo. Da allora non sono maturati molto.

Quando la Mari si è messa con l'Ingegnere, qualche anno prima, restava allibita davanti a simili cretinate.

Forte dell'esperienza del trentennale rapporto con il Prof, la Carla le ha spiegato che è il loro modo di prendersi in giro da soli. Dove sia l'autoironia in queste idiozie, non è chiaro. Neanche alla Carla, ammette per prima. Ma lei vuole bene lo stesso a tutti e tre, anzi a tutti e quattro, incluso il Barone quando si unisce al gruppo, che sul terreno dell'infantilismo non lo batte nessuno.

«Te, lo piglieresti nel culo per sciare come un hot dog?»

Il Professore riapre il dibattito. Adesso sono a un tavolino dello Sloppy. Fuori scende la luce del crepuscolo, disegnando di rosa e di blu il contorno della costa. Atmosfera romantica. In un angolo, una bellona dai capelli neri si sbaciucchia con un tipo brizzolato. Tintinnio di bicchieri. I loro sono colorati dell'arancione dello Spritz con ghiaccio.

Hot dog: il nomignolo che, all'epoca della loro prima liceo, sezione C, distingueva i campioni di sci acrobatico.

Un tormentone anche questo.

Il ragionamento era il seguente: venendo giù dalle piste come un hot dog, hai presente quante fighe ti scoperesti? Dunque, vale il sacrificio del posteriore. Non che, sacrificandolo, si impari automaticamente a sciare meglio, tantomeno come un hot dog. È un sacrificio puramente teorico. Come fare un fioretto alla Madonna. Puro cazzeggio.

Lo pigli nel culo e, tac, una bacchetta magica ti fa scendere dalle piste di neve fresca come un dio. Lasciando tutti a bocca aperta. Dopodiché fai strage di donne. Appena tolti gli scarponi, s'intende.

«Io sì, lo piglierei» risponde alla sfida Mura, «ma tu lo piglieresti due volte?»

«Due?» Il Prof finge meraviglia, anche se è un teatrino ripetuto da una vita.

«Due. Mettiamo che, per sciare come un hot dog, pigliarlo una volta sola non basta. Se ti sei sacrificato una volta, cosa vuoi che sia una seconda?»

«Già» commenta l'Ingegnere, «ma se poi la seconda ti accorgi che ti piace?»

«Se non è un sacrificio, non vale, continuerai a sciare come una schiappa» sentenzia Mura.

«Tu scierai come una schiappa. Io scio benissimo anche senza sacrificare il posteriore, né una volta né due» puntualizza l'Ing.

È la Mari che lo trascina ogni inverno a Cortina. Gli altri preferivano San Martino di Castrozza. Ma la "duchessa" lo ha introdotto nell'alta società bolognese, che ha soltanto due mete possibili per le vacanze: Riccione d'estate e Cortina d'inverno. Più le Maldive, naturalmente, per Pasqua.

«Secondo Marlon Brando, nella vita bisognerebbe provare tutto almeno due volte, per essere sicuri se ti piace o no» riassume la discussione il Professore. Sarebbe una citazione colta: a dimostrazione della sua superiorità intellettuale.

«Da quello che vidi in via Frassinago, all'Ing non dispiace, quindi non so se vale come sacrificio» dice Mura.

Via Frassinago. Basta la parola. Ci risiamo con il tormentone della loro "notte gay", come la chiama la Carla.

Avevano vent'anni. La mitica serata di ubriachezza terminata nella soffitta di Mura, il primo posto dove visse solo, a porta Saragozza, lasciando la casa dei genitori perché si vergognava del proprio status di figlio della buona borghesia mentre frequentava le assemblee del movimento studentesco. Pagava l'affitto, peraltro poche lire, con le sue prime collaborazioni giornalistiche, scrivendo di basket sulla stampa locale.

«Non posso confermare, fuggii prima che voi due e il Barone ci deste dentro» allarga le braccia il Prof.

«Cazzate» ribatte l'Ing.

«Neghi che ti piaceva?» provoca Mura.

«Nego che il Prof fuggì prima del divertimento. C'era anche lui e ci dava dentro.»

Quello che successe in via Frassinago non lo raccontano mai per intero. Neanche a se stessi. E forse nemmeno se lo ricordano. Avevano bevuto davvero: normale che la memoria dell'evento sia un po' appannata. Ma le loro donne l'hanno capito da un pezzo. È un segreto di Pulcinella.

Proseguono così, tra frizzi e lazzi, finché non arrivano i drink e cambiano argomento, passando a commentare l'aspetto niente male della cameriera.

Sul lato opposto del canale, i capanni si riflettono nel mare. Grandi, restaurati e verniciati di fresco, i primi sette; piccolo, scrostato dal sale e in piedi per miracolo, quello di Mura.

«Perché non ci porti a conoscere la tua amichetta?» suggerisce il Prof, dopo aver spazzato via dal bancone a tempo di record tutti i salatini, le noccioline e le patatine.

«Non è la mia amichetta.»

«Cos'è allora?» lo interroga l'Ingegnere. «O meglio: chi è?»

«Se fosse qui anche il Barone, non riusciresti a tenerlo lontano da lei» scommette il Prof.

Mura alza le spalle: non può confessare che il Barone l'ha già incontrata. Sono come un quartetto di innamorati in cui c'è sempre qualcuno che tradisce qualcun altro. Un po' se lo immaginano, i traditi, ma preferiscono non sapere: proprio come certe coppie di lungo corso che si amano a dispetto di tollerati peccatucci reciproci.

Pagano e salgono sulla Golf dell'Ingegnere.

«Bianca, due porte, già che c'eri potevi chiederne una con tre ruote per risparmiare ancora di più.» È la presa per il culo che gli tocca di sentire sempre dal Barone.

«L'Ing non è avaro, è parsimonioso» prende le sue difese in quei casi il Professore.

«Be', certo, capisco» insiste a quel punto il Barone. «Deve risparmiare per mantenere la famiglia, con tutti i figli che ha.»

E magari disegna uno zero nell'aria per ribadire il concetto.

«Di soldi ne ho anch'io, ma almeno li spendo» prosegue di solito il Barone, che in effetti ha le mani bucate e si trova sempre in bolletta. «Che se ne fa dei suoi l'Ingegnere, questo vorrei capire.»

Finisce puntualmente con Mura che afferma: «Li mette da parte per mantenere me quando sarò vecchio».

Adesso gli scappa un risolino a ricordare la scenetta.

«Ridi da solo, come i pazzi» osserva l'Ingegnere, al volante.

«Lascia che ci divertiamo anche noi» lo esorta il Prof.

Mura confessa: pensava alla vecchia storiella sui risparmi dell'Ingegnere. Gli altri due dicono che sono stufi di sentirla: la sanno a memoria. Però poi comincia a sogghignare fra sé anche il Prof.

«Smettetela» protesta l'Ing, «o per punizione prendo l'autostrada.»

«Nooo, l'autostrada no» rispondono in coro.

Prendono la statale Adriatica. Un po' perché non c'è fretta: l'appuntamento al ristorante di Fiorenzuola è alle nove e il Barone è sempre in ritardo. Toccherà aspettare al bar di fronte, soprannominato l'Ufficio. È lì che devono incontrarsi con il resto della combriccola: la Mari e la Carla, in arrivo da Bologna sulla Panda di quest'ultima; Rafaela, da Pesaro con Pelè, che poi resterà a giocare a pallone tra i vicoli o ai videogiochi al bar.

Ma la vera ragione della scelta dell'itinerario è che l'Adriatica fa parte della serata. Putantour, lo chiamavano da ragazzi: un'occhiata alle lucciole che si muovono nel buio.

«Abbiamo sbagliato direzione» osserva Mura. «Bisognava andare verso nord. Ormai sono quasi tutte da Cervia in su.»

«Parla l'esperto» commenta l'Ing.

«Abbiamo solo sbagliato orario» puntualizza il Prof. «È ancora troppo presto.»

Dopo un po' ne vedono una appostata sotto un cavalcavia: minigonna di pelle rossa, tacchi che non finiscono più, parruccone biondo.

«Brasiliana» sentenzia il Prof.

«Brasiliano» ipotizza l'Ing.

«Ti piacerebbe» lo smentisce Mura, «ma i trans stanno verso Ravenna.»

«Parla l'esperto» ripete l'Ing.

In prossimità di Rimini il traffico diventa più intenso.

«Era meglio se prendevamo l'autostrada» dice l'Ing.

«Non ti preoccupare, per il Barone non è mai troppo tardi» rammenta il Prof.

«Godiamoci il panorama, ragazzi» concorda Mura.

Il panorama non è un granché. Sullo sfondo, shopping centre, ipermercati, supermercati, outlet scontati, bowling hall, parchi giochi, go-kart, luna park, mini-golf, aquapark, tennis club, swimming pool, benzinai, scarpai, agenzie immobiliari, concessionari d'automobili, disco pub, discoteche, nightclub, lapdance, topless bar, sale da bingo, sale giochi, pizzerie, paninerie, gelaterie. Un caleidoscopio di luci al neon sui due lati della strada, più fitto nei pressi delle principali località balneari, Bellaria, Igea Marina, Rivazzurra, Miramare, Rimini, Riccione, fino a Cattolica.

La costa è ormai un unico paesone diffuso senza soluzione di continuità, cento chilometri di business e commerci, prosperati dietro al boom delle spiagge, uno "strip" illuminato a giorno come quello di Las Vegas, più o meno con lo stesso obiettivo: spillare soldi. E lo stesso risultato: qualcuno si arricchisce, molti si indebitano, tanti si rovinano. Un mare di denaro alle spalle del mare d'acqua. Se una volta si pensava che fosse più sporco quello popolato di pesciolini e conchiglie, è chiaro da un pezzo che è invece il più pulito, non solo perché è sparita la mucillaggine.

Eppure, a Mura questo *mundo de noche* piace. Per un giornalista, l'Adriatica è come per un bambino rimanere chiuso in una pasticceria. Dietro ogni luce al neon si intravede una storia. Imbrogli, passioni, peccati, ambizioni. In una parola: vita. Tutta l'operosità della regione spalmata lungo la via Emilia finisce nel suo vizioso affluente, la via Adriatica, consegnandole i risparmi accumulati con fatica dagli altri.

«Pensi alla tua bella?» La domanda dell'Ingegnere interrompe le riflessioni di Mura.

«T'ho detto che non è la mia bella.»

«Come no» rispondono in falsetto.

Dopo una notte come quella che hanno passato insieme, adesso dovrebbe essere di nuovo con Sasha, sotto le lenzuola. Ma le cene a Fiorenzuola sono sacre. Non poteva mancare all'appuntamento. E non poteva andarci con lei. Non è mica la sua ragazza! Quei cretini avrebbero sbranato Sasha a forza di occhiate e commenti, per tacere di cosa avrebbero voluto farci. E le loro donne, come l'avrebbero presa? In ogni caso, sarà questione di poche ore e tornerà da lei.

«Lasciate ogni speranza voi che entrate» recita il Prof, in tono salmodiante.

Ma la citazione dalla *Divina Commedia*, riportata a caratteri cubitali sulle quattrocentesche mura di Fiorenzuola di Focara, è un'altra: "Poi farà sì ch'al vento di Focara, non sarà lor mestier voto né preco", *Inferno*, XXVII canto.

Chissà se qualcuno ha mai riflettuto sul fatto che buona parte del poema si svolge in Romagna, dove peraltro Dante è pure morto e sepolto. Modigliana, Castrocaro, Forlì, Bertinoro, Rimini, San Benedetto in Alpe, Polenta, Portico di Romagna, sono solo alcune delle località citate nella *Commedia*. Sarà stato perché Alighieri ci è finito in esilio o perché i romagnoli non gli piacevano? Ne mette un bel po' all'inferno. Secondo lui gli italiani delle altre regioni erano meno peccatori? Oppure sapeva che un giorno da queste parti sarebbe venuto a stabilirsi un uomo che portava il suo nome?

«Aligherio, Aligherio, ah, ah» scandiscono Mura, il Prof

e l'Ing, appena parcheggiata la Golf sulla piazzetta antistante le antiche mura. Aligherio, storpiatura di Alighieri: uno dei nomignoli del Barone.

Al liceo, si seccava a essere preso per il naso. Ormai ci ha fatto l'abitudine. «Era destino» dice riferendosi alla sua scelta di abitare nella rocca citata in un canto dell'*Inferno*.

Fiorenzuola di Focara è nelle Marche, ma non si capisce cosa aspetti a indire un referendum per l'annessione alla Romagna. Non sarebbe la prima località marchigiana a prendere una decisione simile. Nel 2009 hanno cambiato casacca regionale quattro comuni nell'Alta Val Marecchia: Casteldelci, Maiolo, Novafeltria e Pennabilli. Anche quest'ultimo patria di un poeta, sebbene più recente di Dante: Tonino Guerra, lo sceneggiatore di *Amarcord* e di altri film di Fellini.

Dal punto di vista geografico, Fiorenzuola è più vicina a Pesaro che a Rimini, ed è l'ultima frazione abitata del Parco del Monte di San Bartolo, promontorio che raggiunge 555 metri di altitudine issandosi all'improvviso sulla piatta fascia costiera dopo Cattolica, ultima stazione balneare romagnola, che un canale separa da Gabicce, già nelle Marche. Sopra Gabicce, alle prime pendici del Monte di San Bartolo, sorge Gabicce Monte, minuscolo centro abitato con quattro alberghi, tre ristoranti, due caffè e la più bella vista di tutta la Riviera. Qualcuno ha piantato un pino al punto giusto e la sera, quando il litorale s'illumina, si potrebbe scambiare per una cartolina del golfo di Napoli.

Ma il bello, secondo Mura, viene dopo, proseguendo lungo la stretta strada che si inerpica fra le colline del parco, tra campi coltivati e boschetti in cui corrono lepri, volpi e caprioli. Si passa Vallugola, una baia con la prima spiaggia di sassi da Trieste in giù e di conseguenza un'acqua limpida come al sud. Si supera Castel di Mezzo, borgo medievale sormontato da un antico castelletto. E si giunge a Fiorenzuola, l'ultimo avamposto prima che la strada scenda in ripidi tornanti verso Pesaro.

All'inizio, quando è diventato primario di gastroenterologia all'ospedale di Pesaro, il Barone ha preso casa in città. Ma poi s'è innamorato di questa rocca a picco sul mare e da lì non si è più mosso. Certo, non c'è molto a Fiorenzuola.

Abitanti: 103, secondo l'ultimo censimento.

Bar: 1, ribattezzato dai moschettieri l'Ufficio perché ci hanno passato giornate intere, leggendo giornali, sproloquiando sui massimi sistemi e soprattutto aspettando il Barone, in ritardo con qualche scusa, quasi sempre per correre dietro a una donna più che per faccende ospedaliere, sebbene talvolta le due occupazioni coincidono, quando corre dietro a un'infermiera o a una dottoressa.

Ristoranti: 2.

A sinistra del bar, l'Osteria Focara, una trattoria con vista sulle colline. La vista sembra un quadro del Rinascimento: il lato B della Toscana, secondo una collega marchigiana di Mura, e nei 45 giri, come tutti sanno, il lato B era quasi sempre il migliore.

A destra, la Rupe, ristorante vista mare. Il loro preferito. Alle spalle del locale, un ripido sentiero porta a una spiaggia di sabbia finissima invasa da tronchi, canne e conchiglie. Per nove o dieci mesi all'anno, non c'è un'anima: si può credere di essere naufragati sull'isola-che-non-c'è di Peter Pan.

Fuori dalle mura, uno spaccio vende quotidiani, alimentari, sigarette.

Accanto allo spaccio, l'ufficio postale.

Dentro alle mura, una ventina di case private e una cappella con il campanile semidistrutto dalle intemperie. In una di queste, al secondo piano, il trappolo o scannatoio del Barone.

In "ufficio" trovano ad aspettarli le donne: la Carla, la Mari e la Raffa. Se ne stanno sedute al "loro" tavolino, quello che i moschettieri considerano proprio. Lo hanno occupato preventivamente in modo che i quattro amici non ci restino male: guai se qualcuno glielo porta via.

«L'oste non potrebbe metterci sopra un cartellino con su scritto riservato?» non perde occasione di proporre il Prof.

«Dovrebbe sì» chiosa puntualmente l'Ing.

Se non succede, non è certo per mancanza di rispetto nei confronti del Barone. A Fiorenzuola, nessuno lo chiama così. Per tutti, nel villaggio, è "il Dottore", titolo pronunciato in tono reverenziale, con l'ammirazione per un medico così importante e così prodigo di consigli quando qualcuno gliene chiede. In pratica, ogni giorno. Anche perché il Barone, pur essendo un professionista bravo e coscienzioso, uno che ascolta usando raziocinio e buonsenso, tende a non drammatizzare: «Non mi pare grave, due aspirine e se non passa ci rivediamo domani» è la sua classica diagnosi.

"Non mi pare grave." Una filosofia di vita, applicata per primo a se stesso. Un fatalismo in ragione del quale non ricorda l'ultima volta che è andato a farsi visitare. «Quando è venuta la tua ora, è venuta» confida agli amici. Lo ripete anche ai pazienti che lo fermano per strada a Fiorenzuola: «Non mi pare grave». Due aspirine e vai.

In fondo è quello che vogliono sentirsi dire i malati immaginari che lo aspettano al varco, cioè al bar, ovvero in ufficio, quando passa per il rituale aperitivo e due chiacchiere con l'oste per sapere le ultime novità di Fiorenzuola. Come se ce ne fossero, di novità, a Fiorenzuola. E anche ai malati veri non dispiace sentire che non è niente di incurabile.

«Pelè ha fame» avverte la Raffa, controllando l'orologio.

In realtà suo figlio, seduto a un altro tavolino, è calato nella realtà virtuale di un giochino sul cellulare e non pare ricordarsi che è ora di cena. Per un bambino di undici anni sarebbe comunque già passata.

«A Pelè ci penso io» dice il Prof, che sarebbe stato un padre perfetto o forse sembra un genitore straordinario proprio perché di figli non ne ha avuti e ha riserva di energie da spendere con i bambini. Va al bar, torna armato di tramezzini e Coca-Cola, che offre a Pelè ottenendo il ringraziamento più veloce del West. Gli darebbe anche pane e Nutella, se al bar la vendessero. Il ragazzino si riempie la bocca e torna a immergersi nel video-game, con la bocca piena.

Più in là ci sono due ciclisti bardati come per il Giro d'Italia, quattro vecchi che giocano a carte e un terzetto di pensionati stranieri, probabilmente tedeschi. A parte i pensionati, che per l'educazione teutonica pensano agli affari propri, gli altri hanno gli occhi puntati su Rafaela o, meglio, sulla sua scollatura, da cui emergono due poppe pazzesche.

Alta, scura, riccioluta, con più curve di un autodromo, Rafaela o Raffa, come la chiamano loro, sembra lo stereotipo della supergnocca brasiliana. Sovrasta la compagnia con il suo benessere fisico. All'inizio aveva sovrastato anche l'indifferenza del Barone. Nei primi mesi, se lei avesse insistito, forse se la sarebbe sposata, lui che è contrario al matrimonio per principio, come se fosse uno dei sette vizi capitali.

«Con il tempo ci si abitua a tutto, anche a una supergnocca brasiliana» ammonisce adesso.

In effetti è l'unico a non guardarle le tette. Però gli piace entrare in un ristorante con lei a braccetto, notare che nella sala cala di colpo il silenzio. La Raffa è come la Porsche, ammette quando è in vena di confidenze. Ci ha messo dieci anni di psicanalisi a capire che, se desidera la Porsche e ha i soldi per permettersela, non c'è niente di male a comprarla.

«Usata, s'intende.»

«Ah, vabbè, allora.»

Nell'economia della sua vanità, Rafaela deve soddisfare un bisogno simile. Però la tratta sempre come una regina, cosa che non si può dire della Porsche: nessuno rammenta l'ultima volta che ha lavato la macchina.

«Aspettiamo il Barone al ristorante» propone la Carla, spegnendo l'ennesima sigaretta. Non si sa perché, ma quando lei dice qualcosa, il gruppo tende a seguirla senza discutere. Sarà la sua aria da intellettuale della *Rive gauche*, retaggio dei semestri passati a insegnare a Parigi. Veste come una francese, con quel tocco di classe in più che manca alle italiane, pur maestre di eleganza: sempre un po' troppo firmate, troppo studiate, troppo perfette. Invece lei sembra che si sia vestita a caso, prendendo gli abiti a occhi chiusi dall'armadio o dalla sedia dove li aveva dimenticati, e viene sempre fuori la combinazione giusta.

L'unica che brontola è la Mari. Non perché voglia restare al bar o minacci di tornare a Bologna: semplicemente non le va l'idea in sé di dipendere da un altro, abituata a essere sempre il centro dell'attenzione, come in quel vecchio video di Madonna in cui gli uomini gareggiano a servirla e riverirla, uno offre da bere, uno accende la sigaretta, uno porge un mazzo di fiori.

«La sindrome dell'ex donna più bella della città» ironizza sottovoce il Barone con gli altri, per quanto sia il primo ad ammettere che la Mari, se non fosse la ragazza dell'Ingegnere... Insomma, ci siamo capiti.

«Cosa avete da ridere, cretini» finge di irritarsi lei.

Lo vede per prima la Carla: «È questa l'ora di arrivare?». Ma è tutta scena: gli perdonerebbe tutto. Figuriamoci i suoi ritardi proverbiali.

Il ritardatario cronico viene loro incontro con studiata flemma, attraversando la strada, come se fosse appena uscito dalla Rupe.

«Ma eri già al ristorante?» sbotta la Mari.

«Vi aspettavo, no?»

Tocca al Prof smentirlo, non perché abbia le prove ma perché lo conosce troppo bene: di sicuro ha dovuto parcheggiare più in là perché sotto le mura non c'è più posto e ora finge di essere arrivato per primo.

Seguono cinque minuti di prese per il culo, abbracci e pizzicotti.

«E smettila che non siamo all'asilo» dice il Barone all'Ingegnere.

«Scambiamo anche sputi, lopez e nocchieri» propone Mura. I nocchieri sono micidiali colpi nocca contro nocca. I lopez si eseguono con una ginocchiata alla coscia. Gli sputi tutti sanno cosa siano: la difficoltà consiste nello sfiorare i bersagli. Quanto tempo è passato dalla prima C del Fermi? Deve essere appena finito l'intervallo della ricreazione.

«Allora, se siete d'accordo decido io» propone il cameriere quando sono finalmente seduti al tavolo affacciato al mare che riservano sempre. Ha l'accento del posto, il cameriere, via di mezzo fra romagnolo e marchigiano. Non per nulla, gli abitanti di questa zona di frontiera vengono chiamati marchi-gnoli.

«D'accordo» sbuffa la Mari, sempre più difficile degli altri. «Ma almeno dicci cosa porti.»

«Cozze, lumachine, sardoncini marinati» elenca il cameriere, «maltagliati ceci e vongole, poi una bella grigliata di pesce fresco e per finire le crostate della casa.»

Sarà una lunga cena, prevede Mura. Sperando che non sia l'ultima, con la quantità di cibo che mangeranno.

«Non dimenticare la piada» ammonisce il Prof, che di mangiare non ne ha mai abbastanza.

«E il vino, che ho la gola secca» ricorda il Barone.

«Bevi un po' d'acqua, Bibi» lo prega la Raffa.

«Lo sai che l'acqua non mi piace, Bibi» risponde il Barone.

Usano lo stesso vezzeggiativo, fra di loro: Bibi maschio o Bibi femmina, va bene per entrambi. La Carla pensa che sia molto carino. La Mari lo giudica un po' patetico. Il Prof non ha un'opinione in merito, almeno al momento: gli hanno portato un cestino di piada appena sfornata ed è il primo ad azzannarla. «La piadina si assottiglia mano a mano che scende verso sud» proclama.

È vero. A Cervia è spessa, a Riccione un filo e qui quasi trasparente come il pane carasau sardo.

«Io la preferisco così, croccante e leggera» osserva il Prof.

«Guarda che, per quanto leggera, se cominci già ad abbuffarti, poi non ti alzi da tavola» lo mette in riga l'Ingegnere.

Si punzecchiano sempre, quei due. Se vivessero insieme, la prima notte uno ammazzerebbe l'altro. Ma il mattino seguente si pentirebbe. In fondo è un gioco delle parti. Si vogliono bene come una vecchia coppia, marito e moglie che bisticciano in continuazione ma non possono fare uno a meno dell'altra.

Spazzati via i maltagliati, il Prof intinge la piada nel sugo delle vongole. Mangiare in quel modo è disgustoso, si lamenta l'Ing. Il Prof si lecca apposta le dita davanti a lui. Il Barone brinda alla salute di entrambi e, siccome ha già finito, va fuori in terrazza a godersi l'odore del mare e fumarsi la prima sigaretta della cena. La Carla lo raggiunge.

«E allora, questa russa?» chiede Raffa, rimasta dentro. Il tono è innocente.

Mura guarda quelli ancora a tavola e domanda: «Ma non doveva restare un segreto?».

Il Prof si fissa la punta delle unghie.

L'Ing propone di parlare di programmi per le vacanze.

Il Barone rientra insieme alla Carla, annusa che c'è qualcosa nell'aria e dato che tutti di colpo lo guardano come se fosse colpevole sbotta: «Che cazzo c'è?».

Tocca alla Mari appellarsi al pragmatismo di Mura: «E dai, non penserai mica che i tuoi amichetti sanno tenere un segreto? Con noi, per di più!».

No, non l'ha pensato. O se l'ha pensato, è stato un abbaglio. Sa bene come funziona fra di loro: appena uno dei quattro si lascia andare a una confidenza, gli altri tre aspettano che si allontani per analizzarla, giudicarla e subito dopo condividerla. Non con il mondo intero, beninteso. Ma con le rispettive morose, come si ostinano a chiamarle, manco avessero vent'anni.

«Uno per tutti, tutti per uno» azzarda il Barone, alzando il bicchiere all'indirizzo di Mura.

«Se lo dici tu, Aramis» lo imita lui, ingollando a sua volta.

Così, mentre il cameriere porta i maltagliati alle vongole e il Prof chiede dell'altra piada, cominciano a dibattere la questione. Dall'inizio, ossia dal momento del ritrovamento.

«Perché poi tu sei così sicuro che l'abbia portata la bassa marea sulla spiaggia, la tua ragazza?» inquisisce la Mari.

«Non è la mia ragazza» precisa Mura per l'ennesima volta. «Comunque chi altro ce l'avrebbe portata?»

«E se ci fosse venuta con le sue gambe?» ipotizza la Raffa.

È il sospetto che aveva anche la Mari. Ma non le va che la brasiliana l'abbia preceduta. Ci sono delle gerarchie, nel gruppo. La ballerina di samba è arrivata per ultima e dovrebbe aspettare il suo turno per parlare, perlomeno quando si tratta di questioni serie.

«Come funziona la marea?» insiste la Raffa.

«Be', per quanto ne so, un corpo immerso nell'acqua...» inizia a dire Mura.

«Vai, Archimede!» lo incita il Prof.

«Bum» fa il Barone.

«Fuochino» fa la Carla.

«Acqua» fa la Mari.

«Parti dal generatore di Van de Graaff» suggerisce l'Ing.

Non hanno più dimenticato la mattina di terza liceo in cui la Franzoni, terribile insegnante di matematica e fisica, chiamò Mura alla lavagna per spiegare la teoria del suddetto generatore elettrostatico e lui disegnò uno schizzo che sembrava le montagne russe. L'interrogazione finì con un tre. Da allora l'episodio è entrato nella gamma dei tormentoni, consolidando la reputazione di Mura come di uno che di scienze non capisce un accidenti.

«Le maree hanno frequenza giornaliera o si verificano ogni sei ore» interviene l'Ing. «È perfettamente plausibile che il mare, ritirandosi, abbia lasciato sulla spiaggia quella poverina.»

«Ci sono tre misteri che non sono mai riuscito a capire» commenta il Prof. «La logica formale, il regno delle api e il flusso delle maree.»

«Jean Cocteau» interviene la Carla.

«È lei, lo ammetto, la fonte delle mie citazioni» gongola il Prof.

«Ma va'» dice la Carla.

«Ma sì» dice il Prof.

«Sei un copione» dice il Barone.

«Ma quale mistero» riprende il filo l'Ing. «Le maree sono dovute alla combinazione di due fattori: l'attrazione gravitazionale della Terra sulla Luna e la forza centrifuga della rotazione del sistema Terra-Luna.»

«Come riesci a stare con un uomo così romantico?» chiede il Barone alla Mari.

Lei alza le spalle. «Me lo domando spesso anch'io.»

«Dai, anche la scienza ha il suo fascino» s'intromette la Carla.

E il cameriere porta la grigliata.

Ammesso e non concesso che a riva l'ha portata la marea, vogliono sapere gli ultimi sviluppi sulla russa misteriosa.

«Li ho già raccontati a questi due sulla strada» replica Mura, «fateveli ripetere da loro dopo cena.»

«Scommetto che sull'Adriatica avete parlato d'altro» commenta il Barone con malizia.

«Di che hanno parlato, Bibi?» lo interroga la Raffa.

La Carla e la Mari annuiscono. Immaginano benissimo l'argomento. Conoscono i loro polli.

«Can che abbaia non morde» dice la Mari alla Raffa.

«Che vuol dire?»

«È un proverbio italiano» la rassicura la Carla. «Significa che hanno parlato di cose di cui non devi assolutamente preoccuparti.»

«Ah be', se lo dite voi» chiude la polemica l'Ing, fingendosi offeso.

Mura spera che la parentesi li abbia distratti dalla curiosità su Sasha. Ma non è così. Tornano subito all'attacco. E in verità non gli dispiace. Anche lui ha bisogno di un confronto, per capirci di più in questa storia. «In ogni modo bisognerebbe ritrovare la figlia» afferma, «e per ritrovarla abbiamo una sola traccia. Un rumore.» Perché poi ha detto "abbiamo"? Non era un plurale maiestatis. Finora la russa è stata un problema suo. Sta diventando un problema collettivo? «Questo rumore» precisa, cliccando sul telefonino. Ha registrato il suono dal cellulare di Sasha mentre lei era sotto la doccia.

«Sarà una segheria» ipotizza l'Ingegnere, sempre pratico.

«A me viene in mente Azzurrina» lo zittisce Carla.

Ormai nel locale sono rimasti soli. Gli altri avventori se ne sono andati. Loro sanno di poter restare quanto vogliono: il Barone è di casa. Non lo metterebbero mai alla porta nel suo piccolo feudo di Fiorenzuola di Focara.

«Azzurrina?» domanda Mura.

E a Carla non resta che fare lezione.

Nel 1375 Guendalina Malatesta, figlia del conte Ugolino, scomparve dal castello in cui viveva sulle colline sopra a Rimini. Aveva occhi color del cielo e capelli chiari con riflessi azzurrini, da cui il nomignolo. Non venne mai trovata. Ma un suono proveniente da un cunicolo esterno al maniero echeggiava a più riprese nella campagna. Per i contadini era il lamento del fantasma della ragazza.

«Una favola per bambini piccoli, ma proprio molto piccoli» commenta il Barone.

«Non ci hanno girato anche un film?» azzarda il Prof.

Sì, l'hanno girato, ma il punto è che nel 1990 alcuni tecnici del suono vennero in quella zona a realizzare una registrazione. Si udivano dei tuoni, uno scrosciare violento di pioggia e poi uno strano rumore, sempre lo stesso. Ad alcuni ricordava il pianto di una bambina, secondo altri era una risata, secondo altri ancora una parola: forse una richiesta d'aiuto.

«La conoscevo anch'io questa storia» interviene l'Ing. «In tanti sostenevano che si trattasse solo di tuoni e pioggia.»

«Ma poi avete scopato? Fossi scemo, con quel tempo» sghignazza il Barone, citando il finale di una vecchissima barzelletta.

«Tu che ne pensi, Carla?» domanda Mura, serio.

Non pensa niente, ma quel rumore registrato le ricorda Azzurrina. Forse il suono è lo stesso, forse la figlia di Sasha è nascosta nella stessa zona sopra Rimini dove scomparve quella di Ugolino.

«Dov'è il castello?» riprende Mura.

«A Montebello di Torriana, una frazione del comune di Poggio Torriano» precisa il Prof.

«È un posto dove i creduloni vanno da sempre a caccia di fantasmi» minimizza l'Ing.

«Ma è l'unica traccia che abbiamo» obietta Mura. «Forse conviene andare a darci un'occhiata.»

«Forse conviene starne alla larga» dissente il Barone. «Vuoi cacciarti in guai ancora più grossi?»

Per ora non sono stati guai, pensa Mura. Assapora il momento in cui tornerà nel capanno e stringerà di nuovo Sasha fra le braccia. O lei stringerà lui con quelle dita acuminate come artigli.

Servono il dessert: crostata di mirtilli fatta in casa per tutti, più un affogato al caffè, decaffeinato per Mura. È il suo tipico modo di concludere un pasto. «Ce l'avete un affogato?» E se non ce l'hanno non è contento.

«Questo mi piace di te, fra'» non perde occasione di considerare il Barone. «Hai fantasia. A tavola ci sorprendi sempre.» Poi esce a fumare la quinta o sesta sigaretta della serata. Lo seguono anche gli altri, per godersi la vista del cielo stellato. Sulla distesa scura del mare brillano le luci delle barche da pesca. A nord, il chiarore della Romagna. Appena più a sud, quello di Pesaro. E loro nel mezzo. Restano zitti a godersi lo spettacolo.

«Il mare è avvolto nel mistero» sentenzia il Prof.

«Joseph Conrad, op. cit.» precisa la Carla, che glielo sente ripetere da anni.

«Nell'immensità» canticchia il Barone. «Don Backy, op. cit.»

«Ma vaffanculo, uomo senza sentimenti» lo liquida l'Ingegnere.

«Non dire parolacce al mio uomo» lo difende la Raffa.

«Scherza» interviene la Mari. «Gli vuole bene.»

E a riprova dell'affetto, l'Ingegnere gli dà una toccatina al pacco.

«Fai pure, è noto che ti piace» reagisce il Barone.

I suoi compagni di classe, pensa Mura. Ogni volta che si ritrovano, gli stessi stupidi scherzetti. Così ripetitivi che, come in un'altra vecchia storiella, potrebbero recitare numeri al posto delle battute e funzionerebbe lo stesso. Che dono raro e straordinario hanno avuto dalla vita: un'amicizia che dura da quando erano adolescenti brufolosi. Come si chiamava la crema che si dava per i brufoli? Neo-Medrol. Cazzo, venivano fuori sempre il giorno prima di provarci con una ragazza, quei maledetti brufoli. Chissà se esiste ancora, il Neo-Medrol. Che bello potersi ritrovare insieme in queste cene. Da ragazzi fantasticavano di un'età remota, lontanissima, dalle parti di un'imprecisata vecchiaia, in cui avrebbero affittato in gruppo una grande casa di campagna dove passare i fine settimana e le vacanze, loro quattro, le loro donne, le occasionali amichette (quando le donne erano altrove, s'intende). Come in una deliziosa commedia cinematografica francese degli anni Settanta, uscita in Italia con un titolo demenziale: *Tre amici, le mogli e (affettuosamente) le altre.* Titolo quasi obbligato al tempo del cinema erotico soft all'italiana. Quattro amici, le eterne fidanzate e affettuosamente la mia *friend-with-benefits*: lo intitolerebbe così, Mura, il suo film. La casa di gruppo ancora non ce l'hanno, ma un giorno, chissà. Magari proprio a Fiorenzuola di Focara. O a Borgomarina. I due avamposti sul mare in cui lui e il Barone hanno piantato le tende, in attesa di essere raggiunti dal resto della compagnia. Peccato che il trappolo e il capanno siano troppo piccoli per ospitarla al completo.

«Cose per cui vale la pena vivere?» La Carla rompe il silenzio calato di nuovo sul terrazzo.

Un giochetto del dopo cena con cui abitualmente si trastullano.

«A patto di non ripetere quelle della volta scorsa» ammonisce la Mari.

Tanto nessuno se le ricorda.

«Ok, comincio io: i sardoncini di stasera» risponde il Prof accendendo il sigaro, di cui spande nell'aria il fumo provocando colpi di tosse e lamentele. «Davvero squisiti.»

«Sorprendente, non vi pare, che il Prof viva per qualcosa di commestibile» commenta il Barone.

«Il divieto di fumare sigari» dice la Raffa, scacciando il fumo con le mani.

«Bella questa, Bibi» si complimenta il Barone.

Però ha della stoffa la ballerina di samba, riflette la Mari.

«Grazie, Bibi» risponde lei e gli infila la lingua in bocca.

«Una vacanza a Bali» dice la Carla.

«Vedrai che il Prof ti ci porta presto» commenta il Barone. «Adora mettersi in costume.» Nessuno di loro ricorda l'ultima volta che l'hanno visto in braghe corte.

«Una barca a vela di quindici metri» è la scelta dell'Ing.

«Ma dovresti imparare a guidarla» obietta Mura.

«Non è meglio che continui a fare il mozzo sulle barche dei tuoi amici ricchi?» lo provoca il Prof. Ogni estate, l'Ingegnere si assenta per due settimane in una crociera rigorosamente maschile nel Mediterraneo. Fonte di sogni alla Corto Maltese per lui, di prese per il culo per i moschettieri.

«Imparerebbe benissimo» li corregge la Mari. «Anzi ha già imparato.»

«Ok, nostromo.» Mura si mette sull'attenti.

«Vent'anni di meno» dice la Mari.

«Vent'anni di meno, cosa?» domanda il Prof.

«Vent'anni di meno sarebbero un motivo per cui vale la pena vivere.»

«Non ne hai bisogno, tesoro» si complimenta l'Ing.

«Cippa Lippa» gli si rivolge il Barone, con il vezzeggiativo a loro ben noto di *Amici miei*.

«E tu?» chiede la Carla a Mura. «È il tuo turno.»

«Mah. Niente.»

«Come niente?» protestano in coro. «Non è valido!»

«Mi basta una serata così. Va bene questa, come ragione per vivere.»

Lo tempestano di lopez e nocchieri.

«Un pullover di cachemire.» Il Barone mette fine alla tortura.

«Che c'entra il pullover, Bibino?» lo interroga la Raffa.

«È la mia ragione per cui vale la pena di vivere. Se non vado a mettermelo subito, muoio di freddo.»

E con questo si incamminano verso i saluti, dopo avere pagato il conto alla romana e strascicato i piedi sulla piazzetta perdendo altri dieci minuti.

«Ho in macchina quell'estratto conto che vorrei farti vedere» dice il Barone all'Ingegnere, prendendolo a braccetto verso la Porsche – parcheggiata, come aveva previsto il Prof, in un vicolo subito prima del ristorante.

Mura e il Prof li seguono chiacchierando.

«Il momento delle ricettine» commenta la Carla, accendendo l'ennesima sigaretta, quando i quattro sono lontani.

«La fornitura di pilloline blu» assente la Mari.

«Qual era la scusa la volta scorsa?»

«Le nuove esche per la pesca della trota nei fiumi» ricorda l'amica.

Il Barone ha di tutto nella Porsche. Usata, s'intende. Ed è un miracolo che riesca a entrarci lui, per non parlare del passeggero. Ma non è per le esche che si era appartato in auto con i suoi tre amichetti dopo la cena precedente. E non c'è alcun estratto conto di parcelle in cliniche private da mostrare all'Ingegnere, con il Prof e Mura come testimoni. Solo il ricettario da compilare e distribuire agli amici per la pillola dell'amore.

«In fondo siamo noi a guadagnarci» commenta la Mari, aspettando che tornino.

«Basta che fingiamo di non saperlo» concorda la Carla.

«Non sapere cosa?» s'informa la Raffa, andata a riprendere Pelè in ufficio, dove ha continuato a trastullarsi con il telefonino per tutto il tempo della cena, adottato dal barista e nutrito dal cameriere della Rupe.

«Basta che fingiamo di non sapere quando ci rivedremo per un'altra cena» riprende al volo la Carla. «Credo che il Barone abbia in serbo una sorpresa.»

È un po' troppo giovane, la Raffa, per rivelarle che il suo Bibi ricorre a un aiutino: forse ci resterebbe male. Ma una volta o l'altra bisognerà informarla che il Viagra, alla loro età, lo prendono tutti.

19. Bisogna ungere

(Colonna sonora: *Light My Fire*,
Jim Morrison and the Doors)

Il branco è di nuovo lì, davanti al bar all'angolo della stazione. A cavallo delle moto, i ragazzi cinesi sgasano, ridono, schiamazzano. Ogni tanto qualcuno parte e qualcuno torna, impennando la moto, accelerando, inchiodando all'ultimo metro, un attimo prima di andare a sbattere contro gli altri. Allontanatosi di qualche passo dal gruppo, uno confeziona uno spinello nell'oscurità e se lo accende. Il riverbero della brace risplende nel buio.

Sul lato opposto della strada, anche Tina è al buio, dietro le tendine. Osserva la scena prevedendo un'altra notte in bianco. Non li sopporta più. Sarebbe tentata di uscire lei stessa per andare a dirgliene quattro a quei giovinastri.

Li ha sempre amati, i giovani. E per generazioni di ragazzi di Borgomarina è stata un'insegnante sensibile e affettuosa come una madre. Ma adesso è disperata. Deve fare qualcosa. Chiamerà Mura per sapere se ha parlato con i cinesi. I cinesi... i cinesi... non le piace chiamarli così. Non ha niente contro gli immigrati, gli stranieri. Nel piccolo borgo di pescatori ce ne sono tanti: marocchini, nigeriani, slavi, indiani, pakistani, bengalesi. Certo, l'atmosfera nel paesello non è più quella di una volta, quando tutti si conoscevano. Ma Tina, anche a ottant'anni suonati, si considera una donna moderna, al passo con i tempi. È questo il vero motivo per cui non si rivolge al maresciallo. Non vuole passare per una che discrimina i diversi. Che poi quei ragazzi non sono diversi. Non sono neanche immigrati o stranieri: sono nati quasi tutti in Italia e parlano l'italiano meglio del cinese.

Ma ecco che arriva una macchina. Dall'abitacolo proviene una musica, pure quella a tutto volume. È una decapottabile. Marco Tassinari è venuto a comprare le sigarette nell'unico bar tabacchi del paese aperto anche di notte. La bionda l'ha recapitata a destinazione: un provino al Piccolo Paradiso, la discoteca di Rimini. Un tempo ci portava ragazzine del paese che si esibivano come cubiste, dopo averci dato una passata o due, naturalmente. Ora è più complicato. Servono le "influenzate", come le chiama lui italianizzando il termine *influencer*: le ragazze o i ragazzi che influenzano i coetanei sui social network. E per arrivare ai social aiuta fare una comparsata o due in tivù, possibilmente in un reality.

Quella di oggi è stata soltanto una valletta nel talk show calcistico di una tivù di Rimini. Ma ha il fisico giusto e l'hanno presa. Saranno serviti anche i pasticcini di Dolce & Salato da lui offerti a tutta la troupe.

"Bisogna ungere" è il credo di Tassinari: con la crema delle paste o leccando il culo ai potenti. Oppure offrendo una bella fighetta bagnata. O meglio ancora, le tre cose insieme. Non ci ha ricavato tanto: il cinquanta per cento del primo mese di stipendio della velina. Un migliaio di euro, perché non si sprecano a pagare l'influenzata di turno. Non siamo mica a Roma o a Milano. Se ti sbatti, però, in Romagna ci sono quattrini per tutti. Quello che conta è avere una reputazione e lui ce l'ha. Discoteche e disco pub, stabilimenti balneari e centri commerciali continuano a cercarlo come procacciatore di belle gnocche da sfoggiare a eventi pubblici. Non gli bastano i soldi dell'Hotel Bristol. I soldi non gli bastano mai. Accende una sigaretta sulla porta del bar tabacchi, mormorando a conclusione del ragionamento: «Tira più un pelo di figa che... che... che...». Non gli viene da concludere la frase. «Che tutto il resto» sbotta. Ma adesso deve stare attento a non lasciarsi fottere la Mercedes da quella marmaglia gialla: i cinesi si sono messi in cerchio attorno alla decapottabile, non è chiaro se per ammirarla, rovistarci dentro o sfregarla disegnandoci un cazzo con le chiavi della moto. Dalla porta del bar Tassinari non vede cosa combinano. Butta la cicca e allunga il passo verso l'auto.

A distrarre il branco, nello stesso momento, provvede un ciclista avvolto in un pastrano. Avanza su una bici senza luci sovraccarica di pacchi, pacchetti e pacchettini.

«Settecappotti, Settecappotti, ando vai, se la banana non ce l'hai?» Glielo gridano imitando il romanesco, la lingua dei comici in tivù, diventata la loro, con una battutaccia volgare d'altri tempi che è tornata di moda. L'italiano lo parlano bene, il cinese benino, ma il romagnolo no. Mancanza che non li distingue dai coetanei italiani da generazioni: nessuno parla il dialetto, al di sotto degli "enta" e magari anche degli "anta".

Passa sempre di lì, il matto del villaggio, per tornare a dormire nella sua tana nel parco. Ma ora gli sbarrano la strada. Spara una cantilena di madonne all'indirizzo dei giovani centauri. Non che abbia fretta. Vaga, vaga, vaga, in cerca di qualcosa da mangiare, qualcosa da raccattare, qualsiasi cosa. Con i suoi sette cappotti addosso, uno sull'altro, è bagnato fradicio di sudore. Ed è sette volte più faticoso pedalare. Ma d'inverno, quando gela e gli tocca di dormire all'addiaccio, allora sì che gli tornano utili: perciò se li tiene stretti sulla pelle per quattro stagioni, indifferente alla temperatura. La notte, per di più, ammorbidiscono qualunque giaciglio di strada.

«Zò burdél me vag a ca'» intona in dialetto. Fino a ca' ci arrivano a capire.

«E la tua casa, dov'è, Settecappotti? Dov'è?»

Gli tirano giù a pedate i sacchetti colmi di cianfrusaglie appesi al manubrio e al portapacchi. Si sono già dimenticati la Mercedes di Tassinari. Hanno trovato un passatempo migliore.

«E a casa chi c'è che t'aspetta? La moglie? La fidanzata? La ragazza?» lo scherniscono.

Ma Settecappotti, a sentir parlare di ragazze, smette di smadonnare in dialetto e diventa serio. «Aio vest 'na dona» sussurra come fosse un segreto.

«Hai visto una donna?» traduce uno del branco più svelto degli altri. «E com'era?»

Settecappotti scende dalla bici, la poggia a terra con tutte le carabattole che sbucano dalle sporte di plastica, segnala ai ragazzi di allontanarsi per lasciargli spazio e mima quello che ha visto.

Due tettone così: le evoca con le mani. Un culone: altro gesto dalle parti del posteriore, che con tutti i cappotti è già grosso di suo. Poi cammina sculettando su e giù, sporgendo le labbra in fuori per sembrare sexy.

I ragazzi cominciano a palpeggiarlo come se fosse una donna vera e lui riprende a smadonnare piagnucolando: «Mo bast, bast, invurniti!». E cade a terra.

«Basta!» È la voce di Tassinari. Si intromette nel gruppetto tirando uno spintone al cinese più vicino, un mingherlino che vola via ma gli rivolge uno sguardo assassino. È arrivato di soppiatto alle loro spalle per assistere anche lui allo show di Settecappotti. E ora lo difende.

I cinesi se la svignano in una pioggia di vaffanculo. Quello è un uomo fatto. Non fa certo paura al branco. Ma con la mercanzia che hanno in tasca non vogliono storie. Metti che viene la polizia.

«So dove abita» dice uno al compare. «Parcheggia fuori dal Bristol. Stanotte andiamo a forargli le gomme.»

«E gli spacchiamo pure i finestrini» gli dà man forte l'altro.

Settecappotti si rimette in piedi, tira su la bici e ci monta sopra.

«Ma aspetta, patacca. Non mi dici neanche grazie?» lo redarguisce Tassinari. «Sono io che ti ho salvato da quei disgraziati.»

«Grascie grascie» biascica Settecappotti, incerto, e intanto mette il piede sul pedale. «Ma se ti dico di aspettare! Dove scappi?» E per dimostrare le sue buone intenzioni, estrae il pacchetto di sigarette e gliene offre una. «To', fuma, vuoi accendere?»

Settecappotti lo fissa sbalordito, non capita spesso che qualcuno gli dia qualcosa in cambio di niente. Che vorrà questo qui? Gli sarà passato davanti centinaia di volte in vita sua, ma non lo riconoscerebbe se lo rivedesse fra cinque minuti. Il mondo gli appare come dentro una nebbia. Riesce a concentrarsi soltanto su quello che lo interessa: cibo, denaro, sigarette. Prende la paglia, la infila nel taschino della giacca.

«Ma no, che così la rompi. Fumatela. Poi te ne do un'altra» dice Marco.

Il barbone si lascia convincere. Tassinari tira fuori l'accendino e ne accende una anche per sé, come vecchi amici. «Be'» attacca a questo punto, «chi hai visto?»

«Gniente.»

«Dai, patacca. Hai raccontato ai cinesini che hai visto una donna, no?» Gli si illumina lo sguardo. «E com'era? Bona?»

«Nuda, l'era. Aio vest 'na dona nuda!» esplode Settecappotti e per l'entusiasmo gli viene un attacco di tosse che per poco non lo strozza. È un pezzo che non fuma. Ha perso l'abitudine.

«Mo va là, una donna nuda? E andava a spasso da sola per Borgomarina? Ma dove? Ma quando?»

La tosse si calma. Settecappotti guarda Tassinari come lo vedesse solo ora per la prima volta. Non ha più gli occhi del matto. Per un attimo pare tornato in possesso delle sue facoltà mentali. Com'è che le ha perdute? Da quanto tempo è finito a vivere sulla pubblica via? In paese non se lo ricorda più nessuno.

Dice che era sulla spiaggia, la donna nuda, una mattina presto, molto presto, non c'era in giro un'anima. Tranne lui, Settecappotti, accovacciato sotto la tettoia di uno stabilimento sprangato per l'inverno. In quel punto non c'è la barriera di sabbia per proteggere dalle mareggiate. Sicché ha visto tutto. «Aio vest 'na dona» ripete, ma stavolta accompagna le parole con il gesto di qualcuno che tiene in braccio qualcun altro.

«In braccio a uno?»

Settecappotti annuisce.

«E hai visto dove andavano?»

Settecappotti scuote piano la testa. Ma Tassinari sa leggere un volto impaurito. «Se mi mostri dove sono andati, ti regalo tutto il pacchetto.» E glielo porge.

Settecappotti tentenna.

Poi lo prende.

20. Il posto delle fiabe
(Colonna sonora: 7 *Seconds*, Youssou N'Dour)

Due linee di confine, parallele al mare, tagliano il litorale romagnolo. La prima è la linea ferroviaria, che in molte località balneari della Riviera separa la città delle vacanze da quella delle altre stagioni. Una barriera divisoria tra la spiaggia, con tutto quello che ci sta intorno e che le serve, e la vita normale, con scuole, ambulatori, uffici postali, cimiteri.

La seconda linea di frontiera è la statale Adriatica, che divide le cittadine sorte lungo la costa, ingranditesi con il passare del tempo grazie al boom del turismo di massa, dalla campagna. È quasi uno spartiacque temporale: da una parte la Romagna marinara della nuova era, dall'altra quella agricola di una volta. Superate la ferrovia e la statale, entrati in quest'ultima, nella Romagna campestre, ben presto cambia il panorama. L'orizzonte piatto della pianura padana si inerpica verso sudovest in colline prima dolci, poi scoscese, dietro le quali svettano la rocca di San Marino, minuscola repubblica indipendente, paradiso fiscale dove si riversa una parte dei guadagni della Riviera, e più in là le cime degli Appennini.

Nella luce incerta del tramonto, in questa terra di campi di grano e cani che abbaiano legati alla catena, di aridi calanchi e di scroscianti torrenti, di boschi e di orti, di vigne e allevamenti di maiali, polli, vacche romagnole o pecore, in cui non è raro imbattersi in un cinghiale che attraversa la strada con i suoi cuccioli o in un daino che alza la testa in una radura per scomparire in un balzo nel fitto degli alberi, procede la Bmw di Santo e Salvatore Caputo.

I due fratelli sono più accigliati del solito. Ormai hanno capito di avere perso una fonte di guadagni. Non era l'unica, ma aveva un buon potenziale: con il ricatto giusto, quella diabolica russa sarebbe riuscita a incassare molto più delle tariffe da puttana sadomaso. I suoi schiavetti avrebbero finito per intestarle una casa, un negozio, un albergo: c'era gente danarosa, fra i suoi clienti. Qualcuno l'avrebbe anche sposata, per averla tutta per sé o meglio per diventare completamente suo. E non ci sarebbe voluto molto per impossessarsi loro due di tutto.

Sasha era una miniera. Bisognava trovarne un'altra.

La strada sale, si inerpica su per le colline con stretti tornanti, ridiscende a precipizio. Mano a mano che l'auto si avvicina alle montagne, le case si diradano e il paesaggio acquista un aspetto più aspro, selvatico, costellato di terreni incolti. Dopo il rudere di un'abitazione, i fratelli imboccano un tratto di sterrato fino a una sbarra che blocca l'accesso. PROPRIETÀ PRIVATA avverte un cartello appeso alla sbarra, e un secondo, più piccolo, mostra l'immagine di un cane da guardia.

Santo scende, infila una chiave nel lucchetto che tiene fissa la sbarra, la alza, aspetta che la macchina vada oltre e richiude. Ai lati del passaggio, una fitta vegetazione. Da qualche parte, indistinto, l'eco di un trattore. Per il resto l'unico rumore è il rauco *cra-cra* delle cornacchie che volteggiano in cielo. Dieci minuti più tardi il percorso finisce davanti a tre costruzioni in pietra: il casolare principale, la stalla, il fienile. Un dobermann corre loro incontro scodinzolando. Nel cortile è parcheggiato un piccolo fuoristrada. La porta della casa si apre e nel vano compare una donna che alza il capo in gesto di saluto.

La 'ndrangheta opera in Emilia-Romagna dagli anni Ottanta. Ha cominciato seguendo le vie dell'emigrazione dalla Calabria verso il nord, e pure quelle del soggiorno obbligato imposto a qualche caporione, inizialmente a Reggio Emilia e nel Reggiano: droga, appalti truccati nell'edilizia, omicidi su commissione, false fatturazioni le hanno consentito di conquistare in fretta una posizione dominante nella criminalità locale.

In breve tempo le cosche si sono rese conto che la regione era una terra da conquistare, perché più ricca di altre, più estroversa e più accogliente. Una stima della Commissione antimafia calcola che nel primo decennio del ventunesimo secolo il giro d'affari emiliano-romagnolo della 'ndrangheta ha raggiunto i venti miliardi di euro di fatturato annuo. Da ovest a est, i soldi scivolano verso il mare lungo la via Emilia e i clan dei calabresi li seguono, chiedendo il pizzo a discoteche e disco pub, alberghi e birrerie, occupandosi di usura ed estorsione, truffe telematiche e prostituzione, spaccio di droga e contraffazione di denaro.

Non per niente Rimini, la più grande e popolosa località della Riviera, è seconda soltanto a Milano, e precede il capoluogo regionale Bologna, come numero di delitti documentati dall'autorità giudiziaria, con più di ventimila reati all'anno a fronte di una popolazione di appena centomila persone d'inverno. Ma di abitanti, nei mesi estivi, la città diffusa che va da Marina di Ravenna a Gabicce ne conta tre, quattro milioni, e a Ferragosto è la più grande metropoli d'Italia. Non è una vera città, bensì una ragnatela di comunità una contigua all'altra, tenuta insieme da strade e autostrade disseminate di shopping center, autolavaggi, cinema multisale. Una sterminata Los Angeles romagnola.

Le 'ndrine calabresi operano sul principio della riservatezza: il vincolo del riserbo è sacro. Ogni cellula si muove indipendentemente dalle altre, cosicché è più difficile per magistratura e forze dell'ordine, una volta scoperto un affare sporco, risalire da una famiglia a un intero clan. Ma le nuove generazioni, come quella a cui appartengono Santo e Salvatore, sono più spregiudicate. Non si accontentano, diversamente dai loro padri e dagli antichi briganti, di vivere in un tugurio sull'Aspromonte, dove rimanere nascosti per mesi o anni. Vogliono godersi la vita. Credono di essere intoccabili. Hanno la pagina Facebook su cui pubblicano selfie per vantare le proprie ricchezze: la casa, la macchina, la donna. E violano la regola di tenere tutto dentro il clan. Convinti che i vecchi sistemi siano inadeguati, i fratelli Caputo utilizzano ragazzini cinesi per lo smercio dell'erba e della coca. Hanno fretta.

Anche stamane hanno fretta: vogliono rimpiazzare la madre con la figlia. Sveta ha sedici anni. È ancora acerba, ma bella come Sasha. Certo vergine non resterà a lungo, una volta data in pasto ai clienti.

«Magari il culo, per un poco, glielo risparmiamo?» dice Santo al fratello, mentre la sorella Angela serve un bicchiere di vino al tavolo della cucina. Silenziosa e obbediente anche lei: così vogliono le donne. Le loro donne. Tutte le donne. Sebbene negli occhi di Angela baleni un lampo feroce, una forza atavica, sottomessa ai maschi della famiglia ma pronta a esplodere contro chiunque altro. Senza pietà nemmeno per una ragazzina.

«Magari vergine nelle orecchie» risponde Salvatore e scoppia a ridere. Non renderà come la madre, almeno non subito, ragiona il fratello maggiore come se esaminasse una nuova merce. Il mondo è pieno di masochisti che sbavano per una esperta dominatrice. Ma ce ne sono anche tanti che pagheranno caro per una minorenne, che profuma di verginella, per di più. Ammiccano, sentono di appartenere a questa seconda specie: il frustino della russa non li ha mai eccitati.

«Andiamo a domare la cavallina?» propone Santo.

Buttano giù dì un fiato il secondo bicchiere. Salvatore sfila la cintura dai pantaloni. «A me bastano le mani» dice, rimirandosele.

La sorella estrae di tasca una chiave e gliela porge.

«Le hai detto nulla?»

Scuote la testa.

«Meglio così, sarà una sorpresa.»

Svetlana, o Sveta come la chiama sua madre, ha sentito arrivare una macchina. Di solito è il segnale che sta per incontrare la mamma. Ma ha un brutto presentimento. Sono quattro giorni che non ha notizie di Sasha. E ora non ha più neanche il cellulare con cui scambiavano messaggini.

La sera prima Angela, la strega che la tiene prigioniera, l'ha chiusa in bagno e ha messo sottosopra la sua stanzetta-prigione. Quando è rientrata, non c'era più il telefonino.

Le lacrime, Sveta le ha esaurite da un pezzo. Ha pianto abbastanza, prima in Russia, poi ancora di più in Italia. Molte volte ha pensato di uccidersi. O di uccidere, piantando un coltello nel cuore di Angela. Ma non è ancora riuscita a procurarsene uno. La mamma diceva sempre di aspettare, prometteva che l'avrebbe portata via di lì, descriveva un futuro bellissimo, in cui sarebbe stata ricompensata di tutto: avrebbero vissuto sul mare, in una splendida casa, con un uomo gentile che sarebbe stato per Sveta come un padre. E avrebbe avuto tutti i vestiti che voleva. E avrebbero fatto viaggi meravigliosi. E la casa avrebbe avuto una piscina grande così.

Le sembrano fiabe per l'infanzia, ma finge di crederci.

Quando è sola, canticchia una canzoncina che le ha insegnato Sasha: *Moskovski Vecerà*. Ha imparato a tradurla in italiano: «Come siete belle, come siete dolci, notti di Mosca».

Immagina che sia là, a Mosca, il posto delle fiabe dove un giorno la porterà la mamma. Mosca, Mosca, nemmeno la conosce lei, Mosca. Non ricorda niente. Ci saranno case con la piscina? Non sarà troppo freddo, in Russia?

La chiave gira nella toppa. Vede i due uomini, dai loro sguardi capisce cosa l'aspetta e rabbrividisce.

21. In due salti

(Colonna sonora: *I'm Coming Out*, Diana Ross)

«Sveta Sveta Sveta Sveta.»

Se ripete il nome a voce alta, una due tre quattro quaranta quattrocento volte, sua figlia la sentirà?

Sasha non crede in Dio, anche se qualche volta lo invoca: come si può credere in Lui, se lascia che i bambini soffrano? Se esistesse, avrebbe dovuto salvare Svetlana da un pezzo, liberare lei e permettere a entrambe di fuggire, di andarsene lontano da lì.

Evidentemente Dio non esiste. Oppure è sordo alle sue preghiere. E allora deve arrangiarsi da sola.

Il capanno, dopo quattro giorni, le sembra una prigione. Mura non l'ha chiusa dentro, ma l'ha avvertita che è meglio rimanere nascosta. Ha ragione. Ma è insopportabile restare lì ad aspettare... Cosa, poi?

Promette di aiutarla, quest'uomo, però non le ha detto come. E più rimane nascosta, più teme che succeda qualcosa di brutto a sua figlia. Teme per sé, dopo quello che ha passato in mare, ma ancora di più per Sveta.

«Sveta Sveta Sveta Sveta Sveta Sveta Sveta.»

Se sua figlia potesse sentirla...

Esce in terrazzo, almeno c'è più aria. Arrivano i rumori del mare, i motori delle imbarcazioni, il vocio della gente a passeggio lungo il molo. Aria di libertà. Siede al buio nella sdraio, con una birra che le ha portato Mura, le sigarette che le ha portato Mura, la cioccolata che le ha portato Mura. Birra, sigarette e cioccolata: è la sua cena. Non riesce a mandare giù altro, stasera. Non c'è altro. Sembra una brava persona, il tipo del capanno. Ma vai a fidarti. La prima cosa è scoprire dov'è Sveta. La seconda…

Un rumore la fa sobbalzare.

Qualcuno sta provando a forzare la porta del capanno.

Dal terrazzo percepisce chiaramente il cigolio della maniglia che si abbassa due, tre volte inutilmente, perché su insistenza di Mura, che di solito la tiene sempre aperta, stavolta lei ha dato due giri di chiave alla porta.

Balza in piedi, rovesciando la bottiglia di birra.

Una spallata o uno spintone o un calcio contro la porta. E contemporaneamente il suono metallico di uno strumento che preme conto i cardini per farli saltare.

Non ci vorrà molto prima che venga giù. Sasha raccoglie dal letto la sacca che le ha portato Mura. Torna in terrazzo. Scavalca la balaustra, calandosi di sotto, fra le rocce e le palafitta del capanno, nel momento esatto in cui qualcuno sfonda la porta.

Non aspetta di vedere chi è. Si aggrappa agli scogli, due salti e raggiunge il molo. È ancora abbastanza vicina da sentire i passi dell'intruso sulle assi di legno del terrazzo. Ci metterà un attimo a capire che lei non c'è. Ha il vantaggio di una manciata di secondi per scomparire. Le passa davanti, lungo il canale, una barca da pesca. I marinai, a prua, la guardano e lanciano fischi di approvazione. L'imbarcazione sfiora il molo. Sarà a un metro e mezzo di distanza. Un altro balzo e Sasha precipita a poppa. Rotola fino alla botola riempita di pesce e ci scivola dentro. Puzzerà, ma lì dentro nessuno può vederla.

Quando Tassinari riemerge sulla porta divelta del capanno, il molo è deserto e sul canale c'è solo una barca da pesca che si allontana, rientrando in porto.

«Merda!» impreca. Torna all'interno. Fruga in bagno, rivolta il letto. Cerca abiti femminili, tracce di rossetto sui bicchieri o sulle sigarette che ingombrano il portacenere: niente. Annusa se un profumo da donna è rimasto nell'aria delle due stanze: nulla. Esce di nuovo in terrazzo. Una bottiglia di birra rovesciata. E allora? Può essere lì da ore.

«Settecappotti!» ringhia. Una bestemmia. Un'altra. «Imbezel!» Si dà una manata sulla testa. Quel vagabondo ubriacone avrà sognato. Sarà stato ubriaco. O magari ha semplicemente sbagliato capanno?

«Giù in fondo» gli ha detto. E se si fosse confuso, ritardato com'è? O si è inventato tutto per un pacchetto di Marlboro? La donna nuda sulla spiaggia è stata soltanto una sua fantasia? Però che coincidenza, Sasha sparita in mare una sera e Settecappotti che vede una donna sulla spiaggia il mattino dopo...

«Grazie del passaggio» dice Sasha arrampicandosi fuori dalla fossa del pesce ai tre marinai che la guardano con un misto di sbigottimento e desiderio. Non hanno mai pescato una preda così bella.

«Ehi, sei un delfino o una sirenetta?» dice il più basso del terzetto, scoppiando a ridere. Ha l'accento straniero e la pelle scura del Nord Africa. Gli altri due sembrano italiani. Il battello ha virato verso il porticciolo commerciale, dove sono ancorati yacht medio-piccoli, barche da pesca con la torretta, barchini a vela di varie dimensioni e tanti motoscafi.

«Scusate» e Sasha accetta la mano di quello che la tira fuori dal buco. «È stato per... per una scommessa. Volevo vedere se riesco a saltare al volo su una barca, come da piccola.»

Chiedono dov'è che saltava sulle barche, da piccola.

«Eh.» Un gesto vago, senza precisare.

Domandano da dove viene.

«Abito anch'io qui.» Un gesto in direzione di Borgomarina. «Magari ci vediamo.» Due degli uomini scendono per legare la barca agli ormeggi. Lei ne approfitta per sgusciare via, con un passo è sul moletto. Conosce abbastanza bene i maschi per giudicare che questi tre sono innocui. E anche ingenui, fortunatamente.

Ma adesso il problema è dove nascondersi, pensa mentre si incammina verso l'uscita del porticciolo.

«Sveta Sveta Sveta.»

Si ricorda di un'altra barca e torna sui suoi passi.

22. Viene da Pola

(Colonna sonora: *Tracks of My Tears*, Smokey Robinson and The Miracles)

SERATA SPECIALE CON LOLA, LA FAMOSA PORNO STAR. INGRESSO 20 EURO CON CONSUMAZIONE.

Il manifesto all'ingresso della Gatta spiega perché stasera il parcheggio è pieno. Ed è passata da poco mezzanotte: si riempirà ancora di più prima dell'una, quando comincia lo show. O, meglio, il pezzo forte dello spettacolo, che è iniziato già da una mezz'ora con le ragazze a dimenarsi e spogliarsi sulla piattaforma illuminata, tre canzoni per ciascuna, poi via, avanti un'altra. Ma quelle sono le solite: tutti gli avventori le conoscono già, parecchi anche intimamente. Lola invece è un'attrazione che capita una volta ogni tanto.

«Fata roba!» dice Carlone Zaghini, seduto a un tavolino d'angolo con due amici. «Si chiama Lola, viene da Pola» canticchia uno dei suoi compari, mentre le entraîneuse del locale sciamano attorno al terzetto cercando di farsi offrire da bere. Un vecchio ritornello sconcio. Ma Zaghini non è venuto per loro. E nemmeno per Lola la pornostar. È venuto per Sasha. Non che sia sicuro di trovarla. Al night ci andava di rado, in cerca di nuovi clienti.

«Te lo ripeto, Carlo, sono cinque giorni che non la vedo» gli ha risposto poco prima la tenutaria alla cassa.

Be', ha il telefonino spento, al night non si vede, allora è proprio sparita per sempre dalla circolazione? E quel ladruncolo che ha frugato nella cabina del Bagno Adriatico, allora, chi ce l'ha mandato?

Non è mica scemo, il bagnino Zaghini. Non è scemo per niente. Si guarda le mani, grosse come pale di un remo: se ce l'avesse qui, il tizio che è andato a rubare nel suo stabilimento, proprio la sera che lui voleva dare una bella pulita, disfarsi di tutto… Bene, vediamo se la russa è davvero scomparsa. Vediamo se non viene neanche stasera.

«Dottore, buonasera.»

Ermete Calzolari non risponde al saluto della cassiera. Preferirebbe non essere riconosciuto, tantomeno annunciato, ma frequenta la Gatta da troppo tempo per poter sperare nell'anonimato. Però non gli piace lo stesso. Quando era molto più giovane, ci veniva con gli amici: per fare gli asini, si diceva così, allora. Avevano tutti la morosa, poi la fidanzata, quindi la moglie, e il night era un porto sicuro per una serata fra soli uomini. Soli per modo di dire: lasciavano a casa le donne, perché lì ce n'erano quante volevano. Altri tempi. I night club erano luoghi eleganti, quasi raffinati.

Adesso siede per proprio conto su un divanetto, respingendo con cortese fermezza le signorine che gli posano la mano sulle ginocchia, ora un po' più su, adesso sulle cosce, infine sulla patta.

«Un amaro» dice Ermete al cameriere. Non è un'ordinazione da night club, quella. Più da indigestione, per uno che ha mangiato troppo e a cui è rimasto un boccone sullo stomaco. Che non va né su né giù.

Si chiama Sasha, il boccone indigesto.

Il notaio è un uomo ordinato, come la sua professione. Aveva predisposto tutto per cambiare vita. Ma voleva cambiare con

Sasha: non senza di lei. E adesso è pentito di non averle detto tutto quando poteva. Deve sapere se la bizzosa padroncina è ancora in giro. Se avrà una seconda chance. E questo è l'unico luogo in cui può indagare senza suscitare sospetti.

Si alza, torna dalla cassiera. «Hai visto la russa?»

Quella scoppia a ridere.

«Cosa c'è di buffo?» si irrigidisce il notaio Calzolari, come se avesse compiuto una mossa falsa.

«Niente» replica la tenutaria. «A parte che lei è la seconda persona che me lo chiede, stasera, se ho visto Sasha.»

Calzolari tace.

«Be', non è strano, è una magnifica ragazza» continua la cassiera. Conosce il motivo per cui la cercano in tanti. I giochetti di Sasha devono essere un inferno paradisiaco per quei masochisti.

«Dunque?» riprende il notaio.

«Cosa?»

«L'hai vista?»

Gli dà la stessa risposta che ha dato prima a Zaghini e qualche giorno fa a Tassinari: «Ne abbiamo altre, di belle figliole, qui dentro».

Il notaio scuote la testa, biascica «No, grazie», torna al tavolo, finisce l'amaro, paga e s'avvia all'uscita.

«'Sera» lo saluta il buttafuori vedendolo già tornare verso la macchina.

«'Sera» risponde Calzolari.

Ha fatto tre passi quando il tipo muscoloso alla porta lo richiama. «Dottore?»

Ermete si gira, lo fissa con uno sguardo seccato, torvo. Come si permette di importunarlo? Sembra un duro, il signor notaio. A modo suo lo è, nel mestiere, in famiglia, nella vita ufficiale. Soltanto nella vita clandestina, nascosta, ha bisogno di volare basso, obbedire, umiliarsi.

«Ho sentito che cercava la russa, dottore.» Ha l'accento del sud.

«Sai dov'è?» gli scappa fuori troppo in fretta. Si morde la lingua.

«No, dottore. Ma ci sarà presto un'altra russa in giro, se le interessa.»

«Che genere di russa?»

«Carne fresca, Molto fresca. E sarà ancora più fresca per il primo che se la prende, se capisce che intendo.»

Crede di avere capito, Calzolari. Non è la giovinezza, l'elisir della sua perversione. Non cerca lolite, tantomeno vergini.

Ripete il cenno che ha rivolto alla cassiera: no, grazie.

«Se cambia idea, io sono sempre qui» replica l'omone e accende una sigaretta.

Quando il notaio raggiunge la macchina, si gira per vedere se il buttafuori lo sta guardando. Ma quello fuma dando l'impressione di essersi già dimenticato di lui.

23. Que será, será

(Colonna sonora: *Please Mr. Postman*, The Velvelettes)

Hanno riaccompagnato Mura fino a Borgomarina. L'Ing e il Prof, con lui sulla Golf bianca a tre porte. Dietro, la Carla e la Mari sulla Panda. Le due donne ci sono abituate: gli amici vanno lasciati insieme fino all'ultimo momento. Possibilmente soli, specie dopo cena. Così si sfogano, ruttano e scoreggiano come se fossero ancora a scuola, accusandosi reciprocamente per la puzza.

«Sei stato tu!»

«La prima gallina che canta ha fatto l'uovo.»

«Riconosco il tuo profumo.»

«Hai mangiato un topo morto?»

E amenità simili.

I discorsi delle ragazze sono meno infantili.

«Ma secondo te, Mura è innamorato cotto di 'sta russa?» chiede la Carla.

«Innamorato, conoscendolo, è una parola grossa» risponde la Mari.

Però concordano che sembra preso: non si sbatterebbe così solo per una scopata.

«Che peraltro deve essere già avvenuta» osserva la Mari.

«Mi dispiacerebbe per Caterina» dice la Carla.

«Non mi pare che stiano davvero insieme» obietta la Mari,

sottolineando che la giovane inviata di guerra va e viene quando le pare. In effetti la incontrano di rado.

«Ma a me è simpatica» insiste la Carla, alzando le spalle. «È in gamba e lo mette in riga. Mi ci sto affezionando.»

«Que será, será» taglia corto la Mari. Non è fatalismo. È che l'amore, secondo lei, assomiglia a un vento che ti scompiglia i capelli: non si può prevedere quando gira e cambia direzione. Lasciarlo spirare sempre dallo stesso verso, come succede a lei e l'Ing da qualche anno, è un piccolo miracolo. Per trent'anni, nel caso della Carla e del Prof, le pare una perversione. Ma in queste cose non esistono formule: qualunque teoria può essere prontamente smentita dai fatti.

Dopo due matrimoni e troppe storie triennali finite male, Mura assicura di non volere più rapporti consolidati, giura di essere felice con una scopamica come la Cate: passano cinque minuti e zac, potrebbe essere fregato dalla Russia con amore.

Al ritorno hanno preso l'autostrada. Sia perché il putan tour con fidanzate al seguito non sarebbe carino, sia perché è tardi, hanno bevuto troppo e, depositato Mura a Borgomarina, i due equipaggi devono proseguire fino a Bologna.

Vanno piano: se la polizia li ferma, con tutto l'alcol che hanno in corpo, addio patente e multa salatissima.

«Stasera non abbiamo parlato di politica» dice l'Ingegnere.

«Troppo deprimente, ma nemmeno di sport» puntualizza il Professore. Anche quello non li rende allegri. Il Bologna Football Club, la loro squadra del cuore, non vince lo scudetto dal 1964, quando andavano alle elementari. E preferivano la Virtus Pallacanestro quando aveva soltanto uno straniero, John Fultz o Terry Driscoll, anziché cambiare giocatori, allenatore e sponsor tutti gli anni.

«Rimedieremo la prossima volta» taglia corto Mura, più taciturno del solito.

In auto ha inviato un messaggino al Barone. Gli ha chiesto di rivedersi la sera seguente per andare a cercare la figlia di Sasha sulle orme del fantasma di Azzurrina. È una follia, ma è l'unica traccia che ha: uno strano rumore sulle colline della Romagna.

Lo lasciano davanti al molo di Ponente.

«Andate piano, eh» si raccomanda Mura.

«Con un ferrovecchio come questo, ci puoi giurare» lo tranquillizza il Prof.

«Parla quello che ha un bolide di Formula Uno in garage» lo rimbecca l'Ing.

Non si riferisce alla Panda, che è della Carla, sempre pronta a prestarla al fidanzato storico, bensì alla moto: una Vespa 125, unico mezzo di trasporto del Professore, che rifugge dalla proprietà privata, vive in affitto e non ha neanche la macchina.

«Sta' tranquillo» rassicura la Carla dal finestrino della Panda in questione, accendendo un'altra sigaretta. «Stiamo davanti noi e non ci lasciamo sorpassare.»

«Ok» concorda Mura mandando un bacino con le mani alle due donne. «E niente gossip alle mie spalle» ammonisce, rivolto a tutti e quattro.

«Su questo non posso garantire» ridacchia la Carla.

«Vacci piano, amico» conclude il Prof.

«Non è gazzosa» gli fa eco l'Ing.

È una battuta insensata che ripetono da quarant'anni.

Sembrano due vecchi comici del varietà.

Ma si divertono lo stesso.

Per Mura il rumore e l'odore del mare sono diventati l'aria di casa: gli basta la camminata solitaria lungo il molo fino alla porta del capanno, al rientro dalle serate in compagnia, per apprezzare la scelta di essersi ritirato lì. Adesso, però, a casa c'è qualcuno che lo aspetta. In auto, sulla strada del ritorno, ha ingoiato una pillolina blu, nella speranza che Sasha sia sveglia. O si svegli per lui. E lo accolga di nuovo nel suo letto.

Le luci del capanno sono accese: dunque è sveglia. Lo immagina con un senso di delusione: se l'aspettava a letto, al buio, addormentata o con gli occhi sbarrati, non in giro per casa. Le sarà venuta fame? Si chiede se ha preso abbastanza da mangiare. Avrebbe dovuto comprare anche gli ingredienti per cucinarle uno spaghetto di mezzanotte.

Tranne che mezzanotte è passata da un pezzo.

Tranne che avrebbe voglia d'altro con lei, non di spaghetti.

Tranne che la porta del capanno è spalancata. Anzi, divelta.

Tranne che Sasha, quando Mura salta i gradini tre alla volta e piomba nel capanno illuminato a giorno, non c'è più.

È tutto sottosopra, come se ci fosse passato un uragano.

Andrea ci mette un attimo a capire che Sasha è scomparsa. Ma controlla una seconda volta per essere certo di non avere le traveggole. In cucina gira attorno al tavolo. Apre perfino il frigo, meccanicamente: l'avranno fatta a fette e nascosta lì dentro? In bagno scosta la tenda della doccia: sgocciola come sempre, ma Sasha non è lì dietro, terrorizzata come nel film cult di Hitchcock. In camera da letto, i comodini sono aperti e i vestiti sparsi sul pavimento. Non che ci sia voluto tanto. Sono quattro stracci. In terrazzo raccoglie una bottiglia di birra vuota da terra. Si sporge dalla balaustra. Tira su la rete, come se potesse ripescare Sasha o almeno un indizio. Nulla.

E adesso?

Guarda la massa scura dell'acqua in cerca di una risposta, ma arriva solo lo sciabordio delle onde sotto il pontile del molo.

Perché se n'è andata così, senza aspettarlo, senza dire niente?

Mura torna dentro. Rimette i vestiti sull'armadio. E il suo computer, accidenti?

Lo trova sul pavimento. Preme l'interruttore, ma non si accende.

«Merda!»

E perché gli ha scassato il PC prima di fuggire?

Fuggire... da cosa?

Torna sulla porta, controlla lo stipite. Quasi staccato. La serratura: distrutta.

«Soccia!»

Questo è dialetto bolognese, non romagnolo. Alla lettera vuol dire succhia. Ma a Bologna si usa per qualunque esclamativo. In questo caso significa: accidenti!

Qualcuno ha forzato la porta di casa e l'ha portata via. Non ci sono segni di lotta, tantomeno di sangue: forse ha seguito il suo rapitore senza discutere.

A meno che...

Mura torna in terrazzo. Prende in mano la bottiglia che aveva lasciato su un tavolino. La posa di nuovo per terra nello stesso punto in cui era prima. Misura con lo sguardo la distanza dalla porta del capanno. Si sporge di nuovo dalla balaustra del terrazzo.

Davanti c'è il mare. E se fosse riuscita a scappare tuffandosi? Ha detto di essere una nuotatrice provetta. Oppure...

Fissa lo scoglio più vicino. Saltando sullo scoglio del molo, gettandosi dalla balaustra del terrazzo: potrebbe essere fuggita così.

Ma ci sarà riuscita? E ora come può ritrovarla?

Sasha non ha neanche un telefonino. Né lui le ha dato il numero del suo.

Torna all'interno, spegne le luci, prende la bicicletta, socchiude la porta e pedala frenetico lungo il molo deserto.

«Sasha» mormora. Vorrebbe gridare, nella speranza che sia nascosta da qualche parte, lì vicino, nell'oscurità, e lo senta.

Raggiunge l'imboccatura del porto: alla luce dei lampioni, non si vede un'anima in giro. Attraversa il paese pedalando come un forsennato: la piazzetta, il porto canale, la chiesa parrocchiale, la rotonda del caffè Dolce & Salato, la ferrovia. Al bar della stazione, un crocicchio di ragazzi che ridono a cavalcioni dei motorini: la banda dei cinesi, davanti all'unico bar ancora aperto della cittadina, gli stessi che infastidiscono la zia Tina. Ci si precipita dentro, ma a parte i ragazzi e il barista non c'è nessuno. È tentato di chiedere se hanno visto una russa, ma rinuncia. Perché mai Sasha si sarebbe nascosta lì? Per chiedere aiuto, forse?

«Hai visto una donna, stasera?» domanda alla fine, in tono brusco, al barista.

«Una? Ne ho viste tante» replica quello.

Mura torna fuori, inforca la bici, riparte. Se lui non trova Sasha, l'unica speranza è che Sasha ritrovi lui. Ma la sola persona che incrocia, all'angolo del canale, pure lui in bicicletta, è quel fantasma disperato di Settecappotti, il matto del villaggio.

24. Conciata così

(Colonna sonora: *Super Freak*, Rick James)

«Fai la brava e andrà tutto bene.» La donna richiude la porta e la lascia sola.

Sveta è in una stanza illuminata soltanto da un abat-jour che spande una luce rossastra sulle pareti spoglie. Vicino al paralume c'è un letto matrimoniale. In un angolo un separé. Dietro il separé, un bidet portatile e un mobiletto con un paio di bottiglie d'acqua, asciugamani, un rotolo di Scottex, due confezioni di preservativi e una scatola di fazzolettini igienici.

Non ci sono finestre.

La donna non ha chiuso la porta a chiave, ma quando sono entrate nella piccola abitazione a un piano c'era un uomo ad aprire. I suoi carcerieri sono almeno due. Di lì non sarà facile scappare.

Si tocca fra le gambe e non trattiene un mugolio di dolore.

Il giorno prima quei due l'hanno pestata per bene. Non le hanno lasciato segni in volto ma l'hanno lo stesso ridotta male. Il male se lo aspettava non appena ha capito che intenzioni avevano. La paura no. Credeva di non avere più paura di niente. Invece ce l'ha. Paura delle loro minacce. Paura di morire. Segno che desidera ancora vivere. Anche da sola. Anche senza la mamma, perché ormai è convinta che non la rivedrà più.

«Dov'è mia madre?» ha urlato alle due bestie che le strappavano i vestiti.

Le hanno risposto come la donna che l'ha accolta in questa nuova prigione: «Ubbidisci e la rivedrai».

No, è chiaro, non la rivedrà. La mamma deve essere morta. Se fosse viva, l'avrebbe difesa. Avrebbe impedito che la torturassero così. E che ora la costringessero ad altre torture.

La porta si riapre. È la stessa donna di prima. «Hai fame? Ti ho portato da mangiare.» Posa un vassoio sul comodino davanti al letto: sopra ci sono un panino al salame, un sacchetto di noccioline, una tavoletta di cioccolato. E un bicchiere. Vuoto. «E da bere» aggiunge la donna, estraendo dalla tasca del grembiule una bottiglia di vodka. «Con questa dimenticherai tutto. Prendine quanto vuoi. Se la finisci ne avrai un'altra. È quello che bevono dalle tue parti, sai?»

Sveta non risponde niente.

«Non si dice grazie?»

«Grazie.»

Le ricorda di comportarsi bene quando incontrerà il primo cliente. «Sentiamo tutto, di là. Niente capricci o sai cosa ti aspetta.» E se ne va.

Glielo hanno spiegato i due fratelli, come deve comportarsi, dopo averla violentata. Non ci voleva credere. Dopo che l'hanno violentata per la seconda volta, alle loro domande ha risposto di sì con un gesto soltanto.

«Allora non c'è bisogno che te lo spieghiamo per la terza volta?»

Un segno con la testa: non c'è bisogno.

«E non frignare, scema» le ha ordinato quello più vecchio.

«Ti piacerà, troietta» ha aggiunto l'altro. «Ho capito che ti piaceva anche con me. Tornerò a trovarti.»

«Non ti innamorare del mio fratellino, eh?» ha detto il primo. E sono scoppiati a ridere.

Sveta apre la bottiglia di vodka, annusa il contenuto. L'odore non le piace e non si azzarda nemmeno a provare il sapore. Non ha mai bevuto alcolici: neanche una birra o un bicchiere di vino. Ma ha visto come bevono gli attori nei film e nei serial in tivù, l'unica sua distrazione nella casa prigione sperduta in campagna.

Quella era l'unica cosa che sapeva: di essere prigioniera da qualche parte in campagna. Non tanto lontano dal mare, le diceva la madre. Il mare... Quanto avrebbe voluto vederlo. Le sembrava che fosse la via per la libertà. Da lì dovevano scappare, lei e la mamma. Una barchetta le avrebbe tratte in salvo. E adesso dov'era?

Qualche ora prima i due che l'hanno menata sono tornati a prenderla. Quando Angela è andata a chiamarla, non voleva uscire. Ma poi sono arrivati loro e hanno chiesto: «Vieni con le buone o con le cattive?».

Li ha seguiti.

Le hanno messo un bavaglio sulla bocca e hanno ordinato di entrare nel bagagliaio della macchina. Non aveva un orologio. Non sa quanto tempo è passato. Era troppo impegnata a respirare dal naso e non rompersi la testa con tutti quegli scossoni, per poter pensare ad altro.

Poi ha sentito un cancello aprirsi, l'auto si è arrestata e hanno aperto il portabagagli, lasciandola nelle mani di quell'altro uomo e della donna.

Sveta fissa il panino con un senso di nausea: ha lo stomaco chiuso, anche se da quando è successa quella cosa ha bevuto soltanto qualche sorso d'acqua.

Apre la vestaglia che la donna le ha dato da indossare. Addosso ha un reggiseno e gli slip. Le hanno ordinato di mettere anche quelli e un paio di scarpe con i tacchi così alti che non riesce quasi a camminare. Le hanno portato via i suoi vestiti. Conciata così, dove potrebbe scappare? Si vergognerebbe a uscire in strada.

La porta si riapre.

L'uomo che entra è anziano e ha un gran pancione. «Ciao bellezza» la saluta.

Sveta tace.

«Sii gentile con il signore» sono le ultime parole che sente dalla donna, prima che richiuda la porta.

Sempre la stessa musica. Brava, gentile, ubbidiente.

L'uomo le chiede come si chiama.

Sveta risponde con un filo di voce.

«Lilly?» domanda quello.

Lei annuisce. Le hanno spiegato che qui si chiamerà così.

L'uomo siede sul letto e le indica di mettersi sulle sue ginocchia.

Le sfugge un singhiozzo.

«Non avere paura» la tranquillizza. Ora vuole che sieda accanto a lui.

Sveta obbedisce.

Lui le apre la vestaglia e gliela sfila.

La ragazza guarda dritto davanti a sé.

Il tipo tira giù i calzoni. Le prende una mano e gliela guida. Poi la piega verso di sé.

Quando ha finito le dà una carezza. «Verrò di nuovo da te. Sarai la mia bambina.»

Di nuovo sola, dietro il separé, Sveta ha un conato di vomito: ma dallo stomaco esce soltanto saliva acida.

Aveva nascosto la bottiglia di vodka dietro il comodino, non voleva neanche vederla. Ora torna a prenderla. Ne beve un sorso. Il liquido le esplode in gola, tossisce violentemente. Le sembra di soffocare. Le bruciano gli occhi. Ma quando la tosse e il bruciore si placano, beve un secondo sorso, più piccolo. Poi un terzo.

Mezz'ora dopo la porta si riapre. Le gira la testa e capisce a stento quello che succede. La donna aveva ragione. La vodka funziona.

25. Cippa Lippa

(Colonna sonora: *My Sharona*, Ramones)

Si aspetta di vederlo arrivare sulla Porsche. «Usata, s'intende.»

Invece il Barone viene a prenderlo sulla Golf bianca tre porte dell'Ingegnere. Con l'Ing al volante e il Prof dietro.

«Cos'è, una gita scolastica?» dice Mura quando l'auto si ferma davanti al Marè, l'ultimo stabilimento sul molo di Levante.

Il Barone scende per alzare il sedile e lasciarlo sedere di dietro.

Di solito la procedura scatenerebbe battute di scherno sull'Ing, che per risparmiare, quando ha comprato la Golf, l'ha presa bianca, costa meno, e a tre porte, costa ancora meno.

«Risparmiare perché?» direbbe il Barone.

«Per i troppi figli da mantenere» commenterebbe il Prof.

Ma stavolta si astengono dal tormentone.

«Perché quest'aria mogia da funerale?» chiede Mura.

«Ti ho tradito» ammette il Barone mentre la Golf riparte.

«Non sarebbe la prima volta, fedifrago.»

«Quando ho letto il tuo messaggino mi sono preoccupato, fra'.»

«E allora ha chiamato anche noi due, così ci preoccupiamo in quattro» interviene l'Ing. «In caso ci sia bisogno di menare le mani.»

«Genere "arrivano i nostri" al cinema?» lo provoca Mura.

«Uno per tutti, tutti per uno» chiosa il Prof.

«Non c'è niente di cui preoccuparsi» ribadisce Mura. O almeno spera. Comincia ad avere dei dubbi.

Non è stata una giornata senza pensieri. Dopo avere girovagato in bicicletta in cerca di Sasha fino alle tre del mattino, è rientrato al capanno. Nonostante la stanchezza, si è assopito soltanto per un paio d'ore: un sonno disturbato da sogni poco piacevoli, anche se al risveglio non riusciva a ricordarli. Si è domandato se la persona che gli ha distrutto la porta sarebbe tornato a trovarlo. Al mattino, per prima cosa ha ragionato che bisognava chiuderla, la porta del capanno, così ha chiamato la ferramenta e dopo un paio d'ore un fabbro è venuto a rimettere a posto serratura e stipiti.

«Che hai combinato, hai tirato dritto senza vedere la porta, stanotte?» gli ha detto l'operaio.

«Lasa 'nde» si è limitato a rispondere in dialetto. Lascia andare. Il fabbro ha capito subito che qualcuno gli ha scassato la porta. «È più pulid l'ha la rogna» ha commentato.

Mentre quello lavorava, Mura rifletteva. E l'unica idea che gli è venuta in mente è che ora oltre alla figlia deve cercare la madre. Due russe invece di una. Bel progresso.

Nel frattempo, gli ha telefonato la Tina Fabbri: di nuovo con la storia dei cinesini che non la lasciano dormire la notte. Scuse per non essersene ancora occupato. Con quello che gli sta succendo, ci mancava anche questa. Uno per tutti, tutti per uno? Si sente come D'Artagnan che sfida i tre moschettieri uno dopo l'altro. Il suo problema è sempre stato la bulimia della vita: non riuscire a dire di no a niente. Uno psicologo sosterrebbe che c'è dietro insicurezza, incapacità di scegliere. Un uomo indeciso a tutto. Era una battuta di Flaiano. Perciò dice sempre di sì e poi si pente.

Dovrebbe prendere la vita come il Barone: «La mia parola è una sola: forse».

È il suo motto preferito: «Forse». Non "sì" e nemmeno "no", non impegnarsi mai definitivamente. Il segreto, sostiene il Barone, è accettare la propria natura anziché combatterla. Una donna ti chiede se la ami? Forse. Gli amici domandano se sei libero sabato sera? Forse. L'ospedale di Pesaro vuole sapere se accetteresti il posto da primario della gastro? Forse. Anche per quello, infatti, ci ha messo cinque anni a decidere se trasferirsi sull'Adriatico o restare a Bologna. E adesso: ritrovare Sasha e figlia? Forse. Soccorrere le due russe perché si è innamorato di Sasha? Forse.

«Ormai il Barone è maturo per una seconda specializzazione: in psicoanalisi» commenta l'Ingegnere come se leggesse nei pensieri di Mura. «I pazienti stesi sul lettino.»

«Le pazienti, se si tratta di lettino» precisa il Prof.

«Dieci anni di psicanalisi sono serviti» finge di offendersi il Barone.

«A liberarti dal senso di colpa di essere un comunista con la Porsche» gli rammenta l'Ingegnere.

Alla combriccola è tornata la voglia di scherzare. Ma non a Mura.

«Villa Inferno, Premilcuore, Villa Perduta, Carnaio, Tomba…» legge ad alta voce i cartelli stradali a un incrocio della provinciale che dalla campagna si inerpica verso le colline. «Allegria, come diceva Mike Bongiorno.»

«Questo mi piace di te, fra'» replica il Barone. «L'ottimismo incorreggibile.»

Le battutine del Barone. Che poi Mura non è un pessimista: anzi è il più ottimista dei quattro. Il Barone ci scherza su ma ha una sua teoria. L'ha esposta agli altri due amici.

Lungo il tragitto per Borgomarina.

C'entra l'inconscio.

Altre spiritosaggini sui suoi dieci anni di apprendistato dallo psicanalista.

«No, dico sul serio.»

La teoria del Barone è che a Mura prudono le mani. Sembrava che avesse digerito bene il pensionamento: smettere di lavorare con almeno cinque anni in anticipo, chiudere tutto e non scrivere più neanche una parola, trasferirsi al capanno da pescatore, mantenersi in forma con le corsette all'alba, farsi qualche partitella a basket con i vecchi amici. E poi una scopatina ogni tanto, senza impegno, con la sua amichetta. Invece è probabile che ci stia male. Si sente messo in soffitta. Ogni volta che la Cate gli telefona o gli manda un messaggio da qualche fronte di guerre e rivoluzioni, ci rimane male. Vorrebbe esserci lui, al fronte.

È vero che, dopo avere viaggiato tutta la vita, esplorato il mondo in lungo e in largo, vissuto alla grande, grandi alberghi, grandi ristoranti, grandi incontri, può venire la tentazione del ritorno al paesello natio.

«Mica è nato a Borgomarina» obietta l'Ing.

Poco importa: Borgomarina è il simbolo di casa, il richiamo della foresta. La sua Itaca. E da Omero in avanti, è una fantasia che attrae. Ma chi ci crede davvero che Ulisse, dopo tutte quelle avventure, quelle donne, quella scorpacciata di adrenalina, avrebbe vissuto felice i suoi ultimi giorni con la casalinga Penelope, il figlioletto Telemaco e l'orticello da coltivare?

«L'orticello lo coltivava Candido, non confondere» corregge il Prof.

Si becca un affettuoso vaffanculo e il Barone va avanti nella sua metafora. Cioè questo si è scopato Atena, Calipso, Circe…

«È Circe che si è scopato lui, e pure i suoi marinai» azzarda l'Ing.

«Finite sempre per parlare di figa» sentenza il Prof.

Battutacce per smussare l'atmosfera. La verità è che concordano con il Barone. Mura si è intestardito a risolvere da solo questa storia perché si sente disoccupato. Ha bisogno di riscattarsi.

«Quei paesini dai nomi cupi, in effetti, portano sfortuna» commenta l'Ing, mentre si lasciano alle spalle il litorale, superano Santarcangelo e la strada comincia a tirare davvero, in direzione di Longiano, Roncofreddo, Sogliano al Rubicone.

«Non portare sfiga te» replica Mura.

«Non è questione di sfiga» prova a farlo ragionare il Prof.

«Qualcuno ti ha sfondato la porta di casa,» continua l'Ingegnere. «Ha portato via questa Sasha a una banda di trafficanti del sesso. Sai come reagirei io?»

«È un indovinello?»

«Andrei a raccontare tutto al maresciallo. Cazzo, per di più Gianca è un tuo amico d'infanzia! Ti conosce da prima di noi.»

«Un bel privilegio» commenta Mura.

Ecco la prova che il mio fra' è depresso, pensa il Barone: fa autoironia.

«Comunque non posso raccontare tutto al maresciallo» riprende Andrea.

E spiega perché. Sasha è stata una prostituta per anni. Sicuramente ha qualcosa da nascondere. Sarebbe la prima a essere arrestata. Poi le direbbero che se vuole clemenza deve collaborare con la giustizia. E i servizi sociali le porterebbero via la figlia. Ammesso che la ritrovi.

«Ma a te, di' un po', che ti importa?» fa il Barone.

«È tua sorella?» fa l'Ingegnere.

«Te la sei scopata?» fa il Prof.

«Anche se fosse…»

Lo interrompono con un bombardamento di pacche sulle

spalle, nocche sulla testa, tirate d'orecchi, come se fosse il suo compleanno.

«Insomma, gliel'ho proposto anch'io a Sasha, subito, di andare dai carabinieri per ritrovare sua figlia. Non vuole saperne…»

«E tu?» domanda l'Ingegnere un po' stufo di questa manfrina. «Devi recitare per forza la parte dell'eroe?»

«Dicevate di volermi aiutare… Ma se non volete, nessuno vi obbliga.»

Altra salva di imprecazioni collettive e prese per il culo: il Barone imita Mura quando si impermalisce, scenetta che dura dai tempi del liceo.

«Te voio bene, fra'» gli dice, alla romana.

«Cippa Lippa» dice l'Ing.

«Uno per tutti, tutti per uno» dice il Professore.

«Siete tre rompicoglioni, ma stasera vi offro da bere» ribatte Mura.

«A proposito» cambia argomento il Prof dirottando la conversazione sul suo argomento preferito, «ho un languorino…»

«E quand'è che non ce l'hai» lo becca il Barone.

«Vediamo 'sto cazzo di castello dei fantasmi finché c'è un po' di luce e poi cerchiamo un posto dove cenare» conclude il dibattito l'Ing.

Torriana sorge nel territorio della Val Marecchia, valle che corre lungo il fiume omonimo, da Badia Tedaldia in Toscana scendendo fino a Rimini, e lambisce la Repubblica di San Marino. È un corso d'acqua particolare: segna il confine geografico tra l'Italia settentrionale e quella centro-meridionale. In pratica la penisola italica comincia da qui, perché da qui, tra il Miocene e il Pliocene, pressappoco quindici milioni di anni prima, si ritirarono le acque del mare lasciando emergere terre, coste e montagne circostanti, formazioni di argilla scagliosa intervallate da rocce alte e frastagliate, di cui il monte Titano sul quale sorge l'odierna San Marino e la Rocca di San Leo sono le testimonianze più chiare, visibili da grande distanza sul piatto orizzonte della pianura padana. Una bassa marea della preistoria che, ritirandosi, ha dato alla vallata un aspetto selvaggio, fosco, primordiale, totalmente difforme dalla dolcezza del resto della terra emiliano-romagnola.

Il Prof ha concluso la sua lezione di storia giornaliera.

«È un buon posto per nascondere dei fantasmi» commenta l'Ingegnere.

Mura annuisce.

Qui e là si avvistano ruderi di epoca romana: le antiche torri con cui l'Impero controllava i suoi territori. E poi castelli, costruiti tutti sulla sommità di rocce che costituivano una difesa naturale.

«Osteria del Povero Diavolo» recita il Prof leggendo l'insegna di un locale a cui passano davanti. «Scommetto che lì un piatto di tagliatelle ce lo darebbero.»

Storia e buona tavola: le sue passioni.

Il Barone gli lancia un'occhiataccia, invitandolo ad avere pazienza.

Superano la frazione Gessi, il podere Tenuta Saiano, un Bed and Breakfast Rifugio Montebello, ed ecco il castello.

«Su, erudito, riattacca» incita l'Ingegnere.

«Così ti distrai dall'appetito» incalza il Barone.

E il Prof non si fa pregare. La prima costruzione in muratura del castello è di epoca romana, III secolo per la precisione. L'insediamento successivo, dell'Alto Medioevo, aveva in latino il nome di Mons Belli: Monte della Guerra.

«*Rosa rosae rosae rosam rosa rosa*. Grazie della traduzione, Prof» non gliela passa il Barone.

Soltanto Mura non partecipa agli scherni. Ha abbassato il

finestrino, scruta il panorama come se a ogni curva potesse saltare fuori Sasha.

«I Malatesta, signori di Rimini, lo acquistarono da Ugolinuccio di Maltalone» continua il Prof. «Lo persero nella guerra contro i Montelfetro, una signoria rivale confinante. Lo riconquistarono. Lo persero di nuovo ad opera dell'esercito pontificio.»

«Di quale papa?» lo interroga l'Ing.

«Pio II Piccolomini.»

«Bravo, sette più» approva il Barone.

Da allora è un feudo dei conti Guidi di Bagno, la cui famiglia è tuttora proprietaria della rocca. Dopo un restauro tra il 1968 e il 1973 per riparare gli ingenti danni dei bombardamenti della Seconda guerra mondiale, nel 1989 è diventato un museo aperto al pubblico.

«Non vorrai mica visitarlo?» chiede il Barone a Mura.

«L'orario delle visite è passato da un pezzo» nota l'Ing.

«In effetti» osserva il Prof, «sarebbe orario di cena.»

«Non è necessario» lo ignora Mura. «La figlia di Sasha, e Sasha stessa se l'hanno catturata, non sono certo tenute prigioniere nel castello.»

Per quanto, fossero chiuse lì dentro, liberarle non sarebbe affatto semplice. Arrivati sotto le mura, restano colpiti: una costruzione tozza, bassa, squadrata, con ampi torrioni che le conferiscono un aspetto da fortificazione militare.

Non è il castello delle favole, pensa Mura. È un castello da incubi. Per forza Azzurrina continua ad agitarsi.

«Bisogna laurearsi in Storia per avere le tue cognizioni» dice il Barone al Prof, con sincera ammirazione per la sterminata conoscenza dell'amico.

«No, basta stare con la Carla, è lei il pozzo a cui mi abbevero» replica lui.

Questa l'hanno già sentita ma è vero: nessuno, perlomeno tra loro, ne sa più della Carla.

«E adesso che siamo qui» richiama l'attenzione del gruppo l'Ingegnere, «che abbiamo ottenuto? Si torna indietro?»

«Cos'è questo rumore?» domanda Mura.

Gli altri non sentono niente.

«Zitti, ascoltate.»

Le cicale fanno *cri-cri* o *trn-trn*, insomma friniscono nella luce del crepuscolo. Tra poco il loro canto d'amore s'interromperà.

Per il resto?

In piedi, fuori dall'auto, nella serata freddina dell'aria di montagna, i quattro amici alzano la testa come se potessero udire meglio il suono riprodotto dal telefonino di Sasha. E che Mura ora riascolta dal proprio.

Un trattore?

Una segheria?

Un rombo di tuoni in lontananza?

«Boh.» L'Ing. allarga le braccia. «Io non sento niente.»

«Spostiamoci, magari arriva da qui intorno» propone Mura.

«Ben che vada troviamo Azzurrina» ipotizza il Prof.

«E scopriamo che è un trans di Piacenza.» La battuta del Barone arriva inesorabile.

Comunque, per accontentare Mura, gironzolano intorno alla base del castello. Il Prof brontola, perché la strada è in salita. «Ho fame» ripete dopo un po'.

«È un indizio del cavolo, questa storia del rumore, ammettiamolo» osserva con il suo tono da accademico l'Ingegnere.

«Ammettiamolo» lo imita Mura. «Ma è l'unico che abbiamo.»

«Già, la tua russa scompare da un capanno in riva al mare e tu vuoi cercarla sull'Appennino tosco-emiliano. Come investigatore, ne hai di strada davanti a te.»

Nel silenzio della montagna, dal vicolo sbuca un'Audi sgommando e sfrecciando davanti ai moschettieri.

«È Sasha!» urla Mura. E torna di corsa verso la Golf.

«Ma che cazzo dici?»

«C'era una donna di fianco al guidatore» grida Mura. «Mi è sembrata lei!»

Raggiungono ansimando la vettura. Si stringono all'interno smadonnando perché bisogna alzare il sedile per scivolare sui posti di dietro.

«Da che parte è andata?» chiede l'Ing.

«Di là» indica Mura. «Accelera, non perderla di vista.»

Per fortuna è calata la sera e la macchina ha i fari accesi, che sciamano da una curva all'altra nel buio della valle.

L'Ingegnere accelera, recuperando terreno a ogni curva: non per niente, come prima auto, a diciotto anni aveva una Triumph Spitfire. Si applicasse anche in questo, diventerebbe un pilota di Formula Uno: gli amici ne sono sicuri.

Ma la strada di montagna è stretta. Impossibile sorpassare.

«Rallenta» ammonisce il Barone. «Se su quella macchina ci sono i rapitori di Sasha, non saranno contenti che li pediniamo.»

Mura concorda: «Non gli stare così vicino».

«Accelera, rallenta, decidetevi» protesta il pilota.

Passano un incrocio.

«Osteria dei Malardo, sento odore di tagliatelle» si lamenta il Prof.

«Stai buono» lo redarguisce il Barone. Sebbene abbia una certa fame anche lui.

Ma ormai hanno deciso: tallonare l'auto e vedere dove va. Forse li porterà al nascondiglio fra le montagne dov'è prigioniera la figlia di Sasha.

Villa del Gusto, Chiosco di Bacco, Casa del Boschetto. Sembra un itinerario eno-gastronomico ideale per soffrire.

Ben presto non sono più sui monti e il traffico cresce. Stare vicino all'auto è più difficile.

«Non perderla» implora Mura.

Corpolò. San Martino dei Mulini. Vergiano. Spadarolo.

«E se fosse nascosta in una casa colonica, in aperta campagna?» azzarda Andrea.

«E allora perché stava sotto il castello di Azzurrina?» obietta l'Ing.

«Oh, qui siamo quasi a Rimini» avverte il Barone.

E in quel momento la macchina davanti a loro devia e prende una strada più piccola a sinistra: Santa Giustina, San Vito, Alberazzo, San Mauro Pascoli. Dove si ferma di botto. Davanti a un bar-tabacchi.

L'Ing passa oltre, esegue un perfetto testa-coda da rally fra le proteste degli altri passeggeri e torna indietro. In tempo per vedere tre figure che, uscite dall'Audi, s'infilano nel bar.

«Vado a vedere» dice Mura, appena hanno parcheggiato nel retro del locale.

«Vengo anch'io» si offre il Barone.

«No, tu no» canticchia Mura imitando Jannacci. Apre lo sportello e s'allontana. Torna dopo due minuti. «Sorry, ragazzi.» Pausa. «Non è Sasha.»

«E io che volevo le tagliatelle» piagnucola il Prof, pensando all'Osteria del Diavolo e agli altri bei posticini che hanno ignorato lungo l'inutile inseguimento.

«Be', dai, ci abbiamo provato» minimizza l'Ingegnere, avvertendo l'imbarazzo di Mura. «A questo punto siamo a due passi da Borgomarina. Si cena al San Marco?»

È un po' tardi per una sera feriale di primavera ma Renato non li manderà a letto a stomaco vuoto.

Ordinano tagliatelle al ragù, per compiacere il Professore. Innaffiate da Sangiovese.

«In fondo è stata una bella gita» commenta il Barone. «Era un pezzo che volevo vedere il castello di... come si chiama?»

«Ma vaffanculo, *bro*» lo zittisce Mura intuendo che è una presa per il culo.

Si concentrano per un po' sul cibo e sul reality show trasmesso dal televisore appeso sopra il bancone: giovani uomini palestrati e giovani donne maggiorate dalla chirurgia estetica.

«Quello» sentenzia il Barone, indicando un concorrente alto e smilzo con volto cavallino, «ce l'ha più lungo degli altri.»

Nessuno lo smentisce. Il Barone si ritiene il massimo esperto mondiale sulla fisiognomica dell'oca lunga. Quando era militare, tenentino medico fresco di laurea, aveva svolto un'indagine approfondita sulle reclute. Era partita dalla curiosità su un suo ex compagno d'adolescenza, detto "il palafreniere" perché lo accompagnava dovunque, non particolarmente sveglio ma dotato di volto cavallino e membro per cui il Barone nutriva genuina ammirazione. Così, durante le visite mediche ai futuri soldati, svolse una specie di sondaggio segreto, scoprendo che un certo tipo di uomini, magri, longilinei, con viso equino, avevano quella che di solito viene chiamata la voglia d'asino: un cazzo più lungo della norma.

La fisiognomica dell'oca lunga, come l'hanno ribattezzata, li tiene occupati mentre sbafano le tagliatelle. Poi c'è posto solo per un'insalatina e un dolce, perché è tardi.

«E domani si lavora» scappa all'Ing.

«Voi, non io» lo corregge Mura alludendo al proprio status di pensionato. «Anche se una rogna, per la verità, ce l'ho.»

Tutti quanti in coro: «Un'altra?».

Il mattino dopo andrà a parlare con i cinesi. Deve aiutare la sua zietta adottiva. Ormai ha promesso. Non può tirarsi indietro.

«Ma dove cazzo pensi di trovarli?» chiede il Barone.

«Si ritrovano sempre al solito posto, il bar della stazione.

Giorno e notte. Così le impediscono, poverina, perfino una pennica pomeridiana in santa pace.»

«Niente eroismi» ripete per la seconda volta in una sera l'Ing.

«Non ci penso nemmeno. Sono solo dei ragazzi. Gli offro un gelato e vedrai che li convinco a scegliere un altro bar come ritrovo.»

«Non mi pare una buona tattica» concorda il Prof.

Il Barone annuisce, schiacciando l'occhiolino agli altri due, senza che Mura se ne accorga.

L'amico oste porta caffè e limoncello per tutti.

«Ma tu, *bro*» riprende Mura, rivolto all'ex compagno di banco, «tra una serata con gli amici come questa e una con donna da sedurre, cosa sceglieresti?»

«Lo sai benissimo, fra'» risponde il Barone. «La stessa che sceglieresti tu.»

Mura ricorda di avere sentito alla radio, molti anni prima, Michele Placido raccontare che rivolse la stessa domanda a Marcello Mastroianni. «Sceglierei la prima» rispose senza indugio il Marcello nazionale: cioè la serata fra amici.

«Eh sì» filosofeggia il Barone, «fossimo nati tutti finocchi.»

«*Amici miei*, op. cit.» recita il Prof. Un'altra citazione dal mitico film di Tognazzi.

«Specie te» puntualizza l'Ing, indicando il Barone, «che ce la dai sempre buca per andare a fighe.»

«Ma volete smetterla di chiamare fighe le donne!» s'arrabbia il Prof. «Non siete più in prima liceo. Non è il 1971! Il mondo è cambiato!»

L'oste batte le mani. «Alé, ragazzi, basta scherzare. A nanna.»

Si alzano e pagano. Ma fra battutine, sigarettine, ultimi salutini, passa mezz'ora prima che accompagnino Mura al molo.

Sarebbe bello trovare Sasha che mi aspetta sui gradini del capanno, pensa fissando il mare che va e viene con il suo respiro salato.

Ma nel capanno Sasha non c'è.

26. Nazionale senza filtro
(Colonna sonora: *Cavatina*, John Williams)

Rimasto solo nel locale, Renato Senni sparecchia l'ultimo tavolo, infila i piatti nella lavastoviglie, riaggiusta le sedie, svuota la cassa, spegne la luce dell'insegna e si avvia all'uscita. In realtà non è proprio solo: le donne che lo aiutano in cucina e i camerieri se ne sono già andati da un pezzo, di clienti non ne sono più rimasti, ma all'ultimo tavolo vicino all'ingresso ci sono ancora i giocatori di carte. Gli amici di una vita. D'estate c'è sempre un tavolo senza tovaglia, per loro, appena fuori dal recinto del dehors. D'inverno un tavolo appartato, fra il bancone e la cucina, un'area di passaggio dove nessun altro vorrebbe sedere. In un caso e nell'altro per questi avventori non manca mai un bicchiere di vino, un piatto di quello che è rimasto in più sui fornelli, un caffè, l'ammazzacaffè. Nelle ore di quiete tra pranzo e cena, Renato li raggiunge e siede a giocare a maraffone. C'è sempre il tempo per una parola, una battuta, un ammiccamento.

«Avete deciso di dormire qui stanotte?» domanda. È la sua maniera di annunciare la chiusura del locale.

Ha già portato via gli ultimi bicchieri e loro hanno riposto le carte.

«Su, tutti a casa, se no le mogli dicono che vi vizio.»

«Ostia, con tutte le ballerine che hai tra i tavoli.» È Alberto Ricci, il padrone del Bristol, il più veloce a rispondergli.

Intanto sono usciti e Renato ha girato la chiave nella serratura del portone. Lui e Alberto abitano vicini: percorrono sempre un pezzo di strada insieme. Anche stavolta salutano i compari e si avviano lungo il canale avvolto in una lieve, umida bruma.

Parlano mezzo in dialetto, mezzo in italiano, come sono abituati fin dall'infanzia. Quando erano bambini, appena finita la guerra, Borgomarina era soltanto un borgo di mare, come suggerisce il suo nome: qualche pensione, qualche villa vicino alla spiaggia e i pescatori sul porto canale. Il Bristol di Alberto fu uno dei primi grandi alberghi, all'inizio del boom. Poi ne sono venuti tanti altri.

«A so stracco» dice il cuoco.

«Ma dai. Se non fai niente» scherza l'albergatore.

«Valà.»

È vero che è stanco. Sono cinquant'anni che cucina e serve in tavola al San Marco. Mezzo secolo di ristorazione. Ha attaccato la targa al muro l'estate prima, dopo una cerimonia del sindaco. Lui ci avrebbe rinunciato: «Mi fa sentire vecchio». Ma Alessandra, la figlia, ha insistito, e allora Renato ha appeso la targa dietro il bancone dei caffè e degli amari.

«Ho voglia di smettere» confida al compare.

«Mo dici sul serio? E dove andiamo noi a giocare a carte?»

E lui, Renato, dove andrebbe? Per questo non smette. Ama il proprio lavoro. Alla gente potrà sembrare strano che uno si diverta a sudare come un maiale davanti alla cucina, che d'estate diventa una fornace. E a stare in piedi dieci, dodici ore al giorno. La sera ha i piedi gonfi. Alla sua età non va bene.

«Non va bene, Renato. Non va bene» gli ripete sempre la moglie, che preme perché si riposi di più.

Glielo ha detto anche il medico, che il cuore non è più quello di una volta.

Ma cosa farebbe, poi, a casa tutto il giorno? Si annoierebbe. A che serve vivere, se ti senti già morto? Dentro al San Marco sbuffa, smadonna, non è sempre di buon umore e far quadrare i conti è diventato sempre più difficile ora che bisogna mettere tutti in regola con i contributi, non come una volta che venivano due cinni e due azdore dalla campagna ed eri a posto per la stagione.

Invece, gli piace. Si immagina come il capitano di una nave. È il primo al mattino a entrare, l'ultimo a uscire la sera. Gli dà orgoglio, soddisfazione. E quando ci sono i clienti abituali, come quei quattro amici di Bologna che hanno lasciato il ristorante per ultimi, gli piace preparargli qualche piatto speciale che non è nel menu. Per dimostrare che Renato, quando gli va, mostra ancora i sorci verdi a tutti i cuochi alla moda. I selebritiscief, come li chiamano in tivù.

Procedono silenziosi, dicendo solo una parola ogni tanto. Si conoscono talmente bene che potrebbero anche tacere e sarebbe lo stesso come conversare. Anche perché ripetono sempre le stesse robe. Compresa questa storia che lui è stanco e minaccia di mollare tutto. Sincera, ma destinata a non realizzarsi.

«Ma no che non smetto. Ancora per un po'.»

Ancora per un po': sono dieci anni che dura, questo, po'.

«E te Albertone?»

«Eh.»

«Ti ho visto mogio.»

«Le carte buone non escono.»

«Tutto qua?»

«Qualche problemino l'abbiamo tutti, sa vut fer.»

«Com'è vero Iddio, ostia.»

All'altezza della Vena Mazzarini, il canale perpendicolare al porto, dove negli anni Sessanta, prima dei diritti degli animalisti, guizzavano due poveri delfini, si salutano. L'oste piglia verso l'interno. L'albergatore verso il porto. Casa sua è a due isolati dal Bristol.

Dopo cento metri però Alberto si gira: controlla che l'amico non lo veda più. Guarda l'orologio. Affretta il passo. Raggiunge l'auto posteggiata davanti a un negozio di souvenir ancora chiuso in attesa che cominci la stagione e mette in moto.

Prende viale Carducci, supera il grattacielo, volta a destra in viale Trento e si ferma vicino a una villetta. Abbassa un filo il finestrino. Accende una Nazionale senza filtro. Aspetta.

Non ci vuole molto. Dopo una quindicina di minuti arriva un'auto: una Mercedes decapottabile con la capotta rialzata. Scendono Marco Tassinari, il marito di sua figlia, e una tettona dai capelli biondi che si regge a malapena su tacchi troppo alti.

«Vai a fare la chiavatina?» si domanda Alberto.

Estrae di tasca un taccuino. Segna l'orario esatto e il giorno. Non ha ancora deciso bene perché. Ma sente che pedinare suo genero prima o poi servirà. Lo fa da giorni, ormai. Era seduto su una panchina della rotonda, quando Tassinari è entrato a comprare le paste da Dolce & Salato con la stessa bionda che ora ha riportato a casa.

La porta si riapre, Tassinari esce, monta in macchina e riparte.

«Be', cos'è, sbori in due secondi?» commenta fra sé l'albergatore. «O per caso non ti tira più?»

Mette in moto, torna verso casa, biascicando in dialetto. «Sat dag un mors at invlen.» Se gli dà un morso, lo avvelena.

27. Il mio mulo

(Colonna sonora: *Superstition*, Stevie Wonder)

Sono in sei. Due a cavalcioni delle moto, gli altri arroccati intorno. Fumano, bevono birra, scattano selfie con il telefonino.

E va bene, pensa Mura, vediamo se almeno questa storia riesco a sistemarla.

Ha dormito malissimo. All'alba voleva andare a correre per sfogarsi, per liberarsi della frustrazione e della rabbia, ma non se l'è sentita. Proprio non aveva la forza di indossare calzoncini e maglietta, mettere le scarpette e raggiungere la spiaggia. Nessuna voglia di tornare sul posto dove ha trovato Sasha. Il ladro torna sempre sul luogo del delitto... È stato un ladro anche lui, ha rubato una donna alla bassa marea. Ma adesso la donna è scomparsa. Rapita. Fuggita. Chi lo sa? Di certo c'è che il ladro è stato derubato della sua bella refurtiva. E non c'è niente per recuperarla.

«Ehi.» Li saluta così.

C'è gente che entra ed esce dal bar. Da una parte, si sente più sicuro. Dall'altra, non vuole essere visto né sentito.

Smettono il casino. Per un attimo concentrano l'attenzione su di lui. Lo scrutano diffidenti. Non sarà mica un poliziotto?

«Come va, ragazzi?»

Si guardano intorno, diffidenti.

«Volevo chiedervi una cosa.»

Pensano di avere capito. C'è un giardinetto, fra il bar e la stazione. Gli fa cenno di seguirli. Due davanti, poi Mura, e due dietro, quelli che erano a cavallo della moto.

Che avranno in testa questi cinesi nati in Italia? In altri tempi, Mura li avrebbe intervistati. In fondo è anche questa un'intervista.

«Quanta roba ti serve?» chiede quello più grosso.

«Roba?» Poi capisce. Hanno equivocato. «No, non devo comprare niente.»

Si irrigidiscono.

«Non fumo.»

«Cazzo vuoi, vecchio?» dice uno dei quattro.

Lo fissa sorpreso. Be', non c'è niente di cui sorprendersi: vista da fuori, questa è la realtà. Un vecchio con quattro ragazzi. Se non vuole comprare erba, sarà per caso un pedofilo?

«Brigadie'?»

«Eh?»

«Ora che succede?»

«Comprerà uno spinello.»

«Alla sua età?»

«Non c'è età per le canne, appuntato.»

Dall'altra parte della strada, due carabinieri in borghese fingono di guardare una vetrina di un negozio di caccia e pesca, ma in realtà tengono gli occhi addosso ai cinesi e al loro cliente inaspettato.

«Voglio… la caramella che mi piace tanto! Ah ah, buona questa, la conoscete? Dai. scherzo. Non voglio niente, ragazzi. Anzi, vorrei offrirvi un gelato. Una birra. Una pizza. Scegliete voi.»

«Vallo a pigliare in culo, nonno.» Stavolta è il più mingherlino e brufoloso a parlare.

«Avete frainteso» risponde Mura. Poi pensa che magari non capiscono la parola "frainteso". Allora lo dice in un altro modo: «Avete capito male».

Ridacchiano. Uno accende una sigaretta. Un altro, finita la birra, impugna la bottiglia per il collo e la sbatte sull'altra mano sogghignando. «Ao', ma che vuoi? Chi sei, un caramba?»

«No, non sono un carabiniere. Sono… un pensionato.»

La parola suscita ilarità, come se appartenesse a un universo lontano, sconosciuto.

«E volevo offrirvi qualche soldo, così, in cambio di un piacere» continua Mura, estraendo di tasca il portafoglio. Questo, lo avverte subito, è un errore.

Alla vista del portamonete, per quanto poco gonfio, i ragazzi avanzano di un passo. Se prima erano a due, tre metri da lui, ora gli sono vicini.

Il grosso lo guarda dritto negli occhi con aria minacciosa. «Soldi? Quanti soldi?»

«In cambio di un piacere» ripete Mura, conservando il sangue freddo.

A parte qualche spintone a scuola, non crede di avere mai fatto a botte in vita sua. Ma si è trovato spesso in situazioni più difficili di questa. Nascosto nella baracca di un campo profughi con i ribelli marxisti in Centroamerica, mentre le squadre della morte governative rastrellavano il villaggio. Sotto le cannonate dei carri armati russi, quando cercava di intervistare i capi della rivolta comunista a Mosca. In mezzo ai tiri dei cecchini in Moldavia. A Kabul cadde in mano ai mujaheddin e un ragazzo con il turbante gli mise il kalashnikov in mano intimando: «Spara». Ma allora c'era l'adrenalina del pezzo da scrivere, il sogno dello scoop. Ed era giovane, molto più giovane. Adesso ha sessant'anni e lo scoop, se finisce male, potrebbe diventare lui.

«Allora?» insiste il capobranco.

«Allora il piacere è questo» risponde Mura. E glielo dice, anche se ha già il presentimento che sia una pessima idea. Che non funzionerà. Questi qui non hanno bisogno dei quattro soldi che lui gli promette. E non si impietosiscono perché una vecchietta non riesce a dormire a causa loro. Ci rideranno sopra. Aumenteranno il baccano, anzi.

Ma ormai è lì e ha fatto il suo discorsetto.

«Bene, bene» risponde il caporione. «E dove dovremmo andare, secondo te?»

«Davanti a un altro bar. Ce ne sono tanti. Perché proprio questo?» In realtà conosce da solo la risposta: perché il bar della stazione è l'unico aperto fino a tarda notte.

«E quanto ci dai per sloggiare?» chiede un altro del gruppetto.

«Sì, ecco, quanto?» ripetono i compagni. Tranne il capo, che rimane zitto.

Mura allarga il portafoglio, estrae una banconota da venti euro. Alza lo sguardo, li fissa con aria interrogativa. Non muovono un muscolo. Ne estrae una seconda. Poi una terza.

«Non è tanto, ci comprate una margherita e una birra, ma di più proprio non posso. Pensate a quella povera vecchietta» spiega, tenendo le tre banconote in una mano e il portafoglio nell'altra. «Potrebbe essere vostra nonna. Vi chiedo solo una cortesia, di andare da un'altra parte, di non…»

Il capo gli strappa il portafoglio di mano e arretra di un paio di passi. «Te li lascio a te, i sessanta euro, a noi ci basta il borsellino, che ne dici?»

Indietreggiano anche gli altri, battendo le mani e scambiandosi cinque per il divertimento.

«Brigadie', che fanno?»

«Fanno gli stronzi, appuntato, come al solito.»

«Per me finisce male, brigadie'»

«Comunque finisce, noi siamo solo qui per guardare appuntato.»

«Io avvertirei il maresciallo.»

«Eviterei. Gli ordini sono ordini.»

È una giornata calda e il sole picchia sul giardinetto. Mura si terge il sudore dalla fronte. La primavera avanza, L'estate s'avvicina. Gli viene in mente *Per un pugno di dollari*, la scena del duello in cui Clint Eastwood elimina tre malviventi. Anzi, quattro, come spiega al becchino quando torna indietro. Anche questi sono in quattro. Lui non è Clint. Però la battuta di Clint era carina.

«Il mio mulo ci è rimasto male.»

Ammutoliscono. Poi scoppiano a ridere.

«Cazzo dici?»

È il momento. Scatta in avanti, strappa il portafoglio dalle mani del boss e comincia a correre: non avrà perso l'allenamento tutto d'un colpo.

Sul lato opposto del giardino c'è un tizio con il berretto da baseball in testa che legge il giornale su una panchina e più in là, all'angolo, due anziani che chiacchierano dandogli le spalle. Se li raggiunge prima di essere riacchiappato, forse i cinesi lo lasceranno andare senza danni.

Ci sono duecento metri da un lato all'altro del giardino. Ma sente lo scalpiccio alle sue spalle sempre più vicino. Sono giovani, corrono più veloci, anche con in corpo tutta la marijuana che fumano dalla mattina alla sera. Una mano lo agguanta da dietro per la felpa ma riesce a divincolarsi. Ecco il tizio sulla panchina. Per un attimo Mura pensa di chiedergli aiuto ma è vecchio quanto lui, un altro pensionato, che con decisione più saggia della sua è venuto al giardino a leggere il giornale, non ad atteggiarsi da eroe, come lo accusa giustamente l'Ingegnere.

E Mura passa oltre.

Non passa il suo inseguitore. Il pensionato allunga una gamba al momento giusto, uno sgambetto da area di rigore stende il ragazzo faccia in giù sulla ghiaia. I tre che gli correvano dietro si arrestano, sbalorditi: forse hanno esagerato con le canne?

«A' stronzo!» grida il capo al vecchietto sulla panchina, rialzandosi da terra.

«Scusa, figliolo. Non ho fatto apposta» gli risponde il Barone.

Da terra, il capo indica Mura ai compagni: «Pigliatelo!».

Ma Mura è già più avanti, dove un attimo prima c'erano i due anziani che parlottavano, e gira l'angolo.

Quando lo gira anche il primo dei tre cinesi, sbatte dritto contro il pugno del Professore. L'incontro fra le nocche e il naso del ragazzo ha un tempismo perfetto e un effetto sonoro niente male.

«Ahi» dice il Prof, che non tirava pugni dalle manifestazioni studentesche di metà anni Settanta.

Il ragazzo non dice niente: va al tappeto sull'istante e si addormenta come se davvero di spinelli ne avesse fumati troppi.

«Ho sempre avuto una bella castagna» commenta il Prof, massaggiandosi la mano, «ma che male.»

«Scemo» gli risponde l'Ing, «dai che ce ne sono altri.»

Il secondo cinese gli piomba addosso di slancio ma l'Ingegnere lo prende per la maglietta, lo attira verso di sé, indietreggia posandosi al suolo come un materasso, gli punta un piede sullo stomaco e lo fa volare sopra la sua testa, in modo che precipiti due metri più in là. E anche quello è K.O.

Arrivano i nostri, ma a questo punto è soltanto uno: il Prof e l'Ing fronteggiano l'ultimo ancora in piedi. Che si blocca, li fissa, appare meno baldanzoso e batte in ritirata.

Intanto il Barone si è alzato dalla panchina, ha estratto il tesserino dell'ordine dei medici e lo ha messo sotto il naso del caporione che si sta togliendo la polvere di dosso: «Polizia!».

Il giovane non chiede che glielo ripetano due volte, svignandosela verso il bar della stazione, seguito dal compare sopravvissuto allo scontro con il Prof e l'Ing. Montano in moto e via.

«Non voglio rivedervi più!» gli urla dietro il Barone.

«Pazzo, non terrorizzarli con la tua voce da castrato» commenta il Prof. In effetti non si può dire che il Barone abbia un tono da baritono.

«Gli sgambetti erano il suo colpo migliore anche quando giocavamo a pallone» fa l'Ing.

«Lui a pallone non giocava, era tristo» lo corregge il Prof.

«Idioti. Dov'è finito Mura?» replica il Barone senza badargli.

Mura è finito sulla provinciale che porta al cimitero e fuori da Borgomarina, verso Pinarella e Cervia, dove c'è traffico di auto e pedoni, perciò si sente più sicuro. Sudato e ansimante, si guarda alle spalle ma nessuno gli corre più dietro. La vibrazione del telefonino lo avverte di un messaggio.

Un sms del Barone: TI ASPETTIAMO AI GIARDINI DELLA STAZIONE, FRA'.

Con cautela, torna sui suoi passi. In tempo per vedere i due stesi a terra dal pugno del Prof e dal colpo di judo dell'Ing che si allontanano pesti e sanguinanti.

E poi, seduti sulla panchina del giardinetto, i suoi tre amici.

«Ma che cazzo.»

«Non potevamo mica lasciarti solo» fa il Prof.

«Uno per tutti, tutti per uno» fa l'Ing.

«Ti tocca pagare da bere» fa il Barone.

«E chi so' quelli, brigadie'? Batman, Robin e Superman?»

«Mi sembrano tre poveri vecchi, appuntato. Comunque,

hai visto che non c'era bisogno di intervenire. Ora montiamo in macchina e vediamo dove sono finiti i cinesi.»

Li porta al Marè, il primo stabilimento a riaprire per la nuova stagione: i bagnini non hanno ancora abbattuto la barriera di sabbia alta due metri a metà della spiaggia, ma ci sono già due signore in bikini, che approfittano della giornata di sole per abbronzarsi. Il bagnino ha piantato una tela per proteggerle dal vento.

Ordinano due Spritz all'Aperol, per Mura e il Prof, e due al Campari, per il Barone e l'Ingegnere.

«Con un bel piatto di noccioline e patatine» aggiunge il Professore.

«Bravo, che fanno bene alle coronarie» commenta il Barone.

Ricostruiscono la battaglia di poco prima. L'elemento sorpresa è stato decisivo.

«Almeno per un po', i cinesini staranno fuori dai coglioni» afferma Mura.

«Almeno per un po'» si augura l'Ing.

La Tina Fabbri sarà contenta.

«Non sapevo che sei anche cintura nera di judo» dice il Barone all'Ingegnere.

«Non lo sono. E neanche cintura gialla. Ho studiato quella mossa ieri sera su Internet e mi è venuta benino.»

Il solito Ing: eccelle in qualsiasi cosa. Basta che si applichi. Anche nel judo, pare.

«E io non sapevo che sei campione del mondo dei pesi massimi» dice Mura al Prof.

«Massimi, massimi… non esageriamo» si schernisce il Prof.

«Non esageriamo, Giorgia, lo sai che il dottore non vuole» recita il Barone.

«Carosello del dentifricio Pasta del Capitano, op. cit.» precisa Mura.

«Comunque, se proprio vogliamo rientrare nelle categorie del pugilato, in base al peso io sarei medio-massimi» continua il Prof.

«Con la bilancia truccata» lo provoca il Barone.

«E dove hai imparato a mettere knock-out i ragazzini, Rocky?» chiede l'Ing.

«È un talento naturale» si schernisce il Prof, fermando al volo un cameriere per ordinare più noccioline. «Magari anche qualche tramezzino?» aggiunge. Quindi torna a rivolgersi agli amici: «Più che ora dell'aperitivo, sarebbe ora di pranzo».

«Qualunque ora sia, grazie ragazzi» dice Mura. «Ma non dovreste correre simili rischi, alla vostra età.»

«La prossima volta, fra', giuro che lasciamo il campo a giovanotti come te» lo piglia per il culo il Barone.

La giornata è così bella che verrebbe voglia anche a loro di mettersi in costume. Ma ora che è scampato il pericolo, si riaffaccia la realtà. L'Ing ha appuntamento a Bologna con i suoi dottorandi: spostato dalla mattina al pomeriggio. Il Prof deve scrivere una lettera alla National Gallery per una mostra al museo dell'Alma Mater. Il Barone ha una paziente da visitare.

«Da trombare, volevi dire, *bro*» puntualizza Mura.

«Quella di oggi te la lascio volentieri» concede il suo *brother* adottivo.

Guardare dentro i buchi della gente non è sempre un bello spettacolo.

L'unico che non ha impegni è Mura. «Andrò a tirare su la rete, oggi sembra il mio giorno fortunato.»

«Chi dorme non piglia pesci» commenta l'Ingegnere.

«Mettine un po' da parte per gli amici» completa la frase il Professore.

28. La loro alcova segreta
(Colonna sonora: *My Girl*, The Temptations)

CAZZA LA RANDA.

STROZZA LA SCOTTA.

STRAMBA LA BOMA.

Il notaio Ermete Calzolari fissa le tre frasi che ha scritto con il gesso sulla lavagnetta appesa dietro il timone. Quante volte aveva cercato di insegnarle a Sasha, prima e dopo i loro giochetti. E quante risate quando lei storpiava apposta tutto: «Cazzo, ti strozzo, strambo».

Se avesse voluto, poteva strozzarlo sul serio: per lui anche quello era un sublime piacere.

Elisir, la sua barca a vela, era la loro alcova segreta. Calzolari ha finito per andarci a vivere, abbandonando la moglie e la casa di famiglia, passando sempre meno tempo in studio, sempre più su quello scafo diventato il suo rifugio. Il notaio si rende conto di essere impazzito. Gli interessano soltanto due cose, ormai: il mare e la russa. Ha commesso l'errore di non capirlo abbastanza presto, ma spera che il destino gli conceda una seconda occasione.

Cazza la randa: tende una corda per correggere il posizionamento delle vele. Strozza la scotta: arresta lo scorrimento di una cima. Stramba la boma: passa l'antenna orizzontale dell'albero da un bordo all'altro con il vento in poppa. Ormai preferisce il linguaggio marinaro a quello notarile. Ma il giorno prima, in studio, ha preparato l'atto che decide il suo futuro.

Se fosse successo una settimana prima, se ne avesse discusso con Sasha, adesso sarebbero in mezzo al mare insieme, lontani da tutto. Invece, non è ancora chiaro se la padroncina tornerà dal suo schiavo o scomparirà nel nulla. Tocca la chiavetta appesa alla catenella che gli cinge il collo. Un brivido di piacere gli scorre lungo la schiena.

La barca è pronta. I conti sono sistemati. Le scelte sono compiute. Se sarà un uomo perduto o felice, non dipende più da lui.

29. La campanella
(Colonna sonora: *The Man I Love*, Ella Fitzgerald)

«Fufiu… Fufiuu… Fufiuuu…» Un tipo con berretto da marinaio e occhiali scuri, nascosto dietro un albero, gli fischia dietro, mentre Mura imbocca il molo per tornare al capanno. Merda! Forse è uno di quei maledetti cinesi che torna all'attacco per vendicarsi.

Si squadrano da una ventina di metri di distanza.

Il tipo gli fa segno di avvicinarsi con l'indice.

Che cavolo vuole?

Mura ha un momento di incertezza. Meglio tornare indietro fino al traghetto e attraversare il canale. Meglio ancora chiamare gli amici che ha appena lasciato, magari sono ancora lì vicino, pronti a venire in suo aiuto. Se no, scappare. Darsela a gambe.

Ma il tipo si toglie il cappello, scuote la testa e una zazzera bionda rivela che potrebbe essere una tipa.

«Sasha!» esclama Mura.

Quando se lo trova davanti, lei per tutta risposta gli mette la lingua in bocca.

Baciarla sembra la cosa più naturale del mondo e rende inutile ogni spiegazione. O perlomeno la rimanda.

Si baciano a lungo, abbracciati stretti, in piedi dietro l'albero. Sasha gli infila le mani sotto la camicia. Lo stringe a sé. Gli pianta le unghie sulla schiena. Le conficca nella carne. Emette un mugolio di piacere.

Lui ne trattiene uno di dolore. Oppure è piacere? Non ne è del tutto sicuro. «Andiamo a casa» propone nel dubbio. Andiamo nel capanno non suona bene.

«No» risponde Sasha.

«Perché?»

«Potrebbero tenerlo sotto controllo. Non voglio scappare di nuovo.» E si stacca, per raffreddare i bollenti spiriti che avverte sotto i calzoni di lui.

Mura ha mille domande, ma non è il momento.

È evidente che non è una buona idea riportarla nel capanno. Hanno bisogno di un luogo tranquillo per restare soli. Per stare di nuovo insieme.

«Dove possiamo andare?»

Vorrebbe chiederle dove è stata finora, dove si è nascosta. E dove ha preso il cappello da marinaio. E i Ray-Ban da uomo.

«Proviamo ad andare dal Barone» le risponde.

Sasha lo guarda con aria interrogativa. Se si aspetta il castello di un aristocratico, resterà delusa: niente a che vedere con il maniero di Azzurrina.

«È il medico che ti ha visitato la prima sera.» Non è sicuro che lei ricordi, era ancora piuttosto sbattuta.

«Sì» risponde. «Il tuo amico. Sembrava simpatico.»

Mura piega le labbra in una smorfia. Significa: be', simpatico… Stacci attenta, ragazza. Stacci lontana.

Cos'è, già geloso? Roba da matti.

«Sì, è una bravissima persona» dice invece. Vorrebbe prendersi a schiaffi: che espressione del cazzo.

«E dove abita?» domanda Sasha.

«Abita… là.» Andrea indica il litorale, verso sud. La giornata è limpida. Si intravede la curva dell'Adriatico fino ad Ancona, preceduta dall'ombra del promontorio di Gabicce.

«Come ci andiamo?»

È questo il problema. Lui non ha la macchina. In bici, con Sasha sulla canna, non ce la farebbe nemmeno il compianto Pantani, l'eroe di Borgomarina, conquistatore di Giri e Tour prima di una brutta fine. Il Barone a quest'ora sarà per strada, diretto in ospedale: non può chiedergli di tornare indietro. A Borgomarina qualcuno a cui chiedere un'auto in prestito ci sarebbe, ma non vuole suscitare curiosità. Tantomeno essere visto con Sasha. E nemmeno abbandonarla di nuovo lì, sia pure per poco. Un taxi fino a Fiorenzuola? Gli costerebbe caro e le sue finanze, con il sostentamento della russa, scarseggiano più del solito. Un taxi da Pesaro a Fiorenzuola, però, potrebbe permetterselo.

«In treno» dice. «Ci andiamo in treno.»

La stazione di Borgomarina ha soltanto due binari. Ci arriva qualche treno da Bologna ma per lo più sono gli accelerati che collegano le cittadine della Riviera: una metropolitana della costa. Trenini di studenti, pendolari, immigrati. Fitti di gente al mattino e alla sera. Vuoti a metà giornata.

«Due per Pesaro» dice Mura al bigliettaio che leggeva il giornale nell'ufficio. «Sola andata.»

«Otto euro e quaranta» risponde l'altro.

Mura e Sasha siedono su una panchina del primo binario, unici passeggeri in attesa. Li ripara dal sole una tettoia. Durante le vacanze estive, quando suo figlio aveva due anni, lo portava in stazione a vedere i treni che passano: uno spettacolo pre-video giochi, pre-internet, pre-quasi tutto. Se un giorno avrà dei bambini anche suo figlio, li porterà a Borgomarina a vedere lo stesso spettacolo?

«Hai sete?» chiede a Sasha, indicando con il naso il posto ristoro.

In quel momento comincia a suonare la campanella che annuncia l'arrivo del prossimo locale per Pesaro.

Di-din-di-din-di-din-di-din.

All'orizzonte compare un punticino scuro.

Sono soltanto due carrozze. Un africano scende con le sue cianfrusaglie. Mura lo riconosce, di solito si piazza lungo il canale a vendere la mercanzia, in attesa di trasferirsi in spiaggia per l'estate.

Salgono sulla prima carrozza e per il momento sono soli.

Ci vogliono cinquantadue minuti per arrivare a Pesaro.

È l'ora – l'oretta – delle spiegazioni.

Sasha gli racconta che cosa è successo. Non sa chi ha forzato la porta: è scappata per un pelo, non ha perso tempo a cercare di riconoscere l'assalitore. Un'idea però ce l'ha: i due fratelli calabresi.

È il turno di Mura di raccontare la serata precedente: la gita scolastica fino al castello di Torriana, anche se non la chiama gita, la macchina inseguita per sbaglio credendo che ci fosse dentro lei. Vorrebbe aggiungere la scazzottata del mattino con i cinesi, ma di emozioni Sasha ne ha avute abbastanza. E poi non c'entra con la sua storia. Più che altro vorrebbe baciarla. Ma a Gatteo sale una vecchietta e si piazza a due posti da loro. Abbassano il tono di voce. Niente baci.

«Ho un'altra idea per cercare tua figlia.» È vero. Gli è venuta durante la notte. L'insonnia porta consigli.

«Il suono registrato?»

«No, ma ho bisogno di ragionarci sopra … E tu devi dirmi di più. Su quello che facevi per i calabresi. Sui rapporti che avevi con i tuoi clienti. Su chi potrebbe essere quello che ha sfondato la porta del capanno.»

Sasha dà un'occhiata alla vecchia che sembra dormicchiare, cullata dall'ondulamento del treno. Si stringe più vicina a Mura.

È piacevole farle da confessore, pensa Andrea. E la bella peccatrice, con il tono di voce che si usa nei confessionali, dove lei non è mai entrata mentre lui da bravo bambino cattolico sì, gli confessa tutto.

"Mio Dio mi pento e mi dolgo con tutto il cuore dei miei peccati…"

Il resto della preghiera, da recitare in ginocchio nel confessionale, Mura non se lo ricorda più: è passato troppo tempo.

Le labbra di Sasha così vicine al suo orecchio che l'atto di dolore diventa un atto di erotismo.

Non dovrebbe distrarsi proprio adesso. Ne sa abbastanza per pianificare la prossima mossa. Intanto il treno rallenta, sta entrando in stazione a Pesaro. Al bar Mura ordina un caffè per sé e un cappuccino per Sasha. Invia un messaggio al Barone. La risposta non tarda. Quando ci sono problemi seri, il Barone si fa trovare.

«Prendiamo un taxi e andiamo a casa sua» annuncia Mura.

«Hai le chiavi?»

«Mi ha detto di passarle a prendere in ufficio.»

Non lo studio da primario in ospedale. Il cosiddetto ufficio di Fiorenzuola, dove il Barone lascia sempre una copia delle chiavi di casa: il bar della piazzetta. Il barista le tiene di riserva per quando il Barone perde le sue. Succede spesso.

«Hai perso di nuovo le chiavi!» lo prendono in giro i tre amici.

«Non le ho perse» protesta il Barone. «Sono lì, da qualche parte.» E indica la Porsche.

La strada s'inerpica su per la collina. L'aria è fresca, l'orizzonte cristallino. Un'altra magnifica giornata di primavera. Si fermano a cento metri dal bar.

«Aspettami qui» dice Mura.

Avvertito dal Barone, il barman consegna le chiavi. E poi ormai conosce bene i moschettieri. Non fa commenti: il Dottore avrà le sue ragioni per prestare la casa.

Mura torna da Sasha, le dice di avviarsi, come se non si conoscessero. Vestita da maschietto, con quello stupido berretto da marinaio in testa, dà un po' meno nell'occhio, per fortuna.

Superano una dopo l'altra le arcate d'ingresso delle mura che cingono l'antica rocca. Solo quando sono sul viottolo di ciottolato che porta a casa del Barone, Mura la raggiunge e la affianca.

«È bello qui» dice lei.

«Un paradiso.»

«Com'è piccola» esclama lei, quando entrano nell'abitazione del Barone. Lui arriverà fra un paio d'ore. Ha promesso di cucinare per loro. Così nessuno saprà che sono lì.

A Mura scappa da ridere. Dovrebbe spiegarle che questa non è una casa: è un trappolo. Poi cos'è un trappolo, nel gergo dei bolognesi di una volta. Chi ce lo aveva, finiva sempre per prestarlo agli amici. Ora è capitato a lui. Lo ha chiesto al Barone per nascondere Sasha. Oppure per andarci a letto?

C'è un divanetto in cucina: Sasha potrà dormire lì. A meno che il Barone non le ceda il suo letto. O non ce la inviti. Conoscendolo, non si sorprenderebbe. E per quello che conosce Sasha, non si sorprenderebbe se lei accettasse. O ce lo portasse. Quando vede qualcosa che le piace o che le serve, questa donna se la piglia. È successo anche a lui. Sta accadendo di nuovo.

Sasha lo prende per mano e con naturalezza lo conduce verso il letto del Barone. La russa si è già ambientata.

Soltanto dopo, nudi, le domanda quello che aveva omesso di chiederle: «Dove ti sei nascosta per due giorni?».

«Su una barca del porto.»

«Ed è lì che hai trovato il cappello da marinaio e i Ray-Ban?»

Annuisce.

Mura si alza, va in bagno a pisciare, poi in cucina, cerca qualcosa da bere in frigo. Stappa una birra.

«Ricordi il nome della barca?» chiede a Sasha, prima di bere un sorso a collo.

Nessuna risposta.

«Sasha?»

Nessuna risposta.

Sasha si è addormentata.

Ha il sonno facile, la ragazza.

Specie dopo avere scopato.

30. Una vecchia promessa
(Colonna sonora: *Shaft*, Isaac Hayes)

«Maresciallo, ci lasci lavorare.»

Quante volte Giancarlo Amadori ha sentito questa frase in trent'anni di carriera. Dalla finestra del suo ufficio percepisce lo stridio dei gabbiani, l'odore del mare, il rollio dei motori dei pescherecci che rientrano con il loro carico dopo una notte al largo. Avrebbe voglia di uscire e andare a prendere un caffè sul porto canale, c'è sempre qualcuno con cui scambiare due chiacchiere e qualcosa da imparare. Ma altri pensieri lo distraggono. Il dovere prima di tutto. Nei secoli fedele.

I carabinieri sono una grande famiglia: 110.400 uomini e donne in uniforme sparsi su tutto il territorio nazionale. Quasi duecento anni di servizio alla nazione, dalla carica a cavallo nella battaglia di Pastrengo del 1848 all'epoca del Risorgimento fino alla lotta alle Brigate Rosse e alla mafia condotta dal generale Alberto Dalla Chiesa: con più successo nel depennare il terrorismo che Cosa Nostra, purtroppo.

Non per nulla l'Arma è detta la Benemerita. Il maresciallo è orgoglioso di appartenervi. Per lui, figlio di un bagnino, il pennacchio rappresenta qualcosa di nobile, come l'elmo per gli antichi cavalieri medievali, il simbolo di un'elevazione sociale conquistata a prezzo di duri sacrifici. I trasferimenti con famiglia da un capo all'altro della penisola, i turni di notte, i rischi del mestiere. A Borgomarina c'è il sindaco per sposarsi, il parroco per confessarsi e il maresciallo per tutto il resto: così ama pensare.

Ma dei carabinieri, Giancarlo vede pure i difetti. Come tutte le organizzazioni cresciute a dismisura, ora l'Arma si scontra con un eccesso di burocrazia: troppi compiti, troppi comandi, troppe strutture. Dai corazzieri ai parà, dagli elicotteristi ai nuclei cinofili, dalla tutela dell'ambiente alla tutela della Banca d'Italia e delle falsificazioni, dalla prevenzione degli illeciti sanitari alla lotta contro gli abusi sul lavoro, dall'antiterrorismo all'antimafia, dall'anticamorra all'antindrangheta, dai ROS ai GIS. Eppure, grande o piccolo, il crimine comincia sempre dal basso, magari sotto gli occhi di un milite qualunque che, in un controllo di routine, ferma un'auto perché ha un faro rotto. E le denunce che arrivano sul tavolo del maresciallo Amadori, in via Leonardo da Vinci, nella stazioncina di Borgomarina, possono finire molto in alto.

La Romagna non è più quella di una volta, dove al massimo c'erano furti in appartamento e qualche rara rapina in banca – al tempo in cui in banca esistevano ancora soldi di carta da rubare, non come oggi che sono quasi tutti soldi digitali, intangibili, nascosti dentro a un computer. Ora anche sulla loro Riviera è arrivato il grande crimine, dal racket della prostituzione al narcotraffico. E lui, quando sente puzza di bruciato, vorrebbe partecipare allo spegnimento dell'incendio.

«Maresciallo, ci lasci lavorare» gli dice al telefono da Roma l'ufficiale dei ROS, il Raggruppamento Operativo Speciale, l'organismo addetto alla lotta alla criminalità organizzata, quello che ha catturato Totò Riina, arrestato latitanti, sgominato cosche. È composto da colleghi per i quali Amadori ha la massima ammirazione.

Ma quando ha inoltrato al ROS il rapporto sulla pizzeria dei fratelli calabresi si è sentito rispondere allo stesso modo: «Ci lasci lavorare. Ce ne stiamo già occupando. Li teniamo d'occhio». O meglio, d'orecchio, perché ormai gran parte del lavoro si risolve nelle intercettazioni, spiando telefonate, chat, email, social network. Il problema, secondo Giancarlo, è che si dà troppo poco spazio al fattore umano, all'investigazione più semplice, per strada, porta a porta. Indagini vecchio stile come quella che ha ordinato lui mandando due carabinieri a pedinare quei ragazzi cinesi reclutati dai fratelli Santo e Salvatore Caputo come corrieri della droga.

Si muovono con spudoratezza, i fratelli Caputo. Forse è arroganza, forse stupidità. Probabilmente un misto. Comunque, per Giancarlo ce n'è abbastanza per intervenire. Questi hanno fretta, bruciano le tappe. Meglio fermarli subito.

Invece da Roma il comando dei ROS prende tempo: sperano di fare abboccare pesci più grossi. Il ragionamento fila. È proprio come a pesca. Dai corda ai Caputo, finché l'amo si conficca sul palato e la preda non riesce più a fuggire. È la tecnica giusta, con i grossi predatori. Ma per lui significa mesi di pedinamenti per niente.

E il maresciallo non ci sta. Solleva la cornetta, compone un numero. Una piccola scorrettezza, ma spera che serva allo scopo.

«Giancà, che piacere!»

L'accento è immutato. La gentilezza tipica del sud. Eugenio Macrì, colonnello dei ROS in forza alla stazione di Catanzaro. Si sono conosciuti quarant'anni prima all'Accademia di Modena. Stessa età, stessa ambizione. Solo che uno ha fatto carriera, l'altro no. Due ragazzi poveri, uno settentrionale, l'altro meridionale, che vedevano nei carabinieri la strada per affermarsi e crescere. Per Giancarlo era stato un piccolo viaggio, dalla Romagna al cuore dell'Emilia: culturalmente non comportava uno shock. A Modena i cappelletti vengono chiamati tortellini, ma la sostanza è la stessa. Per Eugenio lo shock era più forte. Ammirava il nord. In particolare, l'Emilia. «Siete gente seria, per bene, generosa» diceva.

«E allora? La tua cooperativa?» lo provoca al telefono Amadori.

Un vecchio pallino del commilitone: una volta andato in pensione, avrebbe creato una Coop come quelle emiliano-romagnole, per mettere insieme braccianti e agricoltori calabresi, partire dalla terra e sviluppare attività sociali. L'idea gli era venuta proprio a Modena, negli anni dell'Accademia, affascinato dalla solidarietà emiliana. La cova da una vita.

«Ancora tre anni di servizio e vedrai» risponde l'amico. «Vedrai e assaggerai, quando finalmente verrai a trovarmi.»

Una vecchia promessa mai mantenuta: organizzare una vacanza in Calabria, a fine stagione, nelle spiagge sconosciute ai turisti. Andare insieme a caccia di cinghiali sulla Sila.

«Verrò, verrò» promette per l'ennesima volta Giancarlo, pensando che, appena andrà a sua volta in pensione, sarebbe davvero bello andare da Macrì. C'erano sempre problemi, prima: ogni vacanza era buona per tornare a trovare i genitori in Romagna, quando viveva lontano da casa.

«Giancà, come posso aiutarti?» domanda il colonnello terminati i convenevoli.

«Ho bisogno di un'informazione.»

Il maresciallo non ha accesso all'archivio elettronico dei ROS. Vuole sapere se i fratelli Caputo sono pesci piccoli, medi o grossi. Vuole scoprire su cosa indagano a Roma.

«Poi mi offri un piatto di turtlen?» risponde il calabrese. In bocca a lui, l'espressione dialettale fa un po' ridere.

«Se ci vedremo a Modena, i tortellini» lo corregge il romagnolo. «Se ci vedremo a Borgomarina, ti offro un piatto di cappelletti.»

31. *Mi amor*
(Colonna sonora: *Once in a While*, Liza Minnelli)

Buio, tintinnio di bicchieri, musica stroboscopica. E un corpo nudo che si muove in un fascio di luce. Il corpo si muove, volteggia, s'agita. Le tette che ci sono attaccate no. È chiaro che sono finte, riflette Mura. A prova di gravità: come quelle di Sasha.

Ma non sono le tette di Sasha. Appartengono a una bruna focosa che si dimena al ritmo della disco sulla pedana della Gatta, tra i fischi dei clienti che ogni tanto allungano una banconota da infilarle nella giarrettiera.

Si è ben guardato dal dirlo a Sasha, che sarebbe venuto a cercare sua figlia in un posto del genere. L'ha lasciata nel trappolo del Barone, a Fiorenzuola, promettendo che le avrebbe dato presto informazioni.

Quello che spera di trovare alla Gatta, in realtà, non lo sa nemmeno lui. Ma se ha deciso di provare ad aiutare la russa, tanto vale provarle tutte. Correre dietro al rumore registrato nel telefonino era assurdo. L'alternativa è un classico: tornare sul luogo del delitto. Sasha è una puttana. Non ci sono modi più gentili e garbati per definire il suo mestiere. Gli ha raccontato che lavora più che altro con clienti fissi, reclutati dai calabresi. Qualche volta lavora anche a cottimo per così dire, andando al night sulla statale Adriatica. È un luogo in cui tutti la conoscono. Tra whisky, tacchi a spillo e profumi a buon mercato, forse c'è un indizio da raccogliere. Potrebbe essere cominciato tutto da qui.

Non gli dispiace, come luogo del delitto. Spaparanzato su un divanetto basso, con un Cuba libre in mano e le ballerine che gli girano attorno per farsi offrire da bere, pensa come sarebbe divertente starsene qui a cazzeggiare con i suoi tre amici. Ma ha un lavoro da finire e bisogna mettersi all'opera.

«Ciao, paparino» si fa sotto una spilungona dalla pelle scura, sculettandogli davanti agli occhi.

Le ha fatto cenno di avvicinarsi e quella obbedisce al volo.

Con i locali notturni Mura ha una certa dimestichezza: ne ha frequentati parecchi nella sua lunga vita da inviato speciale. È in questi viziosi abbeveratoi, se ce n'è uno nei paraggi, che i corrispondenti di guerra vanno a riposarsi dopo una giornata al fronte.

«Di dove sei, tesoro?» la incalza.

«Colombiana, *mi amor*.»

Chissà se è vero. Le entraîneuse non sono le testimoni più attendibili del mondo.

«*Las muchachas más lindas*» prosegue la spogliarellista in spagnolo. Le ragazze più belle.

Questa ha conosciuto giorni migliori, ma rende ancora una discreta pubblicità al suo Paese.

«Sì, le colombiane sono molto belle» concorda Mura. «E le russe?»

«Oh, le russe non le sopporto. Le russe sono fredde.»

Non è che Sasha sia un campione di affettuosità, in effetti. Ma ha avuto una vita a dir poco difficile. Avrebbe indurito anche Madre Teresa di Calcutta.

«Come ti chiami?»

«Teresa.»

Gli scappa da ridere. Niente a che vedere con la famosa suora.

«Teresita» dice Mura. «E di Sasha che pensi?»

«Sasha?»

Adesso fingerà di non sapere chi sia.

Invece no. «È un po' che non la vedo.»

«Ma siete amiche?»

Il cameriere si avvicina: «Offriamo un drink alla signorina?».

Mura non può tirarsi indietro, anche se questa inchiesta comincia a costargli cara. Non c'è la nota spese del giornale per essere rimborsato, come ai vecchi tempi.

«Allora?» torna alla carica, quando Teresa, se si chiama davvero così, ha bevuto un goccio dell'acquetta colorata portata dal cameriere come drink.

Per tutta risposta, gli mette la mano fra le gambe. «Andiamo in un angolino più tranquillo, *mi amor*?»

«Un'altra volta, bellezza. Devo tornare a casa da moglie e figli.»

A parte che ha un'età più da nipoti che da figli, Mura non ha nemmeno la fede al dito.

«Oh, che peccato» miagola Teresita, senza badarci. «Tornerai?» Intanto non ha ancora risposto alla sua domanda.

«E tu hai figli?»

Questo la prende alla sprovvista. In genere gli uomini non vengono alla Gatta per discutere di prole. «Sì, *mi amor*» dice con gli occhi umidi. «Una bambina meravigliosa.»

«E vive qui in Italia con te?»

«No, con i nonni. A Cartagena. Sul mare.»

C'è il mare anche a Borgomarina, vorrebbe rispondere, ma a Teresa si è sciolta la lingua. «Mi manca tanto, la mia bambina.»

Di grande, le puttane, hanno anche il cuore. Non solo le tette.

«Pure Sasha ha una figlia» nota Mura.

Teresa non dice niente.

«Te ne ha mai parlato?»

«*Porqué*… perché te interessa tanto Sasha?»

«Le domande lasciale a me, tesoro» risponde Mura, e così dicendo estrae con malinconia una banconota da dieci euro.

Anche il cameriere ha una domanda, sempre la stessa: «Un altro drink per questa bella signorina?».

Perché nel frattempo la colombiana ha trangugiato l'acquetta colorata. Lei gli sfila con naturalezza la banconota e paga. «*Gracias*» dice rivolta a Mura.

«Per lei, *señor*?» chiede il cameriere, facendole il verso.

Mura indica il bicchiere di Cuba libre ancora mezzo pieno, scuotendo la testa.

Tanto vale dire la verità. Almeno un pezzetto di verità. «Pensa se non potessi rivedere la tua bambina. Non saresti preoccupata? Sasha non ti ha mai raccontato niente di sua figlia? Non hai sentito dalle altre o da lei» con un cenno indica la matrona alla cassa, «qualcosa sulla figlia di Sasha?»

«No, niente» replica Teresa. «Sasha era… faceva dei giochetti.» Adesso sembra spaventata. Forse qualcosa ha sentito. Ma certo non andrebbe a riferirlo per due drink a uno sconosciuto.

«Scommetto che fuori di qui ti torna la memoria» insiste Mura.

«Non possiamo vederci fuori, *amigo*» risponde in tono secco.

Come, pensa Mura, non mi chiama più amore o tesoro? Quante interviste ha affrontato in vita sua per convincere a parlare gente che non voleva dire niente. Ricorda la vecchia massima cinese: "Coloro che sanno, non parlano. Coloro che parlano, non sanno". Valeva nel giornalismo. Vale anche per una entraîneuse colombiana?

Teresa ingolla in un sorso il secondo drink e se ne va senza salutare.

Mura ripete le domande ad altre due ballerine. Senza offrire da bere, andando subito al sodo: le sue finanze non glielo permettono. Con zero risultati. Una marocchina dice di non conoscere Sasha. Una albanese dice di conoscerla ma conferma che da un po' di giorni non si vede. Altre russe nel locale al momento non ce ne sono, per quanto vi sia una discreta rappresentativa delle Nazioni Unite: italiane escluse, s'intende. Ormai il mestiere è un'esclusiva delle straniere, perlomeno in strada e nei night.

Un altro buco nell'acqua.

Sulla pedana continuano ad alternarsi donne seminude, giovani e non più tanto giovani. Arriva gente, tra poco inizia lo spettacolo di varietà, che poi consiste in una serie di spogliarelli più spinti e prolungati, con coinvolgimento di qualche cliente.

Mura si alza. Raggiunge la cassa. «Ho sentito parlare di una bella russa qui da voi» dice alla anziana maîtresse seduta a gambe accavallate su uno sgabello all'entrata. È l'unica italiana del locale. «Stasera non ce ne sono?»

La donna lo squadra con l'esperienza di una lunga carriera in questo business. Non è un poliziotto, non è ubriaco e non è uno con molti soldi in tasca. «Eh, vanno e vengono, le russe. Oggi siamo a corto. Ma abbiamo tante altre belle signorine d'altre parti del mondo.»

Ci sarebbe da ridire, sulla bellezza. A lui, insiste, piacciono solo russe.

«Torna un'altra volta, magari sarai più fortunato» conclude la maîtresse.

Sulla porta, Mura è tentato di rivolgere la stessa domanda al buttafuori.

Ma è quello che prende la parola: «T'interessa una russa?».

L'accento gli sembra calabrese. Annuisce, fingendo imbarazzo.

«Una russa di carne fresca?» continua il buttafuori.

Bingo.

«In che senso?» finge di non capire.

«Carne giovane, fresca. Vergine.»

«Sì.» Mura ammicca con malizia. «M'interessa molto.»

L'uomo scarabocchia un numero su un pezzo di carta e glielo passa. «Chiama domattina.»

Mura lo infila in tasca e sparisce prima che quello si imprima in testa la sua faccia.

32. Dei fratelli

(Colonna sonora: *Strangers In The Night*,
Frank Sinatra)

Al Barone scappa un risolino, mentre armeggia attorno ai fornelli.

«Perché ridi?» domanda Sasha dall'altra stanza.

«Niente, mi è venuta in mente una vecchia storiella.»

Non è vero. Gli è venuta in mente una nuova storiella. Russia-Brasile. Sarebbe un bel match. Non di calcio. Se la Raffa venisse a fargli visita a sorpresa e gli trovasse Sasha in casa: questo sarebbe il bel match. Non è sicuro di chi vincerebbe. La sua Rafaela, ormai la conosce bene, sembra dolce e mansueta, ma è tosta. Altrimenti non sarebbe sopravvissuta, sbarcata in Italia con un figlio a carico, in una cittadina di provincia dove l'ha portata il caso, come succede quasi sempre. L'amica di un'amica, una casa dove stare, la possibilità di un lavoro. È stata domestica e barista, all'inizio, ma non per molto. Le andava dietro tutta Pesaro: quella di sesso maschile, naturalmente. E ben presto sono cominciati ad arrivare corteggiatori anche dalla Romagna, da Riccione, da Rimini. Volevano tutti la stessa cosa. Per una notte, per due, una volta alla settimana. I più seri l'avrebbero voluta come amante fissa.

È stata abbastanza scaltra da non cascarci, da usarli senza concedere niente, o perlomeno senza concedere troppo. Ha selezionato potenziali fidanzati tra i single. E ora è arrivata al primario della gastro, lo stimatissimo dottor professor Danilo Baroncini, detto il Barone dagli amici. È sempre stato convinto di condurre lui le danze, il Barone. Con la Raffa, non è più sicuro. E nemmeno con questa Sasha che il suo fra' gli ha recapitato in casa.

«Pronto in tavola» annuncia.

Ha preparato caffè, latte, succo d'arancia, pane tostato con marmellata d'arance, yogurt e frutti di bosco. A differenza di Mura, a lui piace cucinare: sebbene lasci ogni volta la cucina in condizioni che ricordano il passaggio dei lanzichenecchi. Anche soltanto per preparare un breakfast come questo.

Con lei non c'è bisogno di preghiere: ha una fame da lupo. Anzi, da lupa. È ancora vestita com'è arrivata, felpa e jeans di Mura: troppo grandi ma le stanno bene lo stesso. Ai piedi, qualcosa del Barone, invece: ciabatte hawaiane. Se ne è già appropriata con naturalezza. Le vanno grandi, ma è okay lo stesso. Lo intriga l'idea che quei bei piedini siano infilati nelle sue pantofole.

Sasha si avventa sulla colazione con accanimento, neanche fosse il suo ultimo pasto. Vive alla giornata da quando era piccola: riempire lo stomaco quando ce n'è e in fretta, chissà quando sarà il prossimo pasto. Sarà per questo che non è andata giù di testa con tutto quello che le è capitato negli ultimi giorni, *dulcis in fundo* la figlia prigioniera. Di fuori, l'analizza il Barone, sembra dura come un diamante. Ci sarà un punto fragile, all'interno?

Gli scappa di nuovo da ridere.

«Raccontala anche a me, la storiella, dai» dice Sasha.

Non può confessare che, pensando a un punto dentro di lei, gli è venuto in mente il punto G.

«Non diverte nessuno tranne me» improvvisa. «Me e Mura» aggiunge continuando a improvvisare e a seguire il filo di un ricordo. «Da ragazzi, una volta andammo a sciare in gita scolastica insieme ad altri due amici. Uno di questi giorni li conoscerai. Al bar di un rifugio comprai delle caramelle e, mentre ero alla toilette, gli amici me le mangiarono tutte. Ci rimasi malissimo. Da allora continuano a prendermi in giro per questo. Bambinate. E a ripensarci mi scappa da ridere.»

Lo guarda sgranando gli occhi. Si aspetta che commenti: non ci trovo niente di divertente. Invece dice: «È bello avere vecchi amici».

«Ci facciamo compagnia» riconosce il Barone. «Siamo tutti quasi senza famiglia. Abbiamo perso i genitori troppo presto, non abbiamo fratelli o sorelle, l'unico che si è sposato e ha un figlio è Mura. Ma adesso è divorziato, suo figlio è lontano, perciò in sostanza è solo anche lui. La nostra famiglia sono gli amici. Noi quattro. Si può adottare un figlio, noi abbiamo adottato dei parenti. Dei fratelli.»

Fra'.

Bro.

Si chiamano così, lui e Mura. Diminutivo di fratello e *brother*. Si può essere fratelli adottivi? Nel caso loro, in un certo senso si può. Molti anni dopo i fatti, quando il padre del Barone e la madre di Mura erano già precocemente sepolti, i due amici avevano confessato a vicenda: ma lo sapevi che mio padre andava a letto con tua madre? Sì, lo sapevo che mia madre andava a letto con tuo padre. La madre di Mura era divorziata. Il padre del Barone era vedovo. Pur essendo entrambi liberi, single come si direbbe oggi, mantennero la relazione segreta a tutti. Tranne ai rispettivi figli: a cui ciascuno dei due la rivelò, poco prima di morire. Un amore probabilmente nato al ricevimento dei professori al liceo Fermi, rimasto platonico per chissà quanto tempo.

Invece che imbarazzarli, la reciproca ammissione li aveva avvicinati: è come se fossimo fratelli... be' fratelli di sangue proprio no... fratellastri, se i nostri genitori si fossero sposati fra loro... fratelli adottivi, se decidiamo di considerarci tali...

Non conoscevano i dettagli della relazione clandestina. Adesso avrebbero la curiosità di porre tante domande. Ma il padre del Barone e la madre di Mura non ci sono più da un pezzo. Le domande che vorremmo fare ai nostri genitori spesso arrivano troppo tardi.

Che razza di discorso per sedurre una gnocca! Ma il Barone è così. Sembra l'uomo con cui una donna non potrà mai avere una seria relazione e poi gli capita di lanciarsi in ragionamenti da filosofo. Cosa ha in mente, di scoparla o di farla singhiozzare?

Sasha ha finito di mangiare in silenzio, come rispettosa delle riflessioni del Barone.

Lui beve solo un caffè. «Sigaretta?» propone alla fine, e Sasha accetta volentieri una Marlboro. Ignora che caffè e sigaretta costituiscono il rito del Barone per andare al cesso: una lunga evacuazione mattutina, a cui le pur numerose vittime della sua arte amatoria si sono dovute acclimatare. Abitudine maschile di starsene in santa pace in bagno a leggere il giornale, ora a scorrere con il dito Facebook; in realtà, per il Barone, conseguenza obbligata di una colite poco in linea con la sua reputazione di playboy. Agli intestini non si comanda. Neanche se sei primario di gastroenterologia.

Al cesso, stamattina, non scorre Facebook: dialoga via sms con la Raffa. Ospitare Sasha poteva essere un'operazione semplice, pubblica, trasparente: un piacere a Mura, un dovere per salvare una persona in difficoltà. Ma la consuetudine maschile alla menzogna ha avuto il sopravvento anche in lui. Molto più facile raccontare una balla: un congresso di tre giorni a Bologna, che lo terrà occupato e lontano da Fiorenzuola.

"Così" digita, "quando torno ti desidero di più, Bibi."

Risposta: "Bel programma, Bibi, perché ultimamente mi sembri un po' spento". Poi una serie di faccine con risata lacrimosa.

Non è solo una battuta.

Dopo un po', il Barone perde interesse per la donna che ha di fianco. Si è sempre chiesto se è così per tutti. Una questione di natura umana. Come recita un'altra delle vecchie barzellette ripetute sino allo sfinimento dai quattro moschettieri: se chiava ancora la moglie dopo dieci anni di matrimonio, il marito è un maniaco sessuale. Regola reciproca, naturalmente, varrà anche per le mogli: che fantasie avranno loro stese sul letto? A cosa penseranno, scopando il marito o compagno di lungo corso? I moschettieri hanno una storiella anche per questo, sulla donna che, alla prima scopata con l'innamorato, stesa a gambe larghe nel letto, urla: «Mi fai morire». Un mese dopo, nella stessa posizione, afferma: «Ti amo». Un anno dopo, osserva: «Mi pare ora di riverniciare il soffitto». È quello che pensa adesso anche la sua carioca, quando scopano?

Non ha importanza. Rimane la soddisfazione di entrare insieme a lei al ristorante: quando in sala scende di colpo il silenzio, nessuno dice più una parola, nessuno mastica, non vola letteralmente una mosca. Tutti a guardare, mosche comprese, il fisico fenomenale della Raffa che incede tra i tavoli. E questo gli piace ancora, eccome se gli piace. Quanto parcheggiare in piazza la Porsche.

Usata, s'intende.

Chiude il rubinetto del bidet che ha aperto al massimo per coprire gli altri rumori poco sexy che provenivano dal suo culo sul water. Come se la donna di turno, in questo caso Sasha, credesse che è impegnato in un pediluvio di primo mattino. L'acqua del bidet che scorre è la colonna sonora delle sue evacuazioni. Tira lo sciacquone. Lava le mani. Esce.

«Okay, io vado in ospedale.» Congresso inventato o meno,

lavorare gli tocca. Per quanto gli piacerebbe dedicarsi ad altro. «Stasera, se ti va, andiamo giù a vedere il mare.» Uno dei classici che usa per conquistare le donne: scendere in moto fino alla spiaggia per la stradina privata chiusa alle auto.

«Volentieri» risponde Sasha.

Fuori stagione, anche la spiaggia di fatto è privata, specie nei giorni feriali. Non ci va nessuno. La sabbia è fine, coperta di conchiglie, alghe e pezzi di legno depositati dall'alta marea. Il mare azzurro come solo al Sud. Alle spalle, la montagna verde a strapiombo; e su, in cima, si intravedono le mura quattrocentesche del piccolo borgo. "Sentiero dell'amore" lo chiamano: impossibile non darsi un bacio, con quella vista.

Ogni volta che ci posa lo sguardo, il Barone è felice di avere scelto quel posticino come casa. Anzi, come trappolo. Da vecchio, magari, se lo prenderà tutto intero, lo stabile in cui adesso affitta solo un monolocale: e verranno a starci anche i suoi amici. A patto di arrivarci, alla vecchiaia. Anche lui in fondo vive alla giornata, esattamente come Sasha. Ha perso i genitori presto: non si illude di avere ereditato il DNA di una lunga vita. Approfitta di un attimo che lei distoglie lo sguardo per toccarsi i maroni in gesto scaramantico.

In ospedale ci va in moto. Ha prestato la Porsche a Mura. Non direbbe mai di no al suo fra'. Lascia a Sasha qualcosa da mangiare, raccomandandosi di restare in casa, come ha consigliato – anzi, ordinato – Mura. Le dà appuntamento per il tardo pomeriggio. Dovrà ospitarla solo tre giorni, ha garantito Mura: dopo le troverà un'altra sistemazione. Tre giorni. E tre notti. Troppi o troppi pochi? Accende la moto, infila il casco, mette la mano sulla frizione per ingranare la prima. Poi spegne, toglie il casco, estrae il telefonino e digita un numero.

La risposta giunge al secondo squillo.

«Pronto?»

«Sono il Barone, l'amico di Mura» dice.

«Lo so, vi ho tutti in rubrica. Qual buon vento?»

«Non un buon vento.» Spera che fra' non si arrabbi. Ma deve tradirlo. Per il suo bene.

33. Slaccia l'accappatoio

(Colonna sonora: *A Night In Tunisia*, Miles Davis e Charlie Parker)

È una casa a un piano nella campagna più piatta, un chilometro dietro la statale Adriatica. A un incrocio, il cartello per Pisignano, base NATO, da cui durante la guerra nella ex Iugoslavia decollavano in continuazione i cacciabombardieri americani. Mura ricorda bene l'estate in cui suo figlio Paolo alzava gli occhi al cielo incantato dalla scia degli aerei, sopra la spiaggia brulicante di turisti: il bambino ignorava che partivano carichi di missili e tornavano più leggeri. La ferrovia corre parallela all'abitazione. La strada adiacente ai binari è abbastanza larga da parcheggiare. Sul lato opposto, accanto a un boschetto di pioppi, un cancello si apre su un viottolo che porta sul retro dell'abitazione.

Ha telefonato di primo mattino al numero di cellulare che gli ha dato il buttafuori.

«Sì?»

Voce di donna, matura, sicura di sé.

«Buongiorno, volevo un appuntamento.»

«Chi la manda?»

«Il buttafuori della Gatta.»

«E quando vorrebbe venire?»

«Oggi pomeriggio, se possibile.»

Un attimo di pausa.

«Alle quattro?»

«Va bene.»

«Allora l'aspetto.»

«Ma... quant'è...»

«Ne parliamo quando è qui, va bene?»

«Va bene.»

Passa un'auto, poi un camioncino. Mura controlla il porta-foglio. Si è fermato a un bancomat per ritirare contante e ha prosciugato il conto. Dovrà chiedere un prestito agli amici: la pensione, questo mese, è finita in meno di due settimane. Tanto con i soldi o senza, la sua vita non cambia di molto. Almeno con questa attività non si sente più inutile. Sebbene non sappia come chiamarla, la nuova attività. Investigatore per hobby? Per gioco? Per una cazzata di cui si pentirà presto?

Alle quattro meno dieci scende e percorre a piedi i duecento metri che lo separano dall'edificio. La targhetta del campanello accanto al cancelletto pedonale è senza nome. Suona, metten-dosi bene in vista. Nessuno gli chiede chi è o che vuole, scatta la serratura, aprono, attraversa il cortile.

«Buongiorno.» Una donna anziana con l'aria dell'ex prostitu-ta lo accoglie in un ingresso spoglio e lo invita ad accomodarsi in un salottino.

«Vuole bere qualcosa?»

«No, grazie.»

«Allora?»

«Allora... vorrei sapere quanto mi costerà.»

«Dipende» risponde la donna e gli comunica le tariffe per mezz'ora, un'ora, due ore.

«E non devo dare niente alla ragazza?»

«È sistemato tutto così. Può fare tutto quello che vuole. Ma niente violenze, eh.»

Risponde con una smorfia: non sono mica il tipo. «Posso vederla prima di… pagare?»

«Non volevi carne fresca?» chiede la donna, passando al tu. È come se la assalisse il dubbio di non avere davanti a sé la persona giusta.

«Sì, sì, è che…»

«Non è una fregatura» lo assicura lei. «Sarai contento.»

«Cominciamo con mezz'ora». Mura non potrebbe permettersi di più. Allunga sei carte da cinquanta alla donna che le infila nella tasca del grembiule.

«Risparmi a comprare più tempo» commenta lei.

«La prossima volta.»

Percorrono insieme un corridoio passando davanti a un'altra stanza, forse la cucina, da cui arriva il rumore di un televisore acceso, sintonizzato su una partita di calcio. Mura sente una sedia strisciare sul pavimento, poi un colpo di tosse.

«Mio marito» dice la donna, giusto perché capisca che c'è un altro uomo in casa. «La ragazza si chiama Lilly» aggiunge prima di bussare due volte alla porta della camera in fondo al corridoio.

E io sono il Vagabondo, è tentato di rispondere Mura.

La stanza è rischiarata soltanto dalla luce rosa di un paralume. Sul letto, una giovane in accappatoio sfoglia una rivista. Alza gli occhi verso di loro, ma non dice niente.

«Il bagno è qui di fronte» avverte la donna. «Quando hai finito vieni in salotto.»

Mura entra e lei richiude la porta alle sue spalle.

La ragazza slaccia l'accappatoio e rimane in reggicalze. L'età potrebbe essere sedici anni. Ha uno sguardo acquoso, perso nel vuoto. Si appoggia al cuscino, allarga le gambe e aspetta.

Mura siede sul bordo del letto, fissandola con attenzione. Ha gli zigomi alti, come Sasha. I colori sono diversi: occhi scuri, capelli castani. Potrebbe averli presi dal padre. Nell'aria stantia della camera avverte l'odore dolciastro di un profumo da poco o forse di un deodorante. E un altro aroma che gli pare di riconoscere: alcol. Proviene da un bicchiere quasi vuoto sul comodino.

Non c'è molto tempo da perdere: mezz'ora passa in fretta.

«Come stai?» chiede.

«Okay» risponde lei. Non si è tolta le scarpe. «Cosa vuoi?» aggiunge.

L'accento non è italiano. Non pesante come quello di Sasha: i ragazzi imparano più in fretta degli adulti.

«Voglio solo parlare.» È possibile che nella stanza ci siano i microfoni o una videocamera nascosta.

Lei gli allunga una mano su un braccio, poi sullo stomaco, poi più in basso.

Gliela sposta bruscamente, spaventandola.

«No» obietta Mura. «Non mi piace così. Mi piace... Tu stai ferma, mi muovo io.» Si stende sul letto accanto a lei.

Da vicino, al chiarore del paralume, sembra più simile a Sasha. È bella come la mamma, forse ancora di più.

Mura le passa un braccio dietro il collo e lei gli si rannicchia addosso.

Lui la respinge, stavolta con delicatezza. «Non mi toccare, resta lì. Voglio solo guardarti.» Ma poi avvicina la faccia al viso di lei, fino a sfiorarla, le labbra attaccate all'orecchio. «Ti dirò una parola» sussurra Mura. «Non spaventarti. Non reagire. Non muoverti. Hai capito?»

«Sì» risponde la ragazza.

«E non parlare. Fai solo sì o no con la testa. Hai capito?»

Un sì con la testa.

«Sveta» bisbiglia Mura.

La giovane si irrigidisce, cerca di allontanarsi, ma lui la stringe con il braccio.

«Non ti muovere» ordina con un filo di voce. «Sveta» ripete.

Lei rimane immobile.

«Ti chiami Sveta, sì o no?»

Lo guarda con occhi terrorizzati. E piega una volta la testa verso il basso.

In quel momento un brontolio sordo, potente, spaventoso, sorge in lontananza e rapidamente si avvicina, facendo tremare la casa.

Mura ne approfitta: «Mi manda la tua mamma. Tornerò e ti porterò via da questa gente cattiva. Aspettami».

Lei lo fissa con lo stesso sguardo impaurito di prima.

«Hai capito?»

«Sì.»

Com'era venuto, il boato passa. Il bombardiere NATO deve essere volato a poche decine di metri sopra la casupola.

Mura si rimette in piedi, scompiglia i capelli. Se lo guardano, deve risultare convincente. Quelli che vanno con le ragazzine sono tutti maniaci. Ognuno con la sua mania. Spera che la recita abbia funzionato.

«Ciao Lilly» dice.

«Ciao» risponde lei.

Esce dalla stanza, va in bagno, lascia scorrere l'acqua, piscia e raggiunge la donna di prima in salotto.

Se era lei a spiarlo, si è rimessa in ordine in fretta e adesso è impegnata con un giochino sull'iPhone.

«Già finito?» chiede guardando l'orologio.

«Finito. La prossima volta comprerò più tempo. La ragazza mi piace.»

«Te l'avevo detto.»

Gli offre di nuovo da bere, ma lui rifiuta.

Lo accompagna alla porta. «Allora arrivederci Sai dove trovarci.»

«Sì» risponde Mura. «So dove trovarvi, adesso.»

34. Ecco il suo modello
(Colonna sonora: *Barbara Ann*, The Beach Boys)

«Geometra, omaggi!»

La barca più grossa di Borgomarina è il Passero, un cabinato di venti metri con tre ponti, tre uomini di equipaggio e cabine per otto persone. C'è anche una vasca idromassaggi. Appartiene al geometra Amos Zoli, l'uomo più ricco della cittadina, uno che è venuto dal niente tra mille affari e adesso ha tutto più grosso: l'albergo più grosso, la villa più grossa, lo yacht più grosso. Si mormora abbia anche altro di grosso. Non lo usa quasi mai, lo yacht: il mare, in verità, non gli piace. Ma talvolta invita qualche cliente a bordo, per lasciar intendere, appunto, di essere un pezzo grosso, non un ex pescatore o ex contadino come la maggior parte dei suoi concittadini.

Ha servito champagne e tramezzini a poppa a due milanesi che promettono di importare le piastrelle del suo stabilimento per una serie di alberghi negli Emirati Arabi. Non sembra avere sentito il saluto di Tassinari, che sta rientrando in porto proprio in quel momento alla guida di uno scafo molto più piccolo.

O forse Zoli è un po' duro d'orecchi. La moglie gli ha suggerito di comprare un apparecchio per l'udito. «Ce ne sono di così piccoli che neanche si vedono, è normale per un uomo della tua età» non perde occasione di ripetergli.

«Così mi tocca di sentire te» risponde lui. La cornetta acustica, come la chiama, non se la mette.

«Omaggi, geometra!» grida ancora più forte Tassinari, dando un pizzicotto alla bionda in bikini vicino a lui perché si metta più in mostra.

Stavolta Zoli ha sentito. Si volta a guardarlo come se lo vedesse per la prima volta e non presta attenzione alla maggiorata al fianco di Tassinari. Solo un cenno del capo, senza pronunciare parola.

La donna in compenso ha attratto l'attenzione dei milanesi.

«Chi l'è quel lè?» dice uno.

«Chi l'è quella là?» gli dà di gomito il compare.

Indossano abiti di Armani, ma sono della stessa pasta di Zoli: gente che sa tirar su i soldi ma non sa nient'altro del mondo.

«Una delle mignotte con cui si accompagna quel gigolò» risponde il geometra Zoli.

«Cretina» dice Tassinari alla sua accompagnatrice. «Se mostravi di più il culo, ci invitava anche noi a bere sullo yacht.»

Lei lo guarda con aria delusa: non si capisce se da se stessa, per non avere esibito abbastanza il culo, o da Tassinari medesimo, che poco prima, quando erano al largo, l'ha scacciata in malo modo quando si è inginocchiata per fargli un pompino.

«È un signore televisivo, ciccio?» chiede sbattendo le ciglia.

«Ma che signore e che televisivo! Ma che cazzo dici? Quello ha abbastanza soldi da comprarsi Tele Romagna, se vuole. E non chiamarmi ciccio o ti butto in acqua.»

«Non ti piaccio più?» piagnucola la bionda.

Tassinari neanche le risponde. Ha sempre usato le gite in motoscafo con la soubrette di turno per farsi vedere più che per fare sesso: per quello non c'è bisogno di andare in alto mare.

Ma adesso il sesso è diventato impossibile. Con tutte, non solo con questa scema. Per colpa di quella russa maledetta.

Inizia la manovra per attraccare al molo del porticciolo turistico, ben distante dal super yacht del geometra, purtroppo.

Vorrebbe essere come Zoli. Ecco il modello. I soldi della famiglia della moglie gli sembravano tanti, all'inizio. Ma sono bruscolini rispetto ai soldi veri. Cos'è l'Hotel Bristol in fondo? Un tre stelle mascherato da quattro, come si usa adesso in tutta la Romagna. Bisogna farsi un mazzo così per tirarci fuori un profitto e lui non ha nessuna intenzione di passare le estati come portiere d'albergo. E in più gli tocca sopportare quella racchia di moglie.

«Merda!»

Sbatte la prua contro il molo. Gira il timone per tornare indietro a retromarcia e per un pelo non urta la barca vicina, un dieci metri a vela e motore, più basso del suo.

Combina un tale casino per attraccare che lo guardano tutti.

«Oh, sei arrivato?» gli domanda il velista di fianco, uscito sul ponte, in tono ironico.

È il notaio Calzolari, quello che vive in barca per non vedere la moglie. È diventato la favola del paese.

«Atc salud» fa Tassinari.

«Invornito» biascica il notaio, abbastanza piano perché l'altro non lo senta.

«Dove andiamo adesso, ciccio?» domanda la bionda.

«E t'ho detto di non chiamarmi ciccio o non andiamo da nessuna parte!» Ha in mente di portarla in una disco, giù verso Riccione, dove gli hanno chiesto ragazze vistose. Gli piacerebbe prendere i soldi e scappare lontano, a Tassinari, andare dove non lo conosce nessuno. Ma finché non ritrova la russa non può.

Non s'accorge che dall'altro lato del porto, su un motoscafo, c'è un uomo che spia ogni sua mossa.

35. A bocca aperta

(Colonna sonora: *Sultan of Swing*, Dire Straits)

Ci vorrebbe una sigaretta.

Da quando si è stabilito a Borgomarina, Mura ha smesso di fumare: un correttivo tardivo, ma meglio tardi che mai. Ha smesso di botto, passando da una decina a zero paglie al giorno. La sua era una dipendenza dal gesto, dal *social smoking* come dicono gli psicologici, non dalla nicotina. Sommata all'esercizio fisico, spera che la rinuncia gli allunghi la vita. Sebbene, con quello che mangia, potrebbe non servire: cornetti, piadina e pizza, come colazione, pranzo e cena.

Ma adesso quanto ha voglia di una sigaretta.

Seduto al volante della Porsche sul ciglio della strada, spera di essere invisibile: l'auto è nera, la notte scura, con un cielo coperto di nubi e senza luna. Ogni tanto la via è rischiarata da un fascio di luce: danza sulla linea dell'orizzonte pian piano che i fari si avvicinano e poi scompare, di nuovo inghiottito dall'oscurità. Una macchina rallenta fino a fermarsi davanti al cancello. Allora Mura stringe le mani sul volante come se potesse strozzare l'uomo alla guida. Ha l'istinto di mettere in moto, entrare rombando in cortile, lasciare l'auto accesa, scendere di corsa, spingere via la donna, strappare Sveta dalle braccia del bavoso cliente e trascinarla fuori, in salvo.

Cose che succedono soltanto nei film. C'è anche un uomo

di guardia lì dentro. Il salvataggio probabilmente andrebbe storto. Sopporta ancora per una giornata, ragazzina. Bevi vodka e anestetizzati. Presto ti libererò.

In realtà, più che un piano, ha soltanto un'idea di partenza: scoprire se Sveta viene tenuta lì anche di notte o dove la nascondono. E poi…

Poi non è chiaro. Per questo avrebbe bisogno di fumare, nella snervante attesa di una soluzione.

Ormai non dovrebbe durare molto: non continueranno a venire clienti tutta la notte. Ci giurerebbe che sono tutti bravi mariti e a una cert'ora dovranno rientrare a casa dalle mogli. Prende il telefonino, scorre con il dito alla ricerca della rubrica. Chiamare il maresciallo? Gianca potrebbe risolvere tutto: circondare la casa, arrestare l'uomo e la donna, liberare la ragazza. Ma Sasha lo ha scongiurato di lasciare fuori le autorità, ha paura che le porterebbero via la figlia per sempre o che addirittura metterebbero in galera lei. Chi è Mura per decidere?

"Who am I?" Già: chi sono io?

Il ritornello dei *Miserabili*, il musical che ha visto tante volte a Londra: con la donna di turno, con gli amici in visita, con suo figlio. Una volta anche da solo, per un servizio giornalistico quando diventò il musical di più lunga durata nei teatri del West End londinese, repliche tutte le sere da oltre trent'anni.

"Who am I?" canta Jean Valjean, il protagonista del capolavoro di Victor Hugo da cui è tratta la pièce teatrale. Gli ha sempre dato i brividi, quella canzone. *"Can I conceal myself for evermore? Pretend I am not the man I was before?"* Valjean, il gaglioffo redento, è sul punto di rivelare la propria identità. Anche Mura ha sempre avuto l'impressione di recitare una parte, di nascondere qualcosa di sé sotto il ruolo del giornalista, dell'inviato speciale, dell'uomo di mondo. Oppure è adesso che sta recitando, alla ricerca di nuovi stimoli, di una ragione per vivere che non trova più? Che cazzo è questo gioco all'investigatore privato? Tutta colpa di una donna, *cherchez la femme*, come al solito nel suo caso? E la responsabilità è soltanto sua?

Forse. "La mia parola è una sola: forse." La vecchia filosofia del Barone, il suo *bro. Akuna Matata*. Senza pensieri la mia vita vivrò. Ora gli è venuto in mente un altro musical. *Il Re Leone*. Visto non quattro, ma quaranta volte, quando comprò la videocassetta a suo figlio.

«Lui vivrà in te» dice lo scimmione al leoncino orfano. E se in questo gioco del cazzo finisse ammazzato?

Altra sforbiciata di luce nelle tenebre. L'auto entra nel cortile. Nella notte silenziosa, le portiere che sbattono. Sono scesi in due. Dentro la casa si accende una luce.

Forse ci siamo.

Forse.

Forse.

Forse.

Nel buio Mura intravede soltanto ombre, poi dallo spiraglio illuminato della porta di casa escono in tre. Due ombre grosse e una più piccola. Due uomini e una ragazza. Le portiere dell'auto che sbattono di nuovo, il rombo del motore. La portano via.

Mura aspetta che i fari illuminino il cancello e scompaiano davanti a lui, quindi accende a sua volta e si mette a seguire le luci rosse posteriori. Tiene i fari spenti. Deve aspettare che aumenti il traffico per evitare che lo notino.

Una sventagliata di abbaglianti e un colpo di clacson. La macchina per un pelo non gli è venuta addosso da una strada laterale: sbanda per evitarla, finisce sulla corsia opposta.

«Accendi le luci, *imbezel*» gli grida il guidatore mezzo in dialetto mezzo in italiano, e poi tira dritto.

Andrea accende i fari, accelera, per due curve non vede più le luci di posizione rosse.

Un ponticello.

Un cartello.

VILLA INFERNO.

Di qui è già passato, ricorda il nome della località, quando cercava il rifugio della figlia di Sasha dalle parti del castello di Azzurrina.

Ed ecco nel buio ricompaiono le luci.

Non vuole avvicinarsi troppo, ma neanche stare troppo lontano: se svoltano, rischia di perderli. Sperando di seguire l'auto giusta, e non una che non c'entra niente, come durante il pedinamento con i suoi amici.

A proposito: ci sarà abbastanza benzina?

Controlla il livello sul cruscotto: sì e no un quarto di carburante. Quella raspa del Barone! Ma non è avarizia, è incuria. La stessa che rende la Porsche simile a un bazar.

Dell'usato, s'intende.

Non poteva pensarci prima a fare il pieno?

Quelli filano a velocità sostenuta, come se avessero davanti un lungo viaggio. Benissimo, e lui resterà a secco!

Case, luci. La strada provinciale. Non sono più sole, la sua Porsche e l'auto su cui viaggia Sveta. Cerca di lasciare un'altra macchina fra sé e la Bmw, o forse è una Mercedes, che sta inseguendo. Un'occhiata davanti, una al contatore della benzina: non ti muovere! Non consumarmela tutta!

Casemurate, Martorano, San Vittore, Diolaguardia. Che nomi hanno le cittadine di questa terra.

No, non gli pare più di avere già percorso quella strada. Ma in fondo questi stradelli romagnoli si somigliano tutti.

"Stormir di frondi, cinguettio d'uccelli,
risa di donne, strepito di mare."

Da dove vengono i pensieri, i ricordi chiusi per decenni in un cassetto polveroso? Dove li aveva riposti al tempo della scuola? E perché proprio ora? Di chi è quel verso? Carducci? Pascoli? Leopardi? Ci vorrebbe la Carla, che è una specie di jukebox della poesia italiana: le citi un titolo e lei ti recita il testo dall'inizio alla fine, quasi ce l'avesse davanti agli occhi.

Bivio per Montecodruzzo: la trattoria in cima a una piccola montagna dove sin da ragazzi andavano per le scampagnate, tagliatelle e arrosto, cinquemila lire a testa con vino a volontà.

Anche la strada sale, inerpicandosi fra tornanti e colline. Ormai non ci sono più macchine nel mezzo, soltanto la sua e la loro, a poche centinaia di metri di distanza.

Mercato Saraceno: Mura c'è stato molti anni prima, invitato a un dibattito estivo, da un amico del posto. I saraceni non ci sono mai arrivati, fin quassù: il nome deriva da Saraceno degli Onesti, feudatario del borgo all'epoca di Dante, questo l'ha imparato senza bisogno delle lezioni del Professore. Dovunque ti muovi, in Romagna, ti imbatti nell'autore della *Divina Commedia*. Da Fiorenzuola di Focara a Mercato Saraceno. Dal Manzanare al Reno. Con le dovute proporzioni, patacca! Ci vorrebbero i suoi amici qui con lui per scaricare la tensione con qualche cazzata.

La Bmw, ora Andrea è sicuro del modello, prende a destra. Via degli Olivi, via Monte Sasso, via Madonna del Pozzo. Aperta campagna. Boschi. Buio pesto. Impossibile restarci vicino, se non vuole essere scoperto. Segue i fari da una curva all'altra. Scompaiono. Rieccoli. Scompaiono. Rieccoli. Scompaiono. Scomparsi. Ma girandosi verso un boschetto intravede le braci rosse dello stop. L'auto s'è fermata. Riparte.

E non si vede più niente.

Mura ha inchiodato con il cuore in gola. E adesso?

Un'inversione di marcia, per cominciare. Torna indietro fino al punto in cui ha intravisto le luci di posizione della Bmw. C'è un viottolo. La catena che dovrebbe sbarrare l'accesso è a terra. Segno che torneranno presto indietro?

Prosegue dritto, senza svoltare, alla ricerca di un punto dove lasciare la Porsche. Trova un altro sentiero, senza sbarre, e ci si infila. Quindi parcheggia e torna di corsa al punto di prima. La strada sterrata scende verso una radura. Niente sciocchezze, niente eroismi. Deve solo assicurarsi che quella sia la prigione di Sveta. Poi penserà come tirarla fuori da lì. Prosegue al riparo degli alberi. Prova a immaginare i due alla guida durante il tragitto. Parlano, sentono musica. La ragazzina è sui sedili di dietro. Legata? Ammanettata? Probabilmente ubriaca, stravolta, stanca morta. Si saranno accorti dei fari della Porsche, quasi sempre dietro di loro? O saranno stati sufficientemente arroganti e distratti da non badarci?

Sta attento a non pestare rami che scricchiolano, a non scivolare sul fitto tappeto di foglie. Non si vede un accidente, è come procedere a tentoni nel buio.

Poi, di colpo, un chiarore lontano. Il bosco si apre su una radura. Sotto di lui, un casolare con una finestra illuminata e più in là un altro edificio, una stalla o un granaio. Un cane che abbaia. Mura spera che non fiuti il suo odore. Due auto parcheggiate nell'aia: la Bmw dell'inseguimento, gli pare, e un'altra, a occhio e croce di media cilindrata. Scende il declivio seguendo il profilo degli alberi, fino a trovarsi a poche decine di metri dalla costruzione principale. Nascosto dietro un solido platano, si sente al sicuro, può vedere senza essere visto. Il trillo di un messaggino sull'iPhone. Merda! Inserisce la modalità silenziosa ancora prima di leggerlo.

SALUTI E BACI DAL CAMPO DI BATTAGLIA.

È la sua scopamica. Non poteva scegliere un momento peggiore per scrivergli. Mezzanotte è passata da un pezzo, lo avrebbe svegliato, se fosse stato a letto. Ma non lo avrebbe svegliato, se fosse stato a letto con Sasha. Guarda tu se deve mandargli un sms proprio adesso!

Due tizi e una donna appaiono sulla soglia della casa. Parlottano tra loro, quindi gli uomini montano sulla Bmw e ripartono. Lei segue l'auto con lo sguardo finché sparisce fra gli alberi. Lascia la porta socchiusa e si dirige alla stalla, seguita da un grosso cane scodinzolante.

Cos'è che spinge Mura a scattare in avanti, non appena la donna entra nella stalla? Coraggio, pazzia, stupidità? Mentre corre verso il vano illuminato della porta ha un déjà-vu: molti anni prima, a Mosca, quando i carri armati di Boris Eltsin bombardavano il parlamento in cui si erano rinchiusi i golpisti, aveva corso allo stesso modo dietro all'amicone Valentino, corrispondente del quotidiano rivale, per rispondere all'invito di una donna e andare a intervistare i capi dei ribelli. Ma allora la *sliding door* dell'esistenza gli si era spalancata davanti con una chiara alternativa: rischiare la vita o prendere un buco, come si dice in gergo, e in questo caso essere fatto a pezzi, il giorno dopo, dal direttore del suo giornale. Ora però non c'è nessun direttore da soddisfare. Solo una fossa da scavarsi da solo. E non c'è neanche più tempo per i dubbi, perché Mura è già dentro la casa.

Ha la tentazione di gridare: «Sveta!». Ma teme di spaventarla. Si affaccia nella prima stanza nel corridoio: è una cucina. Accende la luce, arriva fino in fondo, aprendo una porta dietro l'altra e richiudendola subito dopo. Fino a una che non si apre. La maniglia gira e la porta resta chiusa.

«Sveta» sussurra. «Sveta!» ripete con tono un po' più forte. Sente dei passi dentro la stanza.

«Sono io, sono venuto a prenderti.»

Altri passi, all'ingresso.

Mura apre la porta di fronte e si nasconde nel gabinetto.

Lo scalpiccio si avvicina.

«T'ho portato da mangiare» comunica una voce femminile. Nessuna risposta.

«Quando hai mangiato bussa, che ti riapro così vai in bagno.»

Mura cerca di aderire alla parete come per entrarci dentro.

«E rispondi, maleducata. Non sai neanche dire grazie?»

«Grazie.»

Andrea spalanca la porta del gabinetto. La donna lo fissa a bocca aperta, lasciando cadere a terra il vassoio con i piatti. Lui le mette un braccio intorno al collo, ma quella si divincola con uno strattone e gli si getta addosso piantandogli le unghie in faccia. Rotolano nello spazio angusto del corridoio. Mura fa leva contro la parete e le monta sopra, ma non riesce a bloccarla. Non è preparato a colpirla sul serio: vorrebbe solo tenerla ferma. La donna approfitta dell'indecisione per graffiarlo come una gatta selvatica, quindi gli spinge un ginocchio sul ventre e gli stringe le mani sul collo. Mura non riesce più a respirare. Tenta di menare un paio di pugni per liberarsi, ma quel corpaccione tozzo sembra assorbirli senza difficoltà. Si sente mancare il fiato. Cerca di resistere come da ragazzi nelle gare di apnea dopo essersi tuffati dal molo di Borgomarina, ma è debole, sempre più debole. La vita se ne sta andando. Soffoca...

La donna ha mollato la presa. È andata giù come un sacco. In piedi sopra di loro, Sveta brandisce quello che resta di una bottiglia di vodka, dopo averla spaccata sulla testa della sua carceriera.

«Stai... bene?» chiede la ragazza.

Mura si massaggia il collo. «Sì.»

La donna emette un mugolio di dolore. Non c'è tempo da perdere.

«Scappiamo» dice Mura, rialzandosi.

Davanti alla sbarra in cima alla collina, i due fratelli stanno per ripartire.

«Cosa aveva preparato Angela?» chiede Santo.

«Perciatelli cu piscistoccu» risponde Salvatore, al volante.

L'altro è appena rientrato in macchina dopo avere tirato su la catena. «E il piscistoccu dove l'ha pescato?»

«Gliel'ha mandato un paesano.»

I due fratelli si guardano in faccia.

«Ce lo mangiamo noi.»

«È tardi.»

«E noi ci fermiamo qui a dormire.»

Sveta sembra incerta, impaurita. Eppure, non è stata incerta o impaurita al momento di spaccare la bottiglia in testa alla donna che si sta risvegliando. Mura non vuole ritrovarsela di nuovo addosso. Fruga a terra tra i piatti in pezzi e il cibo rovesciato: niente. Poi nel grembiule della carceriera ed estrae la chiave della camera. Prende la donna per i piedi e la trascina dentro la stanza con sforzo, è come se pesasse un quintale e in più comincia a opporre resistenza. Il gemito che le esce di bocca ora si è trasformato in una lamentela continua, indistinta, come una nenia. Okay. Chiude la porta a chiave e se la mette in tasca. Sveta ha assistito all'operazione con le braccia penzoloni, come se avesse utilizzato le forze residue per menare il colpo che ha liberato Mura.

«Andiamo» le propone, tendendole la mano.

E lei, timidamente, la stringe.

Tutto succede troppo in fretta per pensare. È corso dentro la casa perché gli è sembrata l'occasione della vita: la tipa fuori, Sveta dentro, una manciata di secondi, forse di minuti, per liberarla e fuggire. Ma sono passati in un lampo, la donna è rientrata e se la ragazza non gli avesse spaccato la bottiglia in testa, lui ci avrebbe lasciato le penne.

E se Sveta, con quel colpo, l'avesse ammazzata? Ci starebbe la legittima difesa? In diritto penale, all'università, aveva preso trenta: ma era uno degli esami collettivi. Mura aveva studiato una paginetta a memoria. Non ricorda di cosa trattasse. Di sicuro non di legittima difesa.

Intanto sono usciti sull'aia. Adesso deve solo raggiungere la Porsche e...

...pregare che ci sia un distributore automatico di benzina nelle vicinanze, perché era entrato in riserva ancora prima di arrivare a Mercato Saraceno.

...decidere dove portarla. A Fiorenzuola dal Barone, è il primo posto che gli viene in mente. Anche perché dovrà restituirgli la macchina.

Prima sente il ringhio del dobermann. Quindi il rumore di un motore. Poi vede i fari. Sono a metà della radura quando la Bmw sbuca dagli alberi. L'auto accelera: dritta verso di loro. Il cane è legato a una catena. Per un pelo non gli arriva addosso.

«Corri» sibila Mura.

Sveta obbedisce, mantenendo un'aria da zombie. Al suo posto, anche lui sarebbe un po' sbattuto. Riescono a mettersi al riparo degli alberi prima che la macchina li raggiunga.

Mura si catapulta giù da una scarpata, rotolando, sbattendo contro rami e sterpi, seguito da Sveta che in pratica gli atterra addosso: zombie o meno, deve avere capito che ora o mai più.

Stretti l'uno all'altra, ansimano nel buio della foresta, lui mette il dito sul naso per dirle di stare zitta e immobile. Di evitare ogni rumore. Uno dei tipi della Bmw deve avere preso una pila perché c'è una luce evanescente che penetra fra gli alberi. Sta andando nella direzione più logica, di fianco alla strada sterrata che porta alla catena e all'uscita dal viottolo. La via di fuga migliore è dunque quella opposta, verso il fitto del bosco. Da qualche parte finirà pure.

Mura decide di dimenticarsi della Porsche, per il momento. Una volta fuori, basterà nascondersi, lasciar passare la notte e trovare un mezzo per tornare verso la Riviera. Un cenno a Sveta, la prende per un braccio. Iniziano a camminare passando da un albero all'altro nel fitto della boscaglia. Com'era il ritornello di quello sceneggiato televisivo che guardava da piccolo? "La freccia nera lontano si scaglia, nella buia boscaglia…"

«Non ti muovere.» L'ordine arriva tagliente come una frustata. Spunta la canna di una pistola.

Salvatore è stato il primo a vederli, mentre la Bmw tornava verso la radura. Ha aperto lo sportello al volo, indicando con un segno a Santo di continuare a guidare. Quindi si è precipitato verso il bosco, tagliando la strada ai fuggitivi. Abituato a nascondersi sulla Sila e sull'Aspromonte, ha capito subito che si sarebbero allontanati dal viottolo per cercare di nascondersi nel profondo della macchia: ed è andato lì ad aspettare che gli cadessero in bocca.

Sveta singhiozza.

«Vieni qui, stronza.»

A Mura tremano le gambe e ha la mente annebbiata. Però avanza di un passo, mettendosi fra Sveta e Salvatore, per proteggere la ragazza e opporsi al calabrese. Con il risultato di beccarsi la canna della pistola nello stomaco, l'equivalente di un tirapugni. Si piega in due, con un conato di vomito. Salvo lo spinge via con un calcio e ripete a Sveta: «Vieni qui, stronza».

La giovane ubbidisce.

Le tira un manrovescio.

Lei sente il sapore del sangue sulle labbra.

«In piedi, fetente» dice Salvatore a Mura, rimasto a terra.

«In piedi o ti faccio saltare il cervello.»

Si rialza. A fatica, ma si rialza.

«Avanti, marsch» ordina il calabrese, indicando un sentiero.

Quando sbucano di nuovo sulla radura, c'è un comitato di accoglienza ad attenderli.

La Bmw ha i fari puntati verso il bosco. Dietro la macchina, Santo e la sorella. È lei la prima a dargli il benvenuto. In faccia porta ancora i segni della bottigliata. Ha un asciugamano legato sopra la testa da cui colano rivoli di sangue rappreso.

«Con te faccio i conti dopo» dice a Mura, e per cominciare gli sputa addosso. Mura prova a ripulirsi ma la donna gli prende il braccio, glielo gira dietro la schiena e gli lega stretti i polsi. Non oppone resistenza. Avverte la saliva di lei che gli scivola sulle guance ma non può farci niente.

Angela tira un pugno nello stomaco a Sveta che si accascia. «Il resto dopo, troietta, ti pentirai di essere nata.»

«Bona, sorellì» interviene Salvatore. «Non roviniamoci la mercanzia.»

La sorella non risponde, lega i polsi dietro la schiena anche a Sveta, dopo averle storto il braccio provocandole un guaito di dolore.

«A futtire non ti serve, il braccio» dice. «Tu mi hai rotto la testa, vedrai cosa ti rompo io.»

«E basta!» taglia corto Santo.

Rientrano così, i prigionieri davanti, i due fratelli e la sorella dietro, verso l'abitazione.

In corridoio ci sono ancora i cocci della lotta precedente.

«Chiudila in camera» dice Salvatore ad Angela.

«E lui?»

«Per adesso in bagno.»

Mura si ritrova solo. Prova a liberarsi le mani, ma le corde sono troppo strette.

«Che facimme?» chiede Angela ai fratelli, quando si ritrovano in cucina.

«Per prima cosa, mangiamo» risponde Santo.

«Siamo tornati per questo» concorda Salvatore.

«Senza i tuoi perciatelli cu piscistoccu, quei due ci avrebbero fregati.»

«Non succederà più» assicura lei.

«Devi stare più attenta!» le urla in faccia.

La donna tira fuori i piatti, riscalda la pasta, mette in tavola in vino. «Con due a cui badare, è impossibile» dice mentre li guarda mangiare.

«Non ne avrai due» la rassicura Salvatore.

«Lo mazziamo subito?» chiede Angela.

«Prima gli facciamo qualche domandina.»

Mangiano in silenzio, ripulendo il sugo con il pane tagliato a fette, le pistole posate sulla tavola, accanto ai piatti.

«Ero sicuro che ci seguiva un'auto» fa Santo.

«E non rompere mentre mangio» gli risponde l'altro.

«Dove avrà lasciato la macchina?»

«Qui vicino di sicuro. Ci racconterà anche quello.»

Se la prendono con calma. Poi lei prepara un caffè. Sarà una lunga notte.

Chiuso nel bagno, Mura sfrega la corda contro il rubinetto del lavandino. Ha capito che è questione di poco. Un'ora, forse. Minuti. Deve riuscire a liberarsi e scappare di lì a costo di spaccarsi i polsi.

Il metallo del rubinetto gli si conficca nella pelle. Vorrebbe urlare dal dolore. Ha gli abiti strappati, la canna della pistola deve avergli incrinato una costola, il viso è indolenzito dalla lotta con la carceriera di Sveta. E che accadrà alla figlia di Sasha? Non è il momento di pensarci.

Sfrega, sfrega, sfrega.

Finalmente sente che il laccio si allenta. Il metallo gli taglia la carne ma taglia anche la corda che lo tiene prigioniero.

Fatto!

Alza la tapparella, apre la finestra e si butta fuori.

Ma un colpo di vento richiude la finestra e la fa sbattere.

«Minchia!» grida Santo che ha udito il rumore, indicando il corridoio. Il fratello si precipita in bagno e spalanca la porta: «C'è scappato!».

L'altro è già fuori con la pistola in pugno.

Mura ha una ventina di metri di vantaggio, ma non può più contare sull'oscurità: la luce dell'aurora comincia a rischiarare il cielo.

Santo punta e spara.

Nella pace della vallata, la detonazione lascia un'eco sinistra. Ammutolisce di colpo gli uccellini che avevano cominciato il loro canto quotidiano, disperdendoli in tutte le direzioni.

Mura si arresta di botto. Stringe i denti come per sopportare il dolore del proiettile conficcato da qualche parte. Ma Santo deve avere sparato al cielo. Mura fa appena in tempo ad alzare le mani che il calabrese gli piomba addosso. Lo colpisce alla testa con la canna della pistola e Mura non sente più niente.

Quando si risveglia è legato a una sedia, a torso nudo, in cucina. Angela gli ha tirato un bicchiere d'acqua fredda addosso. Ha un mal di testa come se lo avesse investito un treno. Lei gli preme un dito sul cranio, lui urla per il dolore.

«Allora?» dice Santo.

Mura lo guarda senza rispondere. Si becca un manrovescio in viso.

«Parla, sciminuto!» ringhia Santo e gliene molla un altro.

«Cominciamo con le domande semplici» interviene Salvatore. «Dove hai lasciato la macchina?»

Mura glielo dice.

«Le chiavi?»

Indica la tasca dei jeans. Lo frugano e le estraggono.

«Chi ti ha mandato?»

«Nessuno» balbetta Mura. «Nessuno mi ha mandato.» Gli viene in mente l'*Odissea*: non è la risposta di Ulisse al Ciclope?

Un'altra sberla interrompe i ricordi di scuola.

«Dov'è Sasha?» domanda Santo.

Ha la tentazione di rispondere che non sa chi sia e non sa dove sia. Mormora: «Sasha?».

«Non conosci la mamma di quella puttanella?» dice Salvatore.

Qualche secondo per pensare.

«Della ragazzina?»

«Della bocchinara. Come sua madre.»

I fratelli ridono sguaiati.

Qualche altro secondo per pensare: pensare che vogliono Sasha. Che solo lui può portarli da Sasha. Che fino a quel momento non lo ammazzeranno. Risponde alla domanda con un'altra domanda: «Cosa volete da lei?».

Santo lo prende per un orecchio e glielo tira come se volesse strapparglielo.

Mura si contorce.

«Non fare lo stronzo.» Salvatore estrae dal cassetto della cucina un coltello affilato e glielo punta alla gola.

«Portaci da Sasha e ti lasciamo andare» dice Santo.

«Come posso fidarmi?»

«Fidati, se vuoi vivere, fetente.» Gli passa la lama sul collo. Comincia a colare sangue.

«Se non ci porti da lei, ti tagliamo a fette» dice Salvatore. «Togligli le scarpe» ordina alla sorella.

Lei esegue.

«Dieci dita. Quale taglio per prima?»

«Vi porto da Sasha» dice rapido Mura.

Ma l'altro prende un pestello per la carne e glielo sbatte con tutta la forza che ha sul mignolo del piede, lasciandolo maciullato e sanguinante.

E Mura perde di nuovo i sensi.

Quando si riprende, il chiarore dell'alba illumina la stanza.

«Hai dormito bene, angioletto?» domanda Santo.

Non era un incubo. Dove sono i suoi amici? Si prenderanno loro cura di suo figlio? È chiaro che, se li portasse da Sasha, poi lo ammazzerebbero. E ammazzerebbero anche lei.

«Conto fino a tre e passo a un altro dito» minaccia Salvatore.

«Vi porto da Sasha, ho detto» ripete Mura.

«Bravo.»

«Ma voglio che liberate anche Sveta. È lei che mi interessa. Di sua madre me ne frego. Mi piacciono le ragazzine. La voglio tutta per me.»

«Tutta per te?»

Ridono di nuovo a crepapelle.

«Vi porto da Sasha e lasciate andare me e Sveta. Lei non saprà niente, non ci rivedrete mai più.»

«Chistu i pazzu» dice la sorella.

Santo annuisce.

Salvatore indica agli altri due di seguirlo in sala. Lasciano Mura solo, dolorante, legato alla sedia.

«È pazzo ma ci va bene lo stesso» dice Santo.

«Portiamo con noi anche Sveta» suggerisce Angela.

Mura non ha un piano. Vuole solo allungarsi un po' la vita. Potrebbe portarli davvero a Fiorenzuola, per poi provare a fuggire. Forse qualcuno li vedrà, forse qualcuno darà l'allarme e li fermeranno.

Forse.

Forse.

Forse.

I calabresi tornano in cucina.

«Fai proprio schifo» dice Santo, dandogli un'occhiata disgustata.

«Prepara un altro caffè» dice Salvatore alla sorella.

Per un po' non gli prestano attenzione. Bevono il caffè. Quindi vanno a prenderla.

Mura sente un trambusto in corridoio.

Quando rientrano, Sveta è con loro. Più morta che viva. La sorreggono Santo e sua sorella.

Li portano fuori entrambi, con le mani legate dietro la schiena. Sulla radura è giorno. In lontananza, dai campi, sopraggiunge un rumore monotono, continuo, sordo. Una specie di fischio, forse prodotto da un trattore o dal motore di una falciatrice o di qualche altra macchina agricola. È il suono che Sasha aveva registrato nel telefonino.

Anche malconcio e stordito, Mura si blocca interdetto ad ascoltarlo. «Aveva ragione…» gli scappa.

«E che è, hai visto un fantasma?» chiede Santo, puntandogli la pistola alla schiena per costringerlo ad avanzare.

Arrivano davanti alla Bmw.

«Ti portiamo dalla tua mammina» dice Salvatore a Sveta. Poi si rivolge a Mura: «Viaggerete nel bagagliaio, così niente scherzi. Dove andiamo?».

«Quando ci liberate?»

«Quando troveremo Sasha» risponde Santo.

Sveta è inebetita. Non reagisce. Come se non fosse già più lì. Il fratello spalanca il bagagliaio.

«Allora?» ripete Salvatore, «dove andiamo?»

«Verso Pesaro.»

«Poi?»

«Poi verso un casolare di campagna, in un posto chiamato Fiorenzuola di Focara, vi guido io. Se mi tenete fuori dal bagagliaio. E anche lei, dovete tenerla fuori, non vedete in che condizioni è?»

«Tu sì cocco, ma la figliola resta dentro» risponde Salvatore. E ammicca a Santo: «Tanto quella dorme in piedi».

Ma Sveta non dorme. L'attimo in cui i fratelli distolgono lo sguardo da lei, si risveglia dal torpore e parte all'attacco a testa bassa: un'incornata allo stomaco fa perdere l'equilibrio a Salvatore, che precipita addosso a Santo.

«Corri!» urla Sveta a Mura, finendo anche lei di slancio a terra.

Le gambe di Mura si mettono in moto da sole, senza bisogno che glielo ordini il cervello. Fugge piegato in due senza neanche sentire il dolore del dito maciullato, fugge verso il boschetto, verso la salvezza anche solo temporanea, verso altri minuti o secondi preziosi di libertà.

Sveta scalcia come un'indemoniata, gridando con tutta la voce che gli rimane, ma Santo la tiene ferma in una morsa. Salvatore si è già rialzato e prende la mira. Non vuole ucciderlo. Solo ferirlo a una gamba.

Bang!

Mura continua a correre: se deve morire, morirà correndo.

Ma è Salvatore ad andare giù come un birillo del bowling.

Dal viottolo sbuca un'auto dei carabinieri con la sirena spiegata. Risuona un ordine dall'altoparlante: «Fermi tutti, alzate la mani».

Mura non vede la macchina ma sente l'ordine. Incespica, sbattendo la faccia sulla dura terra.

Santo spinge Sveta sulla Bmw e parte a razzo. Sua sorella prova a salire al volo sul sedile posteriore, ma non ce la fa. Cade, si rimette in piedi, corre verso la casa.

L'auto dei carabinieri la raggiunge quando è sulla porta. Dal mezzo scendono due agenti. La agguantano, Angela si divincola, entra nell'abitazione, afferra un coltello dalla cucina, aggredisce il primo milite mancandolo, dalla mitraglietta dell'altro parte una raffica.

Santo non può prendere il viottolo, c'è una seconda auto dei carabinieri che blocca il passaggio. Allora accelera verso la scarpata, sul versante opposto del bosco. Frena a un metro dal precipizio, salta fuori dalla Bmw tirandosi dietro Sveta per i capelli e comincia a scendere a balzi fra i calanchi. Lei gli morde la mano per liberarsi, lui le molla un ceffone e continua a trascinarla giù, pensando confusamente a dove nascondersi.

«Fermo o sparo.»

Il maresciallo Amadori lo aspetta dietro un masso. Anche lui ha la pistola in pugno.

«Lasciami andare o la ammazzo!» risponde Santo puntando l'arma su Sveta.

«L'hai già ammazzata» osserva il maresciallo.

Santo distoglie lo sguardo su Sveta, incollata a lui a peso morto, con gli occhi chiusi, come un manichino.

Risuona un colpo.

«Ostia della madosca, la mira ce l'ho ancora buona» dice fra sé il maresciallo mentre controlla il battito di Santo. «Anche troppo.»

Uno dei carabinieri libera Mura e lo aiuta a rimettersi in piedi.

«Vuole un sorso d'acqua?» gli chiede.

«Una sigaretta» risponde Mura. «Ce l'avresti una sigaretta?»

36. Il lupo della Sila
(Colonna sonora: *I Say a Little Prayer*, Aretha Franklin)

Il colonnello Macrì allarga le mani. Somiglia a un prete quando la messa è finita. Sarebbe stato un ottimo parroco, ma il maresciallo Amadori non è sicuro che stia per dispensare un'assoluzione.

«Dovevi combinare una cazzata grossa come una casa per venirmi a trovare, eh?» gli dice il vecchio amico dell'Accademia di Modena. È andato a prenderlo all'aeroporto di Lamezia Terme. Il volo Ryanair da Bologna è strapieno.

«Ma cos'è, già tempo di vacanza qui da voi?» domanda Giancarlo.

L'altro alza le spalle. «Da noi è sempre estate e mai vacanza, almeno per un carabiniere.»

Si abbracciano, mescolandosi alla folla che esce dalla sala arrivi. Macrì ha una macchina civile.

«Tua?» chiede Giancarlo sedendosi sulla vecchia Alfa Romeo.

«Mia. Sono un Alfista.» L'auto d'ordinanza l'ha lasciata in caserma. Oggi non è in servizio. Si è messo a riposo. «Ti porto a pranzo a Catanzaro Lido. Da Carmelina. È una vecchia osteria. Si mangia semplice, come una volta.»

Ci vogliono una quarantina di minuti. Attraversano una campagna costellata di ulivi e greggi di pecore. Ne approfittano per parlare del più e del meno: le rispettive famiglie, i figli, qualche acciacco dell'età. Solo quando entrano a Catanzaro nei discorsi entra il lavoro: la centrale locale dei ROS è cresciuta fino a diventare una delle principali in Italia, dice Eugenio. Giancarlo descrive all'amico la sua stazioncina di Borgomarina: un brigadiere, sei appuntati, un piantone di turno alla porta, e lui. Quattro gatti.

«Bel casino che avete combinato, voi quattro gatti» commenta il colonnello.

Giancarlo non reagisce. Perché non c'è niente da dire.

Il locale è a due isolati dal lungomare, ai piedi del cavalcavia che congiunge il quartiere marinaro alla ferrovia. Giorno feriale, mezzogiorno e mezzo, semivuoto. La proprietaria li precede in una saletta dove non c'è nessuno. Tutti conoscono il colonnello e lo trattano con la deferenza dovuta, che talvolta si trasforma in diffidenza. Ma l'effetto in fondo è lo stesso.

«Non si spende tanto e il cibo è buono» spiega Macrì. «Esiste dagli anni Cinquanta. Ci venivano le compagnie teatrali, il Mago Zurlì, Roberto Murolo, Amedeo Nazzari quando girò *Il lupo della Sila*, Bartali e Coppi. E poi i politici, Fanfani, Leone, Mancini. Una volta l'ha distrutto una mareggiata spaventosa ma l'hanno ricostruito com'era.»

C'è un posto simile anche a Borgomarina, il San Marco, ed è il suo preferito. «Se contraccambi la visita, ti ci porto.»

«Contraccambio, contraccambio. Ma senza pistolettate prima di venirti a trovare.»

Ordinano scilatelle alla marinara e involtini di pesce spada, innaffiati da un vino bianco locale.

Mangiando, sottovoce, Amadori racconta come sono andate davvero le cose. Era un po' che teneva d'occhio il traffico d'erba dei ragazzini cinesi e la pizzeria dei due fratelli calabresi. Non ci voleva Sherlock Holmes per accorgersene. Pensava di avvertire i ROS e lasciare che se ne occupassero loro. Per questo aveva chiamato Macrì, chiedendo maggiori informazioni. Ma gli è arrivata una soffiata, ha messo un telefonino sotto controllo e questo li ha portati al casale della sparatoria.

«Ecco, appunto. Dovevi proprio metterti a sparare?»

«Non era nei piani.» Voleva controllare cosa stava succedendo. Si erano sparpagliati per il bosco. Si sono trovati davanti a un dramma in pieno svolgimento e non hanno potuto tirarsi indietro.

Quando Salvatore ha puntato l'arma su Mura, il carabiniere più vicino lo ha preceduto. Ha mirato alle gambe e invece lo ha preso a due dita dal cuore. I giovani non sanno più sparare. Adesso il calabrese è ricoverato, in condizioni critiche, all'ospedale militare di Cesena.

I due militi che hanno inseguito Angela fino in casa non si aspettavano che quella gli tirasse addosso una coltellata. Hanno avuto una reazione istintiva.

«In fondo è legittima difesa.»

«Minchia, pure avvocato sei» commenta il colonnello.

Per difendersi, il brigadiere si è difeso: mezza dozzina di colpi. Ha ridotto la sorellina a un colabrodo. È morta dissanguata sull'ambulanza.

«E vuoi lasciarmi credere che anche tu hai sparato per sbaglio, per difenderti?» Non ci crede, Macrì, perché ricorda bene il tiro a segno all'Accademia: Giancarlo era il migliore del corso. Non sbagliava mai. Se avesse scelto di entrare nei reparti speciali, avrebbe avuto tutta un'altra carriera, l'avrebbero preso nell'Antiterrorismo, sarebbe stato spedito in missioni all'estero. «Ma a te piace dare la caccia ai ladri di galline!» Non è riuscito a non dirglielo.

Giancarlo non s'offende. «Sono più numerosi dei mafiosi. Qualcuno deve pure occuparsi anche dei ladri di galline.» Gli era sempre sembrato che, in una piccola città, la stazione dei carabinieri svolgesse una funzione sociale come la chiesa. C'era il parroco per le anime e il maresciallo per i corpi. Talvolta i peccati che indagavano erano gli stessi.

Vorrei essere come lui, pensa Macrì. Vivere al Nord, nell'Italia civile. E occuparmi della vita vera, quella di tutti i giorni, delle persone comuni. Non della vita sporca, finta, schifosa, di questo nostro Sud prigioniero della malavita. L'Italia di Cavour, Mazzini e Garibaldi, della Resistenza, delle cooperative, della gente che si rimette in piedi da sola dopo il terremoto. L'Italia tricolore.

Vorrei essere come lui, pensa Giancarlo. Vivere al Sud. In quest'Italia meravigliosa, luminosa, coraggiosa, in cui tante persone per bene combattono contro lo Stato corrotto, il pregiudizio settentrionale, il retaggio secolare della malavita. L'Italia dei martiri di Gerace, delle cinque giornate di Napoli, di Gaetano Salvemini e di Domenico Modugno. L'Italia di *Volare*: "Penso che un sogno così non ritorni mai più". Quel verso lo commuoveva sempre.

Comunque no, non gli ha sparato per sbaglio. Ma neppure pensava di ucciderlo. Santo si è distratto una frazione di secondo per guardare la ragazza e lui ha colto l'attimo.

«Per ucciderlo?»

«È il primo uomo che ho ucciso in tutta la mia carriera, ci credi?» A sparare si è esercitato regolarmente, ma la pistola l'ha quasi sempre lasciata nella fondina. Non serve per dare la caccia ai ladri di polli, come li definisce il colonnello, sebbene non fossero tutti ladri di polli. Ha mirato al collo, voleva fargli un graffio, non pensava di prendere in pieno l'aorta. Quando lo ha tastato per cercare il battito, era già morto.

La cameriera è di ritorno. «Un bel dessert?» domanda.

«No, grazie, Pina, siamo a posto così» risponde il colonnello.

«Ma non si chiama Carmelina?» domanda il maresciallo quando si è allontanata con i loro piatti sporchi.

«Carmelina era la fondatrice, negli anni Cinquanta. Questa è la nipote» spiega il colonnello.

Giancarlo propone di dividere, ma il collega lo stoppa con l'autorevolezza del suo ruolo.

«Un dolcino però me lo sarei preso» dice Giancarlo quando escono dal locale.

«Anch'io, ma c'è un'ottima gelateria sul lungomare. Così camminiamo un po'.»

Ora tocca al colonnello spiegare: aveva finto di assecondare Amadori, ma era chiaro che non poteva dare informazioni riservate sui fratelli Caputo a un maresciallo di provincia. Però si era informato per curiosità. Quando ha scoperto cosa c'era sotto, avrebbe voluto avvertire il vecchio compagno di corso, consigliargli di non muovere un dito, di tornare a occuparsi dei ladri di polli. Troppo tardi.

I ROS avevano messo sotto controllo Santo e Salvatore qualche mese prima. La loro era una classica attività criminosa a conduzione familiare: i due fratelli, la sorella, un cugino, qualche paesano. Ma erano giovani, impazienti, ambiziosi. Volevano bruciare le tappe. Lo smercio di erba a livello locale era il giro piccolo. Ne avevano messo in piedi uno più grosso con la coca fornita alle discoteche del litorale. E un altro con il racket della prostituzione: una vera e propria tratta delle bianche, fatte arrivare dall'Est e tenute come schiave in bordelli, nightclub, saune e centri massaggi di tutta la regione. Così, in cambio di una partita extra di cocaina, la mafia di Mosca gli aveva recapitato Sasha e figlia. Fino a qui, niente di nuovo. C'era già stata un'operazione dei carabinieri contro la prostituzione gestita dalla 'ndrangheta in Emilia. L'aspetto della banda che interessava di più ai ROS, tuttavia, era un altro: il riciclaggio di denaro attraverso una banca di San Marino che chiudeva gli occhi e soprattutto le orecchie, non voleva sentire da dove proveniva quel fiume di contanti, poi trasmessi a conti off shore in mezzo mondo. Un canale perfetto, che anche la mafia russa aveva cominciato a utilizzare appoggiandosi ai fratelli pizzaioli. Per questo i ROS non erano ancora intervenuti. Aspettavano che i microfoni rivelassero un affare più grosso. Da Mosca alla Romagna. Sennonché poi era arrivato il maresciallo e aveva ammazzato tutti! I suoi superiori erano furibondi.

Il gelato è davvero ottimo. C'è un bel sole caldo, i caffè sul lungomare si sono riempiti. Eugenio e Giancarlo passeggiano, leccando ciascuno il suo cono: limone e fragola per Macrì, vaniglia e caffè per Amadori.

«E sai a chi hai fatto un piacere, eliminandoli così? Alla 'ndragheta» dice il colonnello. Negli ultimi giorni le registrazioni delle telefonate hanno rivelato che le famiglie locali non apprezzavano il comportamento di Santo e Salvatore. Gli rimproveravano di servirsi di gente esterna, come i ragazzi cinesi per lo spaccio di fumo. E di dare nell'occhio: auto di grossa cilindrata, scapoli sempre in cerca di donne, invece di mettere su famiglia. Postavano pure foto su Facebook! La 'ndrangheta predica il riserbo. I vecchi capi manovrano miliardi passando la vita tappati in un tugurio, nascosti nella cantina di una casa in montagna. Ma i giovani vogliono il lusso e la pubblicità. Adesso che quei tre non ci sono più, qualcun altro, più solido, cercherà di prendersi il loro business con l'approvazione di una famiglia.

«Ho fatto un bel casen» dice avvilito Giancarlo.

«Non è stata tutta colpa tua, ci ha messo lo zampino il caso» cerca di consolarlo il colonnello. Lo scopo dell'incontro era chiarire faccia a faccia. Se avessero voluto prendere provvedimenti contro il maresciallo, non c'era bisogno di farlo andare fino a Catanzaro. «Certo quel ficcanaso del tuo amico giornalista poteva continuare a scrivere, invece di giocare al detective privato!»

«Sui giornali non scrive più» allarga le braccia il maresciallo. «È questo il problema. Deve trovare un modo per occupare il tempo. Ma con lui farò i conti io…»

Siedono con le gambe a penzoloni sul muretto di uno stabilimento che sta riaprendo. Dovunque si pittura, si inchioda, si pulisce: è la vita che rinasce, per la nuova stagione turistica, anche qui, come in Romagna.

«Il tuo amico può ringraziarti per come è andata a finire» commenta il colonnello. «Se i calabresi fossero rimasti vivi» spiega, «prima o poi si sarebbero vendicati. Lo avrebbero cementato dentro le fondamenta di un palazzo. O gettato in mare con una pietra legata ai piedi.»

«Uno dei tre era vivo, quando sono partito stamattina» osserva il maresciallo.

«Di' al tuo amico di pregare che resti in coma, allora. E di ringraziarti per averlo tenuto fuori dal rapporto.»

Sarebbe stato meglio mettercelo, pensa il maresciallo, lungo la strada che li riporta a Lamezia per il volo di ritorno in Emilia-Romagna. Ma a Mura perdonerà anche questa.

37. Non lo so

(Colonna sonora: *I Love You Baby*, Frankie Valli)

«È primaaaavera, svegliatevi bambineeee!»

Cantato in falsetto a squarciagola, l'attacco del vecchio brano di Rabagliati non è proprio un dolce risveglio per Mura, ma il maresciallo Amadori vuole darglielo amaro. Vuole farlo saltare giù dal letto: perlomeno in senso metaforico. Naturalmente prima si è informato dai dottori sulle condizioni dell'amico, ricoverato all'ospedale San Salvatore di Pesaro, quello in cui è primario il Barone, in una bella cameretta tutta per sé. Ha un cerotto in testa, sopra un grosso bernoccolo; un po' di tumefazioni e graffi sul volto; il mignolo del piede destro ingessato, un'infezione a un orecchio. Ah sì, e una costola incrinata. Ma poteva andargli peggio, parecchio peggio.

Mura apre un occhio: «Ah, sei te».

Lo tengono sotto osservazione per un sospetto trauma cranico, ma se gli ultimi test saranno soddisfacenti pensano di dimetterlo il giorno dopo.

«Come sta il nostro eroe?» chiede Giancarlo.

Mura alza il pollice. In verità ha ancora un po' lo stomaco in subbuglio, confessa.

«È tutta la vita che hai la cagarella.»

«No, quello è il Barone. Io soffrivo di emicrania.» Gli è passata di colpo dopo il divorzio dalla seconda moglie. Nonostante gli alimenti che le paga. «Sei gentile a interrompere il lavoro per venirmi a trovare, ma sto bene, non c'era bisogno» continua, notando che Giancarlo è in divisa.

«Ho pensato di venire a controllare quello che combini tutti i giorni, d'ora in poi. Così, sai, per stare sul sicuro.»

«Gianca, dai.»

«Mura, dai.»

Come quando giocavano a biglie sulla spiaggia: Gimondi, Motta, Zandegù. A Mura piaceva Zandegù. Anche se non vinceva quasi mai: sulla sabbia come al Giro d'Italia.

«Volevo dirti che è tutto sistemato» sbotta il maresciallo. In due parole gli riferisce la sostanza della missione al comando di Catanzaro dei ROS, il suo pranzetto all'Antica Trattoria Carmelina con il colonnello Macrì. Santo e Angelina Caputo sono morti. Salvatore è in coma profondo: i medici credono che ci resterà a lungo, forse per sempre.

Giancarlo gli comunica che il suo nome è rimasto fuori dal rapporto ufficiale e non è finito sui giornali, nonostante la vicenda abbia attirato titoloni a carattere di scatola. "Due mafiosi uccisi dai carabinieri, Mercato Saraceno come il Far West" ha riassunto la vicenda il "Carlino".

«I giornalisti continueranno a frugare…» predice Mura.

«Per quanti giorni?» domanda il maresciallo.

Non per molti, ammette Mura fra sé. Conosce il mestiere. Dopo un po', il redattore capo decide che i lettori si sono stufati della sparatoria con la 'ndrangheta sulle colline della Romagna, richiama l'inviato e lo spedisce da un'altra parte. Succede sempre così. C'è bisogno di un'altra storia.

«Domani ti mandano a casina» lo informa Giancarlo.

«Alla mia capannina.»

«Esatto. E restaci, per un po', nella capanna. Basta cazzate. Chi credi di essere? Vuoi rubarmi il mestiere?»

«Non ci penso nemmeno. Ma quella povera ragazza…»

«A proposito, sono entrambe qui fuori, in corridoio, madre e figlia. Quando me ne vado, sarà il loro turno di visitarti.» La ramanzina non è finita. Dice che il suo brigadiere gli ha fatto rapporto su Mura in azione, si fa per dire, anche con la banda dei cinesi in moto: e lì non poteva giustificarsi con ciercellafem…

«Cierche che?»

«Ciercellafe…»

«*Cherchez la femme*» lo corregge Mura.

«Sbasa la cresta!»

«In ogni modo c'era di mezzo una donna anche lì, la Tina Fabbri, che tu ben conosci. Non sopportava quel baccano infernale.»

«La prossima volta dille di rivolgersi ai carabinieri!»

«Era carabiniere pure mio nonno.»

«Non tirare in ballo il nonno.»

«Maresciallo come te.»

«Lascia stare.»

«Medaglia di bronzo al valor militare. Portò in salvo un soldato ferito durante la Prima guerra mondiale. Ce l'hai tu una medaglia di bronzo?»

«Non fare il patacca, okay?»

«Okay.»

«Non giocare più allo Sherlock Holmes di serie B. Potresti farti male. Più di stavolta.»

«Va bene maresciallo.»

«Sei un giornalista, non un poliziotto privato.»

«Non lo sono più, giornalista.»

«Allora che sei?»

«Non lo so.»

Un'ombra di malinconia.

Il maresciallo si piega sul letto ad abbracciarlo: non ha esattamente una bella cera, Mura, ma si riprenderà in fretta.

«Ci vediamo, Gianca.»

«E se non ci vediamo, accendiamo la luce.» Niente funziona come una battuta scema, quando non vuoi intenerirti.

Esce il maresciallo, la porta si riapre ed entrano due angeli: uno biondo, l'altro bruno.

«Ehi» lo saluta Sasha.

Sveta sorride, senza dire niente. Ha un braccio al collo.

«Come stai?» chiede Sasha.

Mura risponde con il pollice alzato.

«Ti hanno gonfiato di botte.»

Si massaggia il volto con la mano, per accertarsi che non sia diventato grosso come un pallone: non si è ancora guardato allo specchio, adesso che ci pensa. «E voi?» domanda Mura. «Come ti senti, Sveta?»

«Bene, grazie. Molto meglio.»

La madre le cinge le spalle.

«Potevi lasciarla riposare, dopo tutto quello che ha passato» dice Mura a Sasha.

«Sveta ci teneva a ringraziarti di persona. Insieme a me. *Spasibo bolscioi.* Tante grazie. Tante, tante grazie.» Luccica una lacrima. Ma si riprende subito. È una dura. L'ha forgiata così la vita. Commuoversi è roba da femminucce, come si diceva in tempi politicamente scorretti. Lei è una femmina. Senza diminutivi.

«E ora?» domanda Mura.

Sasha chiede alla figlia di aspettarla in corridoio. Sveta obbedisce, con un minimo di riluttanza, dopo averle lanciato una lunga occhiata: ogni volta che lascia la mamma, si aspetta che sia l'ultima volta in cui la vede.

Rimasti soli nella stanza, Sasha siede sul letto. Gli fa una carezza.

«Che farete adesso?»

«Ricordi il notaio?»

Mura ha un vago ricordo. Sasha gliene aveva parlato. Era uno dei suoi clienti più affezionati.

«Quello che era andato a vivere in barca.»

«Appunto.»

La barca, prosegue Sasha, è stata il suo nascondiglio quando è fuggita dal capanno. È lì che ha lasciato la sacca con i suoi segreti. Ed è lì che il notaio le ha aperto il cuore. Non ne vuole più sapere: di moglie, famiglia, lavoro, e nemmeno di Borgo-marina, tranne che del suo amato scafo. Vuole vivere gli anni che gli restano come gli pare. Lasciarsi andare all'unico vizio di un'esistenza per il resto esemplare: Sasha.

«Cosa gli hai risposto?»

«Che ho una figlia. Anzi, ce l'avevo, ma l'ho perduta. E adesso, dopo averla ritrovata, voglio tenermela stretta.»

«Il notaio è d'accordo?»

«Mi obbedisce a bacchetta.»

E Sasha toglie definitivamente la maschera: non è una semplice puttana, è una mistress. Una dominatrice. Lo è diventata per caso, accorgendosi che un ceffone mollato a un cliente, molti anni prima, dava piacere alla vittima e un brivido al carnefice. Uomini brutali e potenti spasimano per venire umiliati. Lei poco per volta s'è accorta che niente la fa godere come usare gli artigli. È la sua vendetta sul genere maschile. L'affermazione del suo personale vangelo: la Supremazia Femminile.

Un po' Mura l'aveva capito. La frusta nella cabina del bagnino. I giochetti a cui alludeva un'altra puttana del night. E gli sembra ancora di sentire le unghie affilate di Sasha sulla schiena, le dita che gli spremono i capezzoli, lei che lo monta tenendolo stretto per il collo. Qualcosa si muove sotto le lenzuola: l'incantesimo di questa gelida russa ha fatto diventare masochista anche lui?

«E dove andrete ora?» la interroga, cambiando posizione sul letto.

Il notaio Calzolari ha un sacco di soldi in banca e una bella casa a Milano. Per il momento, andranno lì. Troveranno una buona scuola per Sveta. Le daranno tutte le cure di cui può avere bisogno. E si porteranno dietro anche la barca a vela: il notaio ha una villetta sul lago di Como, la terranno lì. Per il week-end.

Uno strano terzetto, Sasha, Sveta e il notaio di Borgomarina, che inizia una nuova vita in un lussuoso appartamento, magari a due passi dalla Scala. Le vie del Signore, come si suol dire, sono infinite. Anche quelle del sesso.

«Starai bene con lui?» Non è la domanda che Mura voleva porle. «Pensi che sarai felice, dopo… dopo tutto questo.» Un vago gesto della mano.

«La felicità…» alza le spalle Sasha senza terminare la frase. Comunque, sarà lei a comandare e il notaio a obbedire. Più ordini gli darà, più lo schiavo sarà contento.

Fra adulti consenzienti, riflette Mura, tutto fa brodo: purché non diano fastidio ai bambini e agli animali.

«Sveta approva?»

«Per ora sì.»

È chiaro che non conosce i dettagli dell'accordo.

«Se capiterai a Milano, sarò felice di vederti.»

Non è proprio un invito formale. Mura prova un pizzico di delusione. Ma non si era mica innamorato di Sasha. No?

«Senti Mura…»

Che altro deve dirgli?

«*Da, daragaja?*» Sì, cara?

«Credo di ricordare chi era in barca con me quella notte.»

«Ah, ora credi di ricordare?»

«Tassinari. Il genero del proprietario del Bristol.»

«L'ex calciatore gigolò.»

Lui.

«La stessa persona che è venuta a cercarti al capanno?»

«Credo proprio di sì.»

Perché non gliel'ha detto prima? Mancanza di fiducia? Cautela? Forse perché è troppo abituata a mentire, imbrogliare, nascondere? Oppure un misto di tutto questo? Ma non ha più importanza.

«Stai attento a quell'uomo» soggiunge Sasha.

«Cosa voleva da te?»

«Voleva indietro qualcosa. Avevo filmato i nostri incontri sul telefonino. E c'era anche dell'altro che voleva indietro.»

Quel playboy da strapazzo, dunque, spasimava sotto la frusta di Sasha.

«Be' non potevi dargli quello che voleva? Ti avrebbe lasciato in pace.»

«Gli avevo chiesto dei soldi in cambio. Un bel po'. Diceva di non averli. Balle. Ma per me non era solo questione di denaro.»

«E di che allora?»

«Non se lo meritava. Tassinari mi faceva schifo. Volevo punirlo. Mi divertivo a tormentarlo. Godevo a vederlo soffrire.»

Mura si domanda se era un godimento alla lettera. Comunque deve essere stata una sensazione abbastanza forte da rischiare la vita per provarla.

«Ma non parliamone più. Il Barone, sai, è stato molto gentile» cambia discorso Sasha.

Mura si chiede se è stato *un po' troppo* gentile. Dalla familiarità con cui Sasha usa il soprannome del suo amico, scommetterebbe di sì. «È quasi un fratello per me.»

«Nessuno però è stato gentile come te.»

Finalmente un complimento.

«Mi hai ospitata, curata, cibata…»

Ci sarebbe un altro verbo che rima con questi: Mura sorvola.

«E hai salvato Sveta.»

«Per la verità, è lei che ha salvato me.» Due volte: prima tirando una bottigliata in testa alla sua carceriera, quindi con una testata nello stomaco a Salvatore. Quella ragazza ha del fegato: tale e quale la madre. Speriamo non diventi a sua volta una dominatrice. Per quanto, tutti i gusti son gusti.

«Perciò permettimi di ricompensarti per quello che hai speso.»

Questa non se l'aspettava.

Dalla borsetta posata sulla sedia accanto al letto, Sasha estrae una busta chiusa.

«C'era una chiave nella sacca che hai recuperato allo stabilimento del bagnino.»

Altro cliente del suo club privé sadomaso.

Apriva una cassetta di sicurezza in una banca di Borgomarina, spiega Sasha. Dove teneva i suoi risparmi. Le mance che riceveva dai clienti e nascondeva al clan dei calabresi. Dovevano servire, un giorno, a pagare la libertà di Sveta.

«Adesso sono per te.»

«E tu?»

«Io ho il notaio. È lui la mia banca.» Nel gergo internazionale delle mistress, gli spiega, la chiamano *FinDom: Financial Domination*. Tutto quello che è tuo adesso è mio.

La russa si alza in piedi. «*Dozvidanya,* Mura.» Si piega verso di lui, un lungo bacio a labbra serrate sulla bocca. Poi gliele posa sul collo. E succhia. Succhia. Succhia. Come per marchiarlo. Quindi esce soddisfatta, senza aggiungere una parola.

Mura apre la busta: un mazzo di banconote da cinquanta. Saranno almeno cinquemila euro. Scommette che non sono tutti i risparmi di Sasha. Ma per un povero pensionato sono lo stesso un bel po' di soldi.

«Toc, toc» lo distrae una voce maschile in corridoio.

«Avanti» risponde Mura, dopo avere riposto la busta sotto le coperte.

Entra un'intera delegazione, guidata dal padrone di casa. Il Barone in camice bianco. Dietro di lui, il resto della combriccola: il Professore, l'Ingegnere, la Carla, la Mari, la Raffa e Pelè, più Luca, l'assistente e allievo del Barone, una dottoressa e un paio di infermiere.

«Sorry» commenta Mura una volta che hanno riempito la stanzetta, «l'orario delle visite è scaduto, il paziente deve riposare.»

«Soltanto il tempo di metterti una suppostina e ce ne andiamo, fra'» risponde il Barone.

Lo abbracciano come se non fosse reduce da una sparatoria in cui ha rischiato la vita, ma da una gita al Corno alle Scale, la montagna dove i bolognesi imparano a sciare, incluso Alberto "la Bomba" Tomba: c'è sempre uno che si rompe una gamba e gli amici vanno a firmargli il gesso in ospedale.

Esauriti gli sghignazzi, gli schiamazzi, i lopez, i nocchieri («Niente sputi», ammonisce il Prof, «manteniamo almeno l'igiene»), le tirate d'orecchi, il Barone ristabilisce l'ordine, chiedendo agli altri medici di uscire, perché si soffoca, e alle signore di fare altrettanto, perché deve visitare il malato.

«Dica trentatré» comincia Mura, quando rimangono soli.

«Vaffanculo fra'.»

«Mi pare che stia ancora male» osserva l'Ing.

«Sta benissimo» sentenzia il Prof.

«Domattina ti mandiamo a casa» conclude il Barone, «a patto che smetti di giocare al detective privato.»

«È lo stesso consiglio che mi ha dato Gianca» nota Mura. «Non è che vi siete mesi d'accordo?»

«A proposito» coglie la palla al balzo il Barone. «Confesso. Sono stato io a informare il maresciallo che avevi brutte intenzioni.»

«Dagli amici mi guardi Iddio.»

Al Barone non piaceva l'idea di Mura che sfida la 'ndrangheta tutto solo. Ancora meno che usasse, per la caccia al clan dei calabresi, la sua Porsche: e se gliela distruggeva? Quel giorno a Fiorenzuola, a cavalcioni della moto, ha telefonato al maresciallo e gli ha spifferato tutto. I carabinieri hanno seguito gli spostamenti della Porsche attraverso il segnale del telefonino di Mura. Da allora hanno sempre saputo dov'era. E sono arrivati a salvarlo al momento giusto.

«L'ho fatto per te, fra'» conclude il resoconto.

«L'hai fatto per la Porsche» obietta Mura.

«Usata, s'intende», commentano gli altri in coro.

«Abbiamo incontrato Sasha di sotto» cambia discorso il Barone.

«Mi ha riferito che sei stato molto gentile con lei.»

«Per te, questo e altro.»

«Se hai un secondo tradimento da confessare, sarebbe il momento adatto.»

«Non mi risulta che voi due eravate fidanzati» interviene il Prof.

Non risultava neanche a Mura: eppure, a vederla andare via, si è insinuato dentro di lui un sottile dispiacere. Non sa cosa voleva da Sasha. Ma gli è rimasta la voglia di qualcosa di più.

«Che fine faranno madre e figlia?» cambia discorso l'Ingegnere.

«La fine non la so» risponde Mura, «ma almeno sembra un nuovo inizio.»

Appena Mura sarà di nuovo in forma, gli promettono di celebrare il lieto fine e il nuovo inizio anche loro: con una partitella a basket, una serata di pesca nel capanno, una cena in terrazza.

«Mi sento meglio solo a pensarci.»

«Domattina ci pensa la Raffa a riaccompagnarti a Borgomarina» gli comunica il Barone.

«Ci vediamo Cippa Lippa» lo saluta il Prof.

L'Ingegnere gli dà un bacino in fronte.

I suoi amici. I tre moschettieri.

«Tutti per uno…» intona Mura mentre escono.

«Naturalmente, a proposito della mia Porsche» lo interrompe il Barone sulla porta, «l'hai ridotta da schifo. Ed era pure in secca, ho dovuto mandare un carro attrezzi a riprenderla. Ti manderò il conto.»

«L'uomo era già stato sulla luna, l'ultima volta che l'hai lavata, *bro*?»

Per quanto, pensa stringendo la busta sotto le coperte, i soldi per carro attrezzi e autolavaggio adesso ce li ha.

38. Le luci del canale

(Colonna sonora: *Born to Be Wild*, Steppenwolf)

«Non stiamo andando un po' fortino?»

La Raffa guida la Porsche del Barone come un bolide di Formula Uno: va bene che all'ora di pranzo sull'A14 non c'è molto traffico, ma all'autovelox non sfugge di certo.

«Dici? Va bene, rallento un po', dai.» Al primo sorpasso, tuttavia, non resiste alla tentazione di accelerare e il contachilometri risale a 160. È una Porsche, dopo tutto. Usata, s'intende. Ma pur sempre una Porsche. Forse ci vuole una brasiliana per guidarla come merita.

La Raffa è così. A Mura ricorda la vecchia pubblicità di una marca di benzina: metti un tigre nel motore. Lei è come se ce lo avesse incorporato. Sempre allegra, esuberante, caricata a pallettoni. Quando è inserita nel gruppo, accetta il ruolo di comprimaria, in quanto ultima arrivata, più giovane e meno abituata alle loro battutine. Ma da sola è un tornado. Al suo arrivo in ospedale per prendere Mura, i malati sono usciti dalle stanze a rimirarla. Lazzaro, alzati e cammina: forse c'era una sua progenitrice, accanto a Gesù, quel famoso giorno. È mancato poco che pazienti, infermiere e medici la applaudissero, mentre varcava i corridoi salutando sconosciuti, riservando una parolina per ciascuno. E poi è alta, grande, forte come un toro: per riportare a casa Mura se lo sarebbe caricato in spalla, fosse stato necessario.

Non ce n'è bisogno. Si sente meglio. Il sospetto trauma cranico è stato smentito dagli ultimi accertamenti. Graffi e bernoccoli se ne andranno. La costola incrinata tornerà a posto da sola. Giusto il mignolo tumefatto gli duole ancora ed è gonfio più del pollice, ma gli antidolorifici, la fasciatura e il tempo gli restituiranno un piede normale. Zoppica solo un po'.

«Hai bisogno di aiuto?» chiede la Raffa.

«Posso venirti dietro a zoppo galletto» risponde.

Zoppo galletto. Che espressione obsoleta. Arcaica. Di certo i bambini d'oggi non la usano più. Neanche sanno che significa. Non può conoscerla la Raffa, che lo guarda stupita: ma lei non bada troppo al frasario del loro gruppo.

Filano sull'autostrada Pesaro-Bologna verso l'uscita per Borgomarina.

«Come sta Pelè?»

Mura è l'uomo delle domande. Un vezzo del mestiere che gli è rimasto. Intervista anche quelli che non hanno niente da dire. "Sembra" che non abbiano niente da dire: le persone meno interessanti ricamano un romanzo sul nulla, se sai interrogarle.

«È bravino a scuola e bravissimo a calcio. Ma a lui piace di più il basket. Secondo te devo incoraggiarlo?»

Con un nomignolo così, dovrebbe insistere sul football. Ma se ha preso la statura dalla madre, magari diventerà un ragazzone. In fondo si tratta sempre di buttarla in rete.

È un fiume in piena di parole, la Raffa. Mura spera che, parlando, rallenti l'andatura. Invece si sbaglia. Ci mancherebbe solo che li fermasse la Stradale: di forze dell'ordine per un po' ne ha abbastanza. Sebbene ai poliziotti non dispiacerebbe: la Raffa conquisterebbe anche loro.

Mentre lei racconta tutto quello che uno avrebbe voluto sapere di Pelè, ma non si sarebbe mai sognato di chiedere, Mura la studia di sottecchi. Ha un abitino corto che, da seduta, le sale fino all'inguine, rivelando le gambe tornite e bronzee. Tacco più morigerato del solito, ma che comunque la rende ancora più statuaria. E in cima una gran testa di capelli ricci e due labbra ruggenti.

Il Barone non ha perso il vizio delle scappatelle, come le chiamano fra di loro in gergo, ma la Raffa è senza ombra di dubbi la donna più bella e appariscente che lui o gli altri membri della confraternita abbiano mai avuto. Per l'esattezza, l'impressione è che sia lei ad avere lui. A possederlo. Un po' come Sasha, anche la Raffa è una padrona di maschi: con un pizzico di sadismo in meno a letto, suppone Mura. Chissà se ha scoperto che la russa è rimasta nascosta per giorni nel trappolo del Barone. Non reagirebbe bene, se sapesse che il Barone ci è andato a letto. Perché ci è andato a letto, questo è sicuro, non serve che lo affermi nero su bianco.

«A che pensi?»

To', ogni tanto fa domande anche lei.

«A voi due. A te e al Barone.»

«Davvero?»

«Siete proprio carini insieme.»

«Adoro sentirtelo dire, Mura!» E si stacca dalla guida per stampargli un bacione sulle guance.

«Guarda avanti, Raffa!»

«*Tranquilo chico*» risponde lei in spagnolo, che conosce come il portoghese. Cambia marcia, accelera, sorpassa un camion.

Magari non gliene fregherebbe niente. Magari se lo immagina, che il Barone si scopa delle altre. Con le fidanzate precedenti, c'erano costanti scenate di gelosia: da parte loro. Con la Raffa, mai uno screzio. Proprio lui che è un pescatore provetto, non si è accorto che lei gli lascia la lenza lunga, lunga, lunga, in modo che l'amo si conficchi bene in gola e non possa più liberarsene. Magari è quella che riesce a sposare lo scapolone impenitente.

Sarebbe anche ora che qualcuno degli altri moschettieri lo imitasse. Non può sposarsi solo Mura per tutti e quattro.

«Ti porto fin davanti al Marè?»

Risponde che non ce n'è bisogno: farà una passeggiata sul porto canale. È una bella giornata di primavera. Non ha fretta. In effetti non ha impegni né programmi: è un pensionato, dopotutto.

«Ci vediamo domani sera a cena da te» dice la Raffa e riparte sgommando.

Un canale in riva al mare: così una cronistoria locale descrive il porticciolo leonardesco di Borgomarina. Leonardo, in realtà, tracciò solo uno schizzo, ma è pur vero che anche solo due tratti di matita, vergati dal Da Vinci, lasciano il segno. Di chiunque sia il merito, Mura apprezza il risultato. Di porti ne ha visti tanti in giro per il mondo. Borgomarina, secondo lui, li batte tutti. È il più bello. Il porticciolo perfetto. Piccolo ma non troppo, con un'autentica flotta di pescherecci ancorati sulle due rive, le reti stese ad asciugare. La chiesa da una parte, il Comune e il monumento ai caduti dall'altra, levante e ponente a dividere in due la cittadina. La statua di Garibaldi. Il caffè biliardo, la pescheria, la bottega del barbiere, la farmacia. Le casette dai colori pastello formano una cornice, con i tetti di ardesia da dove i gabbiani lanciano il loro rauco richiamo. In una giornata di sole fuori stagione, è un incanto in cui il tempo pare essersi fermato: le donne in bicicletta con la borsa della spesa, gli uomini al bancone per un caffè corretto, i marinai in stivaloni che innaffiano le barche, qualche monello che si rincorre.

La vecchia Romagna, moderna e antica al tempo stesso, la Riviera del divertimentificio ma anche quella della azdora, la donna ancora della famiglia, che comanda senza darlo a vedere. Sasha e la Raffa potrebbero interpretarne benissimo la versione odierna. Rivoluzione e tradizione. Due azdore anche loro.

È arrivato all'altezza del molo. È bello tornare a casa, anche se la tua casa è una capanna. Dovrà decidere cosa fare dei cinquemila euro che gli ha dato Sasha. Avrebbe voluto rifiutare, ma non c'è stato il tempo e poi gli uomini, quando Sasha decide qualcosa, di solito obbediscono. In fondo è stato così anche con lui fin dall'inizio, senza ricorrere ai giochetti sadomaso.

Il bello di una casa vuota è che non c'è niente da rimettere a posto anche dopo giorni di assenza e di trambusto. Il frigo è come prima che arrivasse Sasha: un deserto. Il letto, sfatto come sempre.

Esce in terrazza, prova la rete a bilancino, scende in acqua con uno *splash*, torna su sgocciolante. Pronta per l'uso fra ventiquattrore per la frittura con gli amici. Non c'è altro da fare che stendersi sulla sdraio, ascoltare il rumore del mare che si infrange sulle rocce sottostanti e controllare cosa è successo nel mondo consultando siti di news. Anche se in pensione, è pur sempre un giornalista.

Ma senza la pressione della *deadline*, non è più lo stesso. Sarà il dolce sciabordio delle onde sulle palafitte che tengono in piedi il capanno, sarà il sonno arretrato per i giorni convulsi che ha vissuto, sarà lo status di pensionato, Mura si appisola con l'iPhone in mano mentre sta leggendo un'appassionante analisi dello sviluppo economico cinese sul "Guardian".

Quando si sveglia, rabbrividisce. L'aria si è rinfrescata, oppure lui non è ancora al meglio. Avrà un po' di febbre? Torna dentro. Fruga in cucina. Niente da mangiare nemmeno nella credenza. È ora di cena. Inforca la bici, ma s'accorge che è bucata: tutte e due le ruote. Simpatico scherzetto. Va bene che la tiene parcheggiata fuori senza lucchetto, visto che nessuno ruberebbe un simile ferrovecchio, ma era meglio rubargliela che renderla inservibile. Saranno mica stati i cinesini? Poco male.

Torna in paese a piedi. Ordina la solita Margherita al Giardinetto, la pizzeria dove ne ha mangiate centinaia, forse migliaia, da quando ci portava suo figlio da bambino. A proposito, dovrà telefonargli al suo Paolo, per sapere come sta.

No news, good news, si usa dire, se il figlio non chiama significa che non ha bisogno di niente. Prende il cartone della pizza e si incammina verso casa. In bici ci avrebbe messo poco e l'avrebbe mangiata ancora calda al tavolo della cucina, così si raffredderà. Poteva fermarsi al Giardinetto, ma cenare fuori da solo, anche in una pizzeria dove lo conoscono da trent'anni, gli mette tristezza. D'altra parte, impiegherà soltanto cinque minuti in più. Però il profumo della mozzarella mescolata al pomodoro è irresistibile. Arrivato sul molo a quell'ora deserto, apre il cartone, strappa una fetta di pizza con le dita e la addenta di gusto.

«È buona?» La voce proviene da un cabinato in folle, a un pelo dal molo, fermo alla sua altezza. Al timone, un uomo con i capelli biondi. Chiaramente tinti.

Marco Tassinari.

In mano ha una pistola. Puntata su di lui.

Andrea smette di masticare. Il boccone gli rimane lì: non va né su né giù.

«Vieni a mangiarla con me» dice Tassinari, invitandolo con la canna della pistola a salire a bordo.

Mura pensa a farsi scudo con qualcosa: ma ha solo la scatola della pizza. Non fermerebbe un proiettile. «Che vuoi?» domanda, mentre con la coda dell'occhio scruta se intorno c'è qualcuno che possa vederli.

«Salta a bordo e te lo spiego» dice il Tasso, «conto fino a tre: uno…»

Ha promesso di non giocare più a guardie e ladri.

«Due…»

È stufo di incontrare gente che gli punta la pistola addosso.

«Tre…» Tassinari allunga il braccio con la rivoltella verso di lui e Mura rompe gli indugi balzando dentro lo scafo.

«Bravo» dice l'altro. «Seduto lì» aggiunge indicando una poltroncina da regista. Quindi ingrana la marcia e parte, tenendo l'arma rivolta sempre verso di lui.

Sta diventando buio, tra poco non si vedrà più niente: il mare è una massa scura davanti a loro. Tassinari tace. Appena escono dal porto, aumenta la velocità. Lo scafo sbatte sulle onde, si intravede solo qualche lumicino lontano di barche da pesca. Mura guarda le luci del canale che diventano piccole, sempre più piccole. C'è solo un motoscafo che li segue per un po', Mura spera che sia la guardia costiera o qualcuno che abbia visto cosa è successo, ma poi l'imbarcazione prende a destra e si allontana in un'altra direzione.

«Non hai più fame?»

«Mi è passata la voglia» risponde Mura. Continua a tenere la scatola della pizza ormai fredda sulle ginocchia. È l'unica arma che ha in mano. Tirare una Margherita in faccia a Tassinari. Non servirebbe a nulla.

«Dove andiamo?»

«Facciamo una gita al largo. Abiti sul mare ma non ci vieni mai, non va mica bene.»

Gli strappa la scatola della pizza di mano, la apre e ne ingoia una fetta.

Di vista lo conosce da anni: una macchietta, il classico arrampicatore sociale che tira avanti di espedienti e non combina nulla di buono nella vita. Il romagnolo da stereotipo, lo sburon rozzo, ignorante, che vanta grandi imprese in tutti i campi ma non ne ha mai combinata una giusta. Lo si vedeva sempre con donne a braccetto, donne non male, vistose, volgarotte: ma dava l'idea che anche loro in fondo lo giudicassero un fallito, ci stavano solo per i favori che poteva procurare. E quando s'era sposato, non era cambiato niente.

«Senti un po', spiegami che vuoi e risolviamo tutto» propone Mura, accomodante. Non gli pare il tipo che ammazza un uomo a pistolettate. Ma ha cercato di affogare Sasha. Meglio andarci cauti.

«Dov'è finita la tua nuova amichetta?»

Quanto ci metteranno in paese a scoprire che è a Milano con il notaio, si chiede Mura.

«E dove avete nascosto il suo telefonino?»

Sono arrivati al largo. Tassinari lascia lo scafo in folle. Le onde lo fanno ballonzolare, ma non troppo. S'è alzato il vento. Il mare è agitato.

«Sasha se n'è andata via con i suoi segreti. Cosa ti preoccupa?»

«Sono affari miei. Tu dimmi solo dov'è andata.»

«E poi tu mi riporti a riva?»

«Sissignore. Ti do anche i soldini per un'altra pizza.»

«O mi butti in mare come hai fatto con lei?»

Tassinari balza in piedi. «Cazzo dici?»

«So che hai cercato di ammazzarla. Per tentato omicidio ti becchi come minimo venticinque anni di galera. Uscirai da vecchio. E in prigione ti...»

Lo colpisce in faccia con il calcio della pistola. Mura sente un crack nel naso e il sangue che gli cola in bocca.

«Puttana Eva. Così ti passa la voglia di scherzare.»

«Mi ha raccontato tutto di te, Tassinari» riprende Mura, pulendosi dal sangue. La pizza è finita a terra. Si rialza in piedi, mantenendo a fatica l'equilibrio nella barca che balla su e giù. «E non l'avrà raccontato solo a me, quello che combinavate, quello che ti piace, schiavetto.»

Tassinari fa un passo avanti per menargli un altro colpo.

Mura indietreggia fino alla balaustra. C'è un lume appeso sopra il timone. Ondeggia, mandando bagliori avanti e indietro. I due uomini dentro un fascio di luce e ombra.

«Ascoltami, se Sasha voleva denunciarti, sarebbe già successo. A cosa ti serve il telefonino? Le immagini che vuoi cancellare possono essere state già inviate e scaricate altrove. Lascia perdere, Tassinari.» Si tasta il naso, gli fa un male cane. «Dimentichiamo questa nostra seratina. Tu mi riporti indietro e non ne parliamo più. Non essere idiota. Non rovinarti.»

Tassinari lo guarda inebetito. Sul tavolino vicino al timone c'è una bottiglia di whisky. Deve avere bevuto. Appare instabile sulle gambe quanto e più di lui. È più giovane e più grosso, ma forse può disarmarlo.

«Ragiona, Tassinari. Ragiona con quel tuo testone. Basta cazzate. Ne troverai un'altra come e meglio di lei.» Mura scatta in avanti e tira un calcio verso la pistola. Ma lo scafo ondeggia, manca il bersaglio e ripiomba a terra.

«At dag un cazot ca t'arbort» ringhia l'altro. «Voglio il telefonino. E la chiave!»

La chiave? Tocca a Mura rimanere sorpreso. Quale chiave? D'un lampo rivede il contenuto della sacca che ha preso nella cabina del Bagno Adriatico: c'erano dentro il cellulare, quegli strani aggeggi con il lucchetto, la chiavetta della cassetta di sicurezza di cui gli ha parlato Sasha… Ecco, quella, certo.

«Troppo tardi anche per la chiave. Sasha ha già ritirato tutti i soldi» dice da terra.

«Me ne frego dei soldi. Non fare il tonto. Non è quello che mi interessa!»

E gli si getta addosso.

Mura gira su se stesso, evitandolo di un soffio. Si rialza, si sposta dall'altra parte dell'imbarcazione.

Il lume dondola sopra le loro teste.

Mura si sposta dietro un boccaporto, scivola lungo la balaustra, come se giocasse a nascondino.

Ma stavolta Tassinari lo precede, con un balzo è sopra di lui, rotolano a terra cercando di sovrastarsi a vicenda. L'altro deve essere intontito dall'alcol, perché Mura riesce a sgusciargli via. Tassinari ha ancora la pistola in mano, però. È per non mollarla che ha lasciato la presa.

Sono di nuovo in piedi. A tre metri di distanza. La luce va e viene. La notte è silenziosa, si distingue solo il rumore del mare.

«Dimmi dov'è Sasha o ti ammazzo.»

Questa Mura l'ha già sentita. Stranamente, Tassinari gli fa meno paura dei calabresi. Non tanto stranamente, a pensarci.

«Se mi ammazzi, non lo saprai mai, imbecille.»

Tassinari alza la pistola appena sopra la testa di Mura e spara. L'eco del colpo rimbomba per un pezzo.

«Siediti» ordina Tassinari e punta di nuovo l'arma, stavolta verso Mura.

In lontananza echeggia il ronzio di un motoscafo. Pare che si avvicini. Chissà se li ha sentiti.

Tassinari gira la sedia verso di lui. «Siediti» ripete, puntando l'arma una terza volta.

Mura siede e l'altro si appoggia alla balaustra.

Alla guida del suo Boston Whaler, Alberto Ricci taglia il mare disegnando un cerchio attorno allo scafo del genere. Dal collo gli pende un binocolo. È troppo lontano per raggiungerli. Ma è abbastanza vicino per spedirgli contro un'onda. Innesta la marcia e disegna una stretta curva sull'acqua.

Mura lo vede arrivare per primo: un cavallone che sale, sale, sale. Quando lo vede anche il Tasso, è tardi. In piedi appoggiato al parapetto, perde l'equilibrio e finisce in mare.

Nell'oscurità, Mura scorge una sagoma che si allontana. Forse il motoscafo di prima.

«Aiuto!» urla Tassinari. È a dieci metri di distanza, la testa per un attimo affiora dall'acqua. Poi scompare di nuovo tra i flutti.

Di sicuro a questo punto ha perso la pistola. E probabilmente anche ogni brutta intenzione.

«Aiuto!» Riappare, annaspando fra le onde come un cagnolino. «Non so nuota…» E scompare di nuovo.

Mura si guarda intorno alla ricerca di un salvagente. Entra in cabina, ne trova uno accanto al tavolo, torna fuori nella notte buia.

«Aiuto!»

Sta per tirarlo a Tassinari. Ma vuole davvero aiutare l'uomo che ha cercato di uccidere Sasha e stava per sparargli addosso?

La testa è di nuovo sott'acqua.

Con il salvagente in mano, Mura aspetta di rivederla affiorare. Aspetta. Aspetta. Aspetta. Ma del Tasso non affiora più niente.

Lascia passare ancora qualche minuto. Riordina il ponte. Con un asciugamano ripulisce le tracce di sangue e le superfici che ha toccato. Quindi lo usa, come un guanto, per smuovere il cambio con delicatezza e rimettere in movimento il piccolo yacht. Deve la sua minima esperienza marinara a un vecchio maestro: il Prof, che da ragazzi portava lui, il Barone e l'Ingegnere in crociera sul Po su un barchino dove si stava a malapena in quattro. Una volta scoppiò un temporale e subirono una specie di naufragio. Se la raccontano ancora come una missione tra i vietcong nel delta del Mekong. Ma qualcosa gli ha insegnato. Alla minima velocità, l'imbarcazione riprende la rotta. Non ci vuole il capitano Cook per capire dove è la terra: le luci della costa brillano in fondo al nero del mare e del cielo.

Non pensa a nulla. Solo ad arrivare. Quando è a poche decine di metri da riva, mette in folle e spegne: provvederà la bassa marea, fra poche ore, a portare in secca lo scafo. Prende con sé l'asciugamano e si getta in acqua. Come prevedeva, già si tocca. In poche bracciate raggiunge il bagnasciuga. Si toglie i vestiti fradici, restando in mutande. Fa un fagotto degli abiti. A occhio e croce è dalle parti di Pinarella. La spiaggia è deserta. Si avvolge nell'asciugamano, rabbrividendo, e si mette in cammino verso Borgomarina. Verso il suo capanno e una lunga doccia bollente.

39. Una torta al cioccolato
(Colonna sonora: *Killing Me Softly with His Song*, Roberta Flack)

«Sei finito sotto un treno?»

Tutti fanno la stessa domanda. Prima all'ambulatorio di Borgomarina, dove il medico di guardia gli controlla il naso, gonfio come un peperone, lo sottopone a un'ecografia, verifica che il setto nasale è miracolosamente intatto, solo incrinato, glielo incerotta, e lo congeda con una ricetta di antidolorifici.

Poi da Dolce & Salato, dove Mura consuma la sua prima colazione tranquilla da... non si ricorda più da quando. Da prima che fosse scoppiato tutto quel casino. Da quando viveva le sue giornate secondo un ordine meticoloso scandito dal cibo, con la corsetta in spiaggia all'alba, i giornali da sfogliare gratis con calma al caffè, i lunghi pomeriggi pigri per navigare sul web con l'iPhone, le serate a leggere i libri che non aveva mai letto, e quelli che desiderava rileggere, presi in prestito alla biblioteca comunale di piazza Ciceruacchio, oltre alle puntuali partitelle a basket, battute di pesca con il bilancino e mangiate conviviali con i moschettieri e il resto della combriccola. Credeva di avere trovato il segreto della felicità. Ogni tanto perfino una scopata con la sua scopamica. E invece è saltato tutto per aria. E ringrazia che non gli hanno spaccato il naso.

«No» risponde al medico, al barista e agli altri che gli ripetono la stessa domanda, «sono caduto dalle scale del capanno.» Dopodiché aggiunge che è colpa dell'età: si ostina a uscire da solo invece che con la badante. Ben che vada la bad-amante, come diceva un suo collega un po' più vecchio in redazione.

Non uno che obietti: «Non fare il patacca, un giovanotto come te non casca dalle scale, né ha bisogno della badante». Gli credono. O fingono di credergli.

«Bisogna guardare dove metti i piedi» gli ha risposto il medico in ambulatorio. Un'ovvietà ma non per questo meno vera.

«Il mondo è a scale, chi le scende, chi le sale» gli ha risposto il barista di Dolce & Salato: un filosofo. Sprecato, un uomo così, a preparare cappuccini.

E vabbè. Il cappuccino, però, gli riesce bene. Il cornetto è soffice e croccante. In felpa, maglietta e jeans, più Converse All Star bianche senza calze ai piedi, si sta benissimo a uno dei tre tavolini all'aperto. E i giornali stamattina sono tutti per lui, nessuno a cui contenderli.

"Potrebbe andare peggio. Potrebbe piovere." Op. cit., *Frankenstein junior*, film del 1974, regia di Mel Brooks. Ormai le battute se le racconta da solo. E ride anche, da solo.

«Bravo, sette più.»

Mura alza gli occhi dal quotidiano e incrocia lo sguardo del maresciallo Amadori.

«Oh, Gianca. Perché sarei bravo?»

«Perché vedo che mi hai dato retta. Ti ho raccomandato di startene tranquillo e il cerotto che hai sul naso mi dice che non ho bisogno di ripetertelo due volte.»

Si tocca il naso incerottato C'è ancora, il naso. Ma gli duole solo a toccarlo.

«Non ci crederai» comincia.

«No» conferma l'altro.

«Sono caduto dalle scale.»

«A me sembra che hai dato una nasata a un pugno. O a qualcosa di ancora più resistente.»

Questa viene da Woody Allen: *Provaci ancora, Sam*. Ma forse Giancarlo non se ne rende conto. Da giovane gli piacevano i western, non le commedie. Quelli d'autore, tipo *I compari* di Robert Altman e *Corvo rosso non avrai il mio scalpo* di Sydney Pollack. Era destino che diventasse un romantico sbirro.

Negare con troppa insistenza susciterebbe dei sospetti. «Ti assicuro che di guai» si limita ad aggiungere, «ne ho avuti abbastanza.»

«Pure io» risponde il maresciallo. «E non sono finiti. Hai sentito di Tassinari?»

Mura scuote la testa simulando indifferenza. Non gli viene molto bene: come attore non sarebbe andato lontano. Ma Amadori s'è seduto al solito tavolino, ha ordinato al volo un caffè e apparentemente non bada alla qualità della recitazione.

«Stamattina presto ci hanno chiamato che c'era una barca in secca sulla spiaggia. Un piccolo cabinato. Quello di Tassinari.»

«Con lui dentro?» Questa gli è venuta meglio: più naturale. Con il regista giusto, forse una particina la strapperebbe.

«Senza.» Sorseggiando l'espresso, gli piace berlo così, in modo da prolungare la pausa caffè, Amadori fornisce i dettagli: lo scafo riportato alla banchina del porto commerciale, la ricerca di indizi per capire come è arrivato fino a riva, le telefonate a casa del proprietario per scoprire se ne sapeva qualcosa. «Quando il suocero ha detto che la sera prima non è rientrato, abbiamo pensato al peggio.» Anche se Ricci ha aggiunto che spesso Tassinari non rientrava a casa a dormire. Ma questo il maresciallo lo tiene per sé. «Poi poco fa ci è arrivata una telefonata da un peschereccio. Nella rete a strascico hanno sentito qualcosa di pesante. Hanno pensato a un delfino, ogni tanto succede. Invece era un corpo. Tassinari. Dobbiamo aspettare l'autopsia, naturalmente. Ma gli ho dato un'occhiata. Una sola, perché non è un bello spettacolo. Hai mai visto un affogato?»

«Solo quelli al caffè.»

Non gli è passata la voglia di fare l'asino, pensa il maresciallo. «Be', a prima vista il corpo non presenta segni di violenze, traumi o ferite evidenti. Sembra per l'appunto morto affogato. Ma c'è un particolare, come dire, stravagante.»

Mura cerca di ricordare se ha lasciato tracce che potrebbero comprometterlo.

«Aveva l'uccello chiuso in una specie di gabbia»

«Chi?»

«Tassinari.»

«No!»

«Sì. Hai presente le cinture di castità del Medio Evo per le donne? Una roba simile, ma per un uomo del nostro secolo. Un cilindro di metallo a forma di cazzo. Con lucchetto incorporato»

«E la chiave per aprirlo?»

«Bisognerebbe chiedere a Tassinari, ma lui non ci può più rispondere.»

Mura comincia a capire, ma finge di non esserci ancora arrivato del tutto. «E perché mai» domanda, «Tassinari si chiuderebbe l'uccello in una cintura di castità?»

«Me lo sono chiesto anch'io. Uno dei miei carabinieri che passa troppo tempo su internet mi ha raccontato come funziona.»

«Racconta anche a me.»

«In certi rapporti sadomasochisti portati agli estremi, il masochista accetta, anzi pretende, che la sua dominatrice gli imponga un voto di castità. Perciò si fa chiudere l'uccello in una gabbia, con il lucchetto. Così non può neanche farsi una sega. Spetta alla sua padrona decidere quando si farà la prossima sborata.»

«Be' se uno si stufa non ci vuole molto ad aprire un lucchetto.»

«Ma bisogna andare da un fabbro. Ci andresti tu dalla ferramenta di Borgomarina a farti liberare l'uccello da un lucchetto?»

Diavolo di Sasha! Ecco cosa voleva così disperatamente da lei Tassinari: la chiave per liberarsi il cazzo! E può darsi che non fosse l'unico tenuto sottochiave: forse anche il notaio Calzolari, nella loro nuova vita milanese, scodinzolerà dietro di lei con l'uccello chiuso da un lucchetto.

«Quanto al resto, sarà caduto in mare e il cabinato è andato alla deriva» continua il maresciallo. «Ci giurerei che aveva bevuto troppo. C'era una bottiglia di whisky rovesciata, sul ponte.»

«Mmmm» si limita a commentare Andrea.

«Mmmm, cosa?»

«E perché era in barca tutto solo di sera?»

«Magari non era solo. Magari pensava di andare a prendere qualcuno. O qualcuna. Per esempio, una delle sue sgualdrine da quattro soldi. L'ultima cosa che ha mangiato è una pizza.»

Mura aggrotta la fronte, fingendosi concentrato.

«Non sapeva nuotare» continua il maresciallo. «Me l'ha raccontato il brigadiere che ha preso la chiamata dal peschereccio. Glielo ha sentito dire una volta al bar.»

«Uno che vive al mare e non sa nuotare…» commenta Mura.

«Un Mazapeguel.»

«Mazza, che?»

«Mazapeguel, lo spiritello maligno. Tassinari me lo ricordava. Uno che dà fastidio alle donne, corre dietro a tutte, dispettoso e capriccioso. E sai cosa terrorizza il Mazapeguel? L'acqua. Basta gettargli il berretto nel pozzo, perde i poteri e le voglie.»

«Se uno ha paura dell'acqua, dovrebbe starci lontano» osserva Mura.

«La gente è strana. Non riesce a stare lontana dalle tentazioni, anche quando sa che ti fregano.» Si alza, paga alla cassa, torna a salutarlo.

«Una barca che torna a riva senza il suo proprietario» commenta Mura.

L'altro ammicca: embè?

«O cavallina, cavallina storna, che aspettavi colui che non ritorna.»

«Cazzo è?»

«Un verso di Pascoli.»

«Cazzo c'entra?»

«Era romagnolo pure lui.»

Giancarlo rotea l'indice all'altezza delle tempie. «Fatti vedere di nuovo dal Barone. Secondo me il trauma cranico c'è.» E torna in caserma, come la chiama lui. Dove c'è un altro guaio da sistemare. L'ultimo, si spera. Almeno per oggi.

«Andrea!»

È la Tina Fabbri: l'unica, a Borgomarina, a chiamarlo così, anziché Mura.

Vestita con un enorme cappello bianco, sciarpa fucsia, caffettano giallo limone, scarpe di tela rosse con il tacco, borsa di plastica arancione lucida. Stile adolescente yee-yee, anche se è una vecchietta. La zia adottiva.

Siede al tavolino con lui. Guarda preoccupata il cerottone sul naso, i graffi, i bitorzoli.

«Ma che ti è successo?»

Almeno non chiede anche lei se è finito sotto un treno.

«Sei finito sotto un treno?»

Pazienza. Mura le vuole bene lo stesso. Ripete la storiella della caduta dalle scale.

La Tina ha l'aria di bersela più degli altri. «Hai bisogno di riposo» suggerisce.

Lui è del tutto d'accordo. Sebbene il suo status ufficiale, giornalista in pensione, non corrisponda esattamente al ritratto dello stakanovista.

«Non ti avevo ancora ringraziato» dice la zietta. «I cinesi con le moto non si sono più visti.»

«Bene!» esclama Mura, pensando che non si vedranno più per un pezzo, né al bar della stazione, né alla pizzeria dei fratelli Caputo.

La Tina vuole sapere com'è riuscito a farli sloggiare.

«Non ci è voluto molto. In realtà non ho fatto niente.»

Hanno fatto tutto i tre moschettieri. Altrimenti per lui sarebbe finita male già quel mattino, senza bisogno di sfidare il clan dei calabresi.

La Tina estrae un pacchetto dal voluminoso borsone. «È una torta al cioccolato, quella che ti piace tanto. Me l'ha detto mio nipote Alessandro, il tuo pasticciere preferito.» Quello del Giardino dei Sapori Perduti, dove Mura ne comprava una ogni estate per festeggiare il compleanno in famiglia. Quando ce l'aveva ancora, una famiglia.

«Questa, però, è ancora più buona» precisa la Tina. «Viene dal forno di casa mia. A mio nipote ho insegnato io a prepararla.»

Mura posa il pacchetto sulle ginocchia, si frega le mani dalla contentezza. «Adesso scusa ma devo proprio andare» dice. «A mangiarmela.»

«Aspetta un momento. Ho un favore da chiederti.»

Un altro? Ma è solo un pensiero che tiene per sé.

«Non per me. Per una cara amica, più giovane.» Si blocca, imbarazzata, in cerca di un incoraggiamento che ancora non viene.

«Certo» replica Mura, sia pure senza troppa convinzione. «Di che si tratta?»

La figlia dell'amica frequenta cattive compagnie. La madre

teme che si droghi: per ora solo spinelli, pasticche. Comunque, è su una brutta strada. Andava bene a scuola, sembrava una brava ragazza. Adesso i genitori sono in ansia. Hanno provato a parlarle, ma peggiorano solo le cose. È un'età difficile. Vorrebbero sapere con chi esce. Se è solo una sbandata, o se c'è da preoccuparsi sul serio.

«Mi sono permessa di parlarle di te, e di come mi hai aiutato. Proveresti a informarti con discrezione? Forse a seguirla, quando vede gli amici al bar, al parco, al mare?»

Di sicuro un sessantenne incerottato non darà nell'occhio in un bar di ragazzini, vorrebbe replicare Mura. Ma evita. Ha un figlio anche lui. Capisce quei genitori. «Posso provarci.»

La Tina gli stampa un bacione su una guancia. «Però non ti ricompenseranno con una torta al cioccolato, eh!» avverte prendendo la bicicletta rossa fiammante che aveva appoggiato a un albero.

«Mi piace anche la crostata alla marmellata» dice Mura.

«Ti offriranno un piccolo compenso per il disturbo. Con me è diverso, siamo amici, mi considero quasi una vecchia zia.»

«Vecchia, no. Ma non c'è bisogno di alcun compenso.»

«Non se ne parla neanche.» È già montata in sella. «La mia amica ti chiamerà. Sei un tesoro.» E con una pedalata riparte.

Sono un coglione, altro che un tesoro, rimugina fra sé Mura. Giustamente Giancarlo gli ha detto di starsene buono. Lui stesso poco prima rimpiangeva il dolce far niente della sua vita da pensionato. E adesso? Accetta un nuovo incarico!

Un incarico? Ovvero, in sostanza, un lavoro? E che lavoro sarebbe mai questo? Detective privato? Sherlock di serie B, come lo ha definito il maresciallo?

Nella tasca dei jeans avverte la vibrazione del cellulare. L'aveva lasciato silenzioso proprio per non avere più rotture.

Magari è già l'amica della Tina, il suo primo cliente. Il secondo, contando anche la Tina. Il terzo, contando Sasha.

Non è un cliente.

È la sua scopamica.

«Mura.»

«Che bello sentirti!» risponde lui.

«Anche perché se aspetto io di sentire te…»

Cos'è, la prima scenata di gelosia di questa donna?

«Sai, ho avuto degli impegni.»

«Che hai combinato?»

Oh, niente, una rissa con spacciatori cinesi, una sparatoria con mafiosi calabresi e una gita in barca con un romagnolo che voleva assassinarmi: il solito, insomma. «Sono caduto dalle scale del capanno» dice. «E mi hanno pure forato le ruote della bici.»

«Le avventure non ti mancano» commenta lei.

No, davvero. «E tu?» domanda Mura.

«Oh, una guerra qui, un attentato lì, il solito, insomma. Ma mi sono presa una licenza. Qualche giorno di R&R.»

«Splendida idea. Vieni a trovarmi?»

«Sto arrivando. Appena atterrata a Roma. Prendo un treno e sono da te.»

«Perfetto. Stasera è in programma una cena di gruppo sul terrazzo. Ma mi troverai un po' ammaccato…»

«Nessuno è perfetto.» Op. cit., ultima scena di *A qualcuno piace caldo*.

Cate è troppo giovane per averlo visto. Ma gliel'ha avrà raccontata qualcuno dei corrispondenti di guerra più maturi. Non a letto, si augura Mura.

La sua prima scenata di gelosia?

La stazione dei carabinieri è a due isolati dal porto canale. Si sentono i motori dei pescherecci quando escono e quando rientrano. "Caserma", la chiama il maresciallo. In realtà è una casetta di poche stanze: l'ingresso con il piantone seduto dietro un vetro, antiproiettile dal 2001 – il modo in cui l'attacco alle Torri Gemelle è arrivato fino a Borgomarina –, l'ufficio del brigadiere e gli appuntati, quello del maresciallo, la guardina con le sbarre alle finestre in cui tengono gli arrestati prima di trasferirli in carcere, e poi la parte privata, il gabinetto, la cucina, una stanzetta con due brandine per il turno di notte.

Non c'è una sala riunioni. Le riunioni si tengono nell'ufficio del maresciallo. Ma per quella di oggi c'è troppa gente. L'hanno organizzata in cucina: è l'ambiente più spazioso.

«Sono arrivati?» chiede il maresciallo appena rientrato dalla pausa caffè a Dolce & Salato. Il caffè potrebbe prepararlo anche lì. Ma gli piace sgranchirsi le gambe, vedere gente. Ed essere visto.

«La visibilità dell'Arma» ama ripetere, «è la nostra arma migliore.» Come gioco di parole non sarà un granché, ma ci crede davvero: la presenza di un carabiniere in divisa nelle strade funziona da deterrente per i comportamenti antisociali, anticamera della piccola criminalità, che porta alla grande criminalità. Insomma, andando fuori a prendere il caffè, il maresciallo è convinto di difendere l'ordine pubblico.

Sono una dozzina fra genitori e figli, pigiati attorno al tavolo della cucina. Tutti cinesi. La banda degli spacciatori in motorino, accompagnati da padri e madri. I ragazzi tengono gli occhi bassi. Gli adulti pure. Nessuno fiata.

«Il maresciallo!» annuncia il brigadiere.

«Buongiorno» dice Giancarlo. «Grazie di essere venuti.»

«'Giolno» rispondono in coro gli adulti.

«'Giorno» ripetono i ragazzi, beccandosi qualche scappellotto.

«'Giolno, malesciallo» li correggono gli adulti.

E dopo un altro scappellotto anche i ragazzi dicono: «Buongiorno, maresciallo».

Giancarlo pronuncia un breve discorso. La decisione di non incriminare i giovani è stata presa dal giudice inquirente. Ma è stato lui a convincerlo. Se dovesse capitare di nuovo che qualcuno dei loro figli violi la legge, ci penserà il maresciallo a ricordarlo ai magistrati. «Vi conosco uno per uno» aggiunge, fissandoli con gravità.

Non aggiunge quello che pensa: se li avesse denunciati, sarebbero finiti sotto processo, sarebbero stati condannati e avrebbero trascorso un certo numero di anni in un carcere minorile. Qualcuno se la sarebbe cavata con la condizionale, ma avrebbe avuto la fedina penale sporca per sempre. Dal carcere sarebbero usciti più delinquenti di prima. Così, invece, hanno una chance di salvarsi e migliorare.

Scoppia un composto applauso. Non era previsto.

Quindi, uno alla volta, gli adulti lo ringraziano, tirandosi dietro i figli, che devono avere subito una ben più dura ramanzina a casa.

«Questo è pel lei e i suoi blavi calabinieli» ripetono i genitori, uno a uno, depositando sulla credenza della cucina un vassoio con manicaretti della loro gastronomia.

«Ma non possiamo mica accettare!» dice Giancarlo al primo.

«Plego, signol malesciallo» insiste un papà.

«Pel favole» insiste una mamma.

«Chiuderò un occhio» acconsente il maresciallo, ringraziando. Dal vassoio proviene un bel profumino. «Così sprovincializzo un po' i miei commilitoni, che sono venuti su a piada e tagliatelle.»

Non ridono. O meglio, ridono con gli occhi, all'apparenza sollevati, per averla scampata e poter rimettere a posto i figli.

Giancarlo li accompagna alla porta, soffermandosi con una

parola per ciascuno, compresi i ragazzi. Certo, pensa mentre li vede andare via uniti, compatti, come un esercito di soldatini, se i suoi figli restassero fuori tutta la notte e andassero in giro in moto dalla mattina alla sera, un po' si sarebbe insospettito. Ma lui è un maresciallo dei carabinieri. E quanti genitori italiani conosce che sono nella stessa situazione? Essere giovani oggi è più complicato di una volta. Anche essere genitori.

«Maresciallo, viene a mangiare il pollo in agrodolce con noi?» lo distrae una voce dal di dentro.

«Arrivo» risponde chiudendo il portone. Meglio che restare lì nella parte del filosofo patacca.

40. Sei un bel bagaglio
(Colonna sonora: *Goodnight, Irene*, Eric Clapton)

«Solo due tiri.»

Hanno detto così perché Mura è ancora zoppicante per il mignolino, anzi mignolone, fratturato, oltre al resto: i cerotti sul naso, i bernoccoli, la costola incrinata, dunque niente partitella due contro due, Vecchia borghesia *vs* Piccola borghesia. Ma è un'ora che fanno gare di tiro e non si sono ancora stancati. Girano intorno al canestro, sfidandosi da tutte le distanze e da tutte le direzioni.

«Il basket è un gioco in cui quattro vecchietti si sfidano a chi la mette dentro e vince sempre l'Ingegnere» recita il Barone, parafrasando una frase celebre sul calcio.

«È solo perché voi non date la frustata finale con le dita» risponde l'Ing. «Se aveste studiato l'ultima Master Class di Curry…»

«La mano morta» dice il Prof, cercando di imitare il suo gesto. Poi spiega che lui, da lontano, preferisce tirare come Gergati, vecchio playmaker della Virtus della loro gioventù: con una mano sola, prendendo per bene la mira.

«E intanto gli avversari invece di marcarti vanno a prendere il caffè» ribatte Mura.

Si sono divertiti abbastanza. Classifica della giornata di tiro: primo l'Ing, secondo il Barone, terzo il Prof anche tirando a una mano, quarto Mura. «Solo perché sono infortunato» si difende. «Vedrete la prossima volta.»

Le donne li aspettano nel capanno, dove hanno già apparecchiato la tavola.

Ognuno ha portato qualcosa da mangiare, ci sono lasagne, zucchine ripiene, polpette con sugo di pomodoro e piselli, insalate, frutta. E tanta piadina. Appena arrivati, gli uomini buttano la rete a bilancino. Se la pesca sarà buona, prepareranno una frittura a mezzanotte. «Magari con due spaghettini di condimento» suggerisce il Prof, sempre il più affamato.

In cielo un tramonto dorato.

«Rosso di sera, bel tempo si spera» predice l'Ingegnere scattando una foto con il telefonino.

«Originale, questa... Mi piace, me la segno. Ma come ti vengono?» lo apostrofa il Barone.

Mura ha già messo gli amici al corrente dell'avventura in barca con Tassinari. A tavola racconta anche della Tina che gli ha proposto un incarico.

«E te, coglione, hai accettato?» s'informa il Prof.

«Potresti riciclarti come detective privato» osserva la Mari.

«Ti sono sempre piaciuti i romanzi di Chandler» gli ricorda la Carla.

«Se hai bisogno di un'autista per i pedinamenti, io ci sono» si offre la Raffa.

«No, è l'ultima volta che mi lascio fregare.»

Non si riferisce ad andare ai 200 all'ora in auto con la Raffa, bensì ai rischi del nuovo mestiere che ha imboccato senza volere.

Alla combriccola, però, l'idea piace e cominciano a immaginare come svilupparla.

«Ti serve un ufficio con la porta di vetro smerigliata, come quello di Marlowe nel *Lungo Addio*» propone la Carla.

«Al giorno d'oggi si lavora meglio da casa» obietta l'Ingegnere.

«Potresti usare Dolce & Salato. Quando non stai al capanno, sei sempre lì, la gente sa dove trovarti» osserva il Barone. «Secondo tavolo in fondo a destra.»

Per il Prof funziona l'idea del caffè come posto di lavoro, del resto chiamano ufficio anche il bar di Fiorenzuola. Ma bisognerebbe accompagnarlo con un sito web per promuovere l'agenzia.

«Quale agenzia, scusate?» domanda Mura.

L'Ing consiglia di chiamarla Agenzia di comunicazioni, giornalismo, consulenze e inchieste. La proposta viene bocciata all'unanimità.

Il Barone suggerisce di sfruttare la sua pur polverosa laurea in legge: «Avv. Muratori, delitti e castighi».

Ne nasce una disquisizione sul significato da dare a "Avv".

Avvocato.

Avventuriero.

Avventizio,

«Avvaffa» taglia corto Mura.

Spazzano via le lasagne, e attaccano i secondi. «Chi ha preparato le polpette con i piselli?» chiede il padrone del capanno.

«Ma sono stato io, Cippa Lippa» risponde il Prof. «Lo so che è il tuo piatto preferito.» Seguono cinque minuti di ricordi su Mura che anche nelle peggiori trattorie ordina polpette, pur sapendo che si fanno con gli avanzi. Alla ricerca della polpetta perfetta.

«O dell'Araba Pernice» motteggia il Prof.

«La metti sempre in vacca» protesta l'Ingegnere.

«Prego, è un volatile. Per non dire uccello.» La battuta più triviale è sempre del Barone.

Bussano alla porta.

È la Cate, zaino in spalla da reporter.

Baci, abbracci, resoconti del suo ultimo reportage: da Kabul, questa volta.

«Che sieda e mangi» ordina la Carla.

«Prima vorrei bere qualcosa di fresco» risponde lei e apre il frigo. «E questo cos'è?» chiede sbalordita.

«Un frigo» risponde Mura.

«Un frigo pieno» precisa lei. «Il tuo era sempre vuoto.»

«È una sorpresa per te, tesorino.»

Ha cominciato a spendere un po' dei cinquemila euro di Sasha: champagne, birra, affettato, formaggi, gelato. Se tornasse adesso, la russa non si lamenterebbe più che non c'è niente da mangiare. Ma adesso lei è a Milano e non avrà più di questi problemi.

Brindano al reportage di Cate.

È proprio carina, pensa Mura. Come dice sempre, parafrasando lo spot del noto liquore? Il tipo di donna che al primo sguardo affascina, al secondo strega.

Finite le polpette e le insalate, si spostano in terrazzo a fumare. È il momento delle riflessioni filosofiche.

«Cose per cui vale la pena vivere?» propone la Carla.

«Escludendo la figa?» chiede il Barone.

«Ma vuoi smetterla di chiamare così le donne?» si arrabbia l'Ingegnere.

«Bravo, amore» lo appoggia la Mari.

«Non surriscaldarti che ti viene un coccolone» lo ammonisce il Barone.

«Ma sei patetico a usare certe espressioni nel 2019!» insiste l'Ing.

«Non agitarti. Fidati, è un consiglio da medico» replica a tono il Barone.

«In effetti sei antico» gli fa eco il Prof. «Devi smetterla.»

«Sei lo stesso di quarantacinque anni fa» osserva Mura.

«Quarantasei» precisa il Prof. «Aveva quattordici anni.»

«Avevamo» corregge il Barone.

«E allora il nostro gioco?» li richiama all'ordine la Carla.

«Comincia tu» dice la Raffa.

«Il sole, il mare, il caldo» dice la Carla.

«Non vale» dice il Barone, «sono tre cose, non una.»

È il turno del Prof: «La nebbia, la campagna, il freddo.»

«L'ho sempre saputo che voi due siete anime gemelle» s'intromette il Barone.

«Il pallone Molten da basket» dice Mura. «Tenerlo in mano dà un piacere fisico.»

«La smetti di toccarmi il Molten dentro i calzoni?» lo redarguisce il Barone.

«Ferragosto in città» dice l'Ingegnere, «così si trova da parcheggiare.»

«Ferragosto a Cortina» dice la Mari.

«Altre due anime gemelle» commenta Mura.

«No, è il titolo dell'ultimo film dei Vanzina» corregge il Prof.

«Stronzi» finge di arrabbiarsi la Mari.

«La mia Porsche» dice il Barone.

«Stronzo» s'arrabbia sul serio la Raffa.

«Avrei detto te, Bibi, ma l'Ingegnere dice che la figa non vale» prova a giustificarsi il Barone. Non funziona: la Raffa lo sommerge di botte. E non sono per finta.

Quando smette, pare finito anche il gioco delle cose per cui vale la pena vivere.

«E per te, Cate? Per cosa vale la pena vivere?» rilancia la Carla quando si ritrovano in cucina a riordinare i piatti.

«Bo'. Il mio lavoro, credo. Ma dopo un po' non basta, vero?»
Carla scuote la testa.

«Non so ancora che voglio dalla vita» riprende Caterina.
«Ma mi piace essere qui con voi, vedere come state insieme,
ascoltarvi.»

«L'Alzheimer aiuta» osserva la Carla. «Per te è relativa-
mente roba nuova, ma ripetiamo sempre le stesse frasi senza
accorgercene. Anzi, ripetono, perché sono soprattutto loro
quattro che le ripetono, da quando erano al liceo, e non hanno
ancora smesso. Comunque, se li aiuta a star bene lasciamo
fare, no?»

In terrazzo è venuto freschino: hanno indossato maglioni e
giacconi prima di ripartire con un altro tormentone, le espressioni del gergo bolognese che nessuno capisce fuori dai confini
cittadini.

«Te sei un bel bagaglio.»

«Scusi, signore, non ho mica la valigia.» Op. cit. dal video
Non è un paese per bolognesi.

E proseguono così per un pezzo: bazza, maraglio, papagno,
cartone, tozza, ciapini, spanizzo, piumone, cartola, gubbiare,
zagno, babbione, fanghe, bulbo, rusco…

Fino all'ultimo.

«Non c'è bisogno che mi dai il tiro, la porta è aperta.»

«Mah, non capisco, cosa vuol dire, signore?»

Squilla il telefonino di Mura.
Non sarà proprio adesso l'amica della Tina Fabbri?
No. È suo figlio.

«Paolo, tutto bene?»

«Ciao, papà, volevo solo darti la buonanotte. Ma… hai
gente? Sento casino.»

«Ma no, i soliti amici.»

Quando il figlio chiama, di solito è per qualche problema. «Sei a posto? Il lavoro? La tua *girlfriend*?»

«A posto, *dad*.»

Si sono sempre parlati così, mezzo in inglese, mezzo in italiano.

Ma stasera Mura junior si sforza di usare solo l'italiano. «Volevo sentirti per un saluto. Non voglio che pensi che ti chiamo solo quando ho dei problemi.»

«Ma va là. Figurati se mi viene un sospetto simile.»

«Be', divertiti con gli amici. Magari il mese prossimo vengo a trovarti.»

«Oppure vengo io. Senti... intanto ti mando un regalo. Con la Western Union, così non devo passare neanche in banca.» E spiegare come mi sono arrivati cinquemila euro in contanti.

«Ma non ho bisogno di soldi, *dad*!»

«Non posso regalarti niente?»

«Non puoi regalare qualcosa a te stesso?»

«Non ho bisogno di niente, io.»

È la verità. Dalla vita ha già avuto molto. Grazie al giornale ha girato il mondo, cenato nei migliori ristoranti, dormito nei migliori alberghi, viaggiato in aereo in business class. Una volta perfino sul Concorde. È stato per lavoro in posti dove uno andrebbe volentieri in vacanza: le Figi e le Hawaii, per esempio. E anche in posti dove in vacanza non andrebbe nessuno: Kabul o la Siberia. Sbagliando a non andarci, perché meritano. È andato dappertutto, non ha più curiosità né desideri inappagati. Sicché a che gli servono i soldi? I bei vestiti non gli piacciono, le auto non gli interessano, come casa gli va benissimo un capanno in affitto e l'unica cosa che vorrebbe, quella che per il Barone è la prima ragione per vivere, non è in vendita. Oddio, in verità si può comprare anche la figa. Ma non è lo stesso.

«Tutto a posto con il marmocchio?» chiede il Prof dopo che Mura ha riattaccato.

«Tutto a posto. Dice di ricordarvi di nominarlo vostro unico erede, visto che non avete prole.»

La Raffa obietta che lei un erede ce l'ha: Pelè. E se va avanti così, pensa Mura, lo acquisirà anche il Barone.

«Tiriamo su il bilancino!» propone l'Ingegnere.

Estraggono la rete. Pesciolini per una frittura ce ne sono. Ma sono tutti troppo pieni per continuare a mangiare.

«Non volevi gli spaghetti di mezzanotte?» chiede Mura al Prof, che rifiuta cingendosi lo stomaco.

«Non hai mangiato niente, Cippa Lippa, non starai male?» scherza il Barone.

«Solo tre porzioni di lasagne, due di polpette con piselli, tre zucchine ripiene, l'insalata per digerire e mezza dozzina di piade» sta al gioco l'Ingegnere.

«Andate a prenderlo in quel posto» li invita il Professore.

Impiegano comunque un quarto d'ora a sgomberare il campo. Quando sono già sul molo, il Prof torna di corsa indietro: «M'ero dimenticato un regalino». E mette in mano a Mura una chiavetta USB. «Ti ho preparato una colonna sonora di canzoni. Così non ti annoi durante la convalescenza. L'ho scelta io perché tanto te non capisci un cazzo.»

È vero. L'esperto di musica è sempre stato il Professore.

«Pim Pum Paf?» s'informa Mura. Il suo modo di dire "rock and roll" dai tempi della prima C al liceo Fermi.

«Più o meno.»

Non vede l'ora di ascoltare la compilation del Professore.

«Finalmente soli» dice la Cate guardando Mura in quel modo.

Si spogliano senza aggiungere altro e si infilano a letto. È diverso da come è stato con Sasha. Niente capezzoli strizzati e artigli nella schiena. Ma la Cate non ha smesso di piacergli.

«Ti vado bene anche ammaccato?» domanda Mura quando hanno finito.

«Insomma» lo provoca lei, «per questa volta mi accontento.»

«I corrispondenti di guerra ti trattano meglio?»

«Verrei da te, se mi trattassero meglio?» Si alza, scosta la porta della terrazza per lasciar filtrare un po' d'aria, accende una sigaretta. Poi lo scruta in volto alla luce dell'accendino.

«Ti sei conciato ben male, cadendo dalle scale.»

Lui le racconta tutto. Quasi tutto. «Non resteranno cicatrici deturpanti» conclude.

«No, tornerai bello come prima. Scomparirà anche il succhiotto.»

«Quale succhiotto?»

Cate indica la chiazza scura sul collo, nel punto in cui Sasha in ospedale sembrava decisa a rivelare la propria natura di vampira.

«Ah, quello? Be', sì, è piuttosto imbarazzante, ma confesso: uno dei mafiosi calabresi si era innamorato di me. Il succhiotto è il meno. Ho dovuto concedergli l'intimità del posteriore.» Op. cit, *Amarcord*, Federico Fellini, la scena al Grand Hotel.

«Già già» commenta lei e si rannicchia fra le sue braccia.

Ogni volta che qualcosa non la convince, ma non vuole stare a discutere, la Cate si limita a dire: «Già già». È diventato un refrain fra di loro a proposito di qualunque argomento: Giàgià, tutto attaccato, come una parola sola.

Ma per fortuna il respiro di Cate si allunga subito e non c'è bisogno di ulteriori spiegazioni: dopo un po' s'addormenta.

Come una bambina.

Come Sasha.

Dormono bene, 'ste ragazze.

Sarà perché queste sono ragazze e a sessant'anni si dorme peggio? No, non sarà di sicuro per quello. Sessanta sono i nuovi quaranta.

Un po' dorme anche lui, alla fine, ma si sveglia all'alba. Con la voglia di una cosa. Non quella voglia. La voglia di una corsetta in spiaggia. Come la mattina in cui la bassa marea gli ha portato Sasha. Si alza cercando di non fare rumore, ma tanto Caterina ronfa che è un piacere. Quindi indossa maglietta, calzoncini e scarpette, e in un attimo è fuori dal capanno.

Correre è prematuro, se ne accorge subito. Al massimo potrebbe andare a... a zoppo galletto! Ma gli va bene anche camminare. L'aurora è magnifica. L'aria tersa. Il mare calmo e trasparente. La bassa marea ha lasciato scoperte dune umide, in cui tra poco qualcuno verrà a raccogliere vongoline e granchietti. E la spiaggia...

La spiaggia è cambiata! È diversa dall'ultima volta che l'ha vista! È stata spianata la barriera di sabbia per proteggerla dalle mareggiate. E davanti agli stabilimenti i bagnini hanno piantato le prime file di ombrelloni. Come fiori spuntati in un campo dopo una notte di pioggia.

Se chiude gli occhi, gli pare già di sentire quello che verrà.

«Cocco, cocco bello.»

«Allo, boni boni, arrivo vado via.»

«È stato ritrovato un bambino di tre anni e mezzo, indossa un costumino azzurro, i genitori sono pregati di recuperarlo al Bagno Milano.»

Come se la spiaggia fosse già popolata di bagnanti, asciugamani colorati, venditori ambulanti, ragazze in bikini che odorano di abbronzante, bambini con il secchiello e bagnini di salvataggio.

Mura riapre gli occhi. In realtà per adesso ci sono soltanto tre file di ombrelloni, sulla spiaggia: ancora non ci siamo. Ma ci siamo quasi.

L'estate sta arrivando.

La compilation del Prof

1. *Tequila sunrise*, Eagles
2. *I Heard It Through the Grapevine*, Marvin Gaye
3. *Money (That's What I Want)*, Barrett Strong
4. *Me and Mrs Jones*, Billy Paul
5. *Jimmy Mack*, Martha Reeves & the Vandellas
6. *Venus*, Shocking Blue
7. *Nightshift*, Commodores
8. *Street Life*, Randy Crawford
9. *It's a Shame*, The Spinners
10. *When I Was Young*, Eric Burdon and The Animals
11. *Samba Pa Ti*, Carlos Santana
12. *I will survive*, Gloria Gaynor
13. *Aint' No Mountaing High Enough*, Diana Ross
14. *Slow Hand*, The Pointer Sisters
15. *My Baby Just Cares for Me*, Nina Simone
16. *She's On Fire*, Amy Holland
17. *Papa Was a Rollin' Stone*, The Temptations
18. *It's The Same Old Song*, Four Tops
19. *Light My Fire*, Jim Morrison and the Doors
20. *7 Seconds*, Youssou N'Dour
21. *I'm Coming Out*, Diana Ross
22. *Tracks of My Tears*, Smokey Robinson and The Miracles

23. *Please Mr. Postman*, The Velvelettes
24. *Super Freak*, Ricky James
25. *My Sharona*, Ramones
26. *Cavatina*, John Williams
27. *Superstition*, Stevie Wonder
28. *My Girl*, The Temptations
29. *The Man I Love*, Ella Fitzgerald
30. *Shaft*, Isaac Hayes
31. *Once in a While*, Liza Minnelli
32. *Strangers In The Night*, Frank Sinatra
33. *A Night In Tunisia*, Miles Davis e Charlie Parker
34. *Barbara Ann*, The Beach Boys
35. *Sultan of Swing*, Dire Straits
36. *I Say a Little Prayer*, Aretha Franklin
37. *I Love You Baby*, Frankie Valli
38. *Born to Be Wild*, Steppenwolf
39. *Killing Me Softly with His Song*, Roberta Flack
40. *Goodnight Irene*, Eric Clapton

nero

Nella stessa collana

Finito di stampare nel mese di agosto 2019
presso 🚂 Grafica Veneta – via Malcanton, 2 – Trebaseleghe (PD)

Printed in Italy